ちくま学芸文庫

新版 自然界における左と右 上

マーティン・ガードナー
坪井忠二 藤井昭彦 小島 弘 訳

筑摩書房

わが甥
テオドール・ガードナー・ウィーバーに

新版　自然界における左と右【目次】

下巻目次

新版　自然界における左と右　上

第三版へのまえがき

このような本を改訂すること、すなわち筆者自身の専門をはるかに越えた領域のまたさらなる果てに向かって冒険するということは、たいへんに苦しい悩み多き仕業である。いったいぜんたい、本全体を書きかえるべきなのか。あるいは多少の訂正をしながら、章を書き足し、注釈をつけるにとどめるべきなのだろうか。結局は妥協することにした。本書は前版の修正に、26、27、32、33、34章を新たに書き加えたものである。26章と34章とは、素粒子の標準理論のもとで現実の段階を説明しようと試みている二つの対立する主な学説、すなわち、スーパーストリング理論と、ロジャー・ペンローズのツイスター理論を紹介したものである。筆者が本文の中で述べているように、この二つの考えは何か今では予想しがたい形で互いに補強しあうようになるかもしれないからである。

この本を完成するにあたって、筆者にただならぬ助けをいただいた四人の物理学者に感謝の意を表したいと思う。アラン・ラヴェルヌは本書の第二版をフランス語に訳出され、その際に多くの修正を助言していただいた。それらは本版でとり入れられ修正されている。W・ピーター・トロワーには本版の草稿に目を通していただき、またいろいろの修正を助言していただいた。ロジャー・ペンローズは、ツイスター理論についての筆者の解説に目を通して下さったし、クリストファー・ヒルにはスーパーストリングについての章をチェックしていただいた。W・H・フリーマン社のジェリー・ルイスにはこのような大がかりな改訂をするということを理解し、遂行してくれたことに対し、また、リタ・ゴールドには本書を完成まで監督してくれたことに対し、そしてリチャード・ミッキーには熟達した編集技術に対し、おのおの感謝の意を表する。

スーパーストリングやツイスター理論についての論文は、それらの論文が発表されるころにはもう陳腐化しているものである。ましてや筆者が今から十年もして第四版を書く機会を与えられるころには、いかにこれらに関する筆者の新しい章が古風になっていることか。読者のご寛容をいただきたい。

マーティン・ガードナー

第二版へのまえがき

カール・サンドバーグの著書『ザ・ピープル、イエス』(*The People, Yes*)の中にこんな話が出てくる。白人が砂の上に小さな円を描いて、「これがインディアンの知っている範囲」という。次にそのまわりに大きな円を描いて「これが白人の知っている範囲」という。するとインディアンは両方の円よりもさらにずっと大きな円をその外に描いて、「ここは白人も赤い人も何も知らない範囲」とやり返したという。

これを少し焼き直してみよう。最初の円は古代ギリシャ人が知っていたこと。二番目の円はわれわれが現在知っていること。そして三番目の円はわれわれがこれから百年先までに知りうることである。

科学知識は、たえず大きく膨らみ続けている円のようなものである。ただ、円の外縁がはっきりと定義されないでいる。むしろ、いろいろ変幻する可能性を大きく持った、もやもやとした信念の雲のようなものである。たとえば中心には、地球は丸い、といった限りなく一に近い確率の「真実」について確たる信念があり、中心から離れるに従って、信念が真実とは異なっている確率が高くなる。したがって、雲の端はとてつもなくあいまいであり、そのようなところにある一つの信念は単なる可能性であって、専門家の意見も相反することがたびたびである。さらに、雲の一部はいつも揺れ動いており、中心からの距離も変わっている。今日高い確率で信じられている命題でも、明日になればまちがいであるとされ、雲のはるか彼方に消え去ってしまうかもしれないのである。あるいは、今は雲の端に引っかかって浮いているような信念でも、いつか中心に流れ寄ってくるかもしれない。最初粗い形で表現された命題は常にいい直されて、だんだん正確に表現されてくる。

雲の大きさに限りがあるのかどうかは誰にもわからない。ある信念が正しいか、まちがいか、多分正しいか、多分まちがいか、ということの意味についてすら反論があるくらいである。正確な確率を数値化できるような技術があるわけではない。けれども、誰しもが同意することが一つある。すなわち、雲は広がり続けるということである。アリストテレスが知っていた科学のすべては、今日知られていることのきわめて一部分でしかない、ということにはたしかに正当性があるように感じられるのである。

科学知識がたえず拡張しているということこそ、われわれが人類史上において、ほんとうの意味で進歩している、と独断的にいい切ることのできる数少ないものの一つ、あるいは唯一のものである。さらに、進歩そのものも進歩し続けているのである。拡張は確実にその速さを増しながら進んでいく。たとえば、ものの構造について、われわれはこの十年でアリストテレス以来二千年で学んできた以上のことを学んできた。

科学作家にとって、この進歩は喜びであると同時に悩みのタネでもある。驚きが尽きることがないという点では喜びであり、書いたものがすぐ時代遅れになるという点では悩みである。筆者は本書の中で「オズマ問題」とよんだ問題に触発されて、一九五二年に「自然は両手使いか」(Is Nature Ambidextrous?) という論文を書き、ジャーナル・オブ・フィロソフィー・アンド・フェノメノロジカル・リサーチ誌 (一九五二年十二月号) に掲載された。この論文の中で、いつの日か自然の法則は左右対称でないということになるかもしれない、という可能性について検討した。筆者はそのような可能性はほぼありえないと結論した。ところが、五年後にそのありえないことがおこったのである。この発見こそがパリティの破れであり、この驚きが筆者に鏡像対称について本を一冊書かしめるきっかけとなったのである。

筆者は、本書『自然界における左と右』(*The Ambidextrous Universe*) を一九六三年に書き上げ、翌年ベーシック・ブックス社から出版した。本が書店に並ぶか並ばないかのうちに、考えもしなかったことがまたおこった。時間に対して不変な対称性が、パリティが破られたのと同じ弱い相互作用によって破られることが発見されたのである。筆者は、このことについてメントーのペーパーバック版に数ページを書き足すことができたが、これはそんなことではすまされないほどの大事件であった。実際そのために第二版を出すことにしたわけである。

全編を通じ小さな補正をしたが、もっとも重要なのは、時間とそれが物理学および宇宙論に及ぼす影響についての最新の仮説について新たに五つの章を増補したことである。もし運がよければ、二、三年はこの本が時代遅れにならないですむことだろう。

マーティン・ガードナー

第一版へのまえがき

「一九五七年という年は、核物理学の歴史において、おそらくもっともはなばなしい年であった」。これはD・Y・バッグが、ベータ崩壊に関するある本の紹介を書いたとき（ニュー・サイエンティスト誌、一九六二年八月十六日号）、その中で述べた文句である。「この年のはじめ、パリティが保存しないというニュースが、全国の研究所という研究所へ電光石火のように伝えられた。教授たちは手を振りあげ、興奮しながら、スピンについて、鏡について、そして反世界について講義した。一般学生も、何か素晴らしいことがおこったと感じた。」

世の中の人びとも、また、ただならぬことがおこったと感じた。ことに、中国系アメリカ人の李政道と楊振寧の二人が、パリティの非保存に関する研究に対して、ノーベル物理学賞を受けるにいたって、ますますその感じを強くしたのである。しかし、それにしてもパリティとは何なのか。どうしてパリティという考えがだめになったのか。なぜ、物理学者がそんなに大さわぎをするのか。

ありがたいことに、これらの問いに対する答えは、高級な数学や物理学の知識がなくてもある程度理解しうるのである。必要なのは、左右の対称性ということの意味と、そして、それが物理学や生物学の近代の発展において果たした役割とを、しっかりつかむことなのである。この本では、まず鏡について、ちょっとみるとすこぶる簡単なような問題を取り扱う。一次元、二次元、三次元における鏡像の逆転を調べたあと、魔術や芸術における左右ということにもふれ、そしてわれわれはひろく自然界における左右対称、非対称の問題にはいっていく。そしてパリティの破れを述べ、またそれと現代物理学における未解決の問題との関係にふれるところで、頂点に達する。

一九五八年に、ジューネーヴで学会があったとき、粒子物理学における「一小発見」が報告された。しかしこの「小発見」こそ、リチャード・ファインマンが長く頭を痛めていた困難を解決するものであった。ファインマンは量子物理学の大家で、この本の22章に登場する。「この発見を聞いたとたんに、ファインマンは、食堂の行列から抜けだして、踊りだした」と、ニューヨーク・タイムズ紙は報じている。

この本は量子物理学の教科書ではない。ファインマンがなぜ踊りだしたかという説明もない。筆者のねがうところは、この本の最後の章で、政治の巨視的世界から、粒子の微視的世界に目をうつしたとき、この学者が大よろこびして踊りだした、その気持ちを読者に伝えることである。

リチャード・P・ファインマンはこの本の草稿に目を通して下さり、多くの助言を寄せて下さった。もしも、行き過ぎやまちがいがあれば、まったく私の責任だが、ここに同博士に厚く感謝する。またバネシュ・ホフマンは、ある章で記述がはっきりしていなかったところを直して下さった。お礼を申し述べる。

図版や文章を引用することを承諾された次の出版社また個人にも感謝の意を表する。"Cosmic Gall"の詩は、ジョン・アップダイクの *Telephone Poles and Other Pœms*（一九六〇年）から引用したが、これについてはアルフレッド・A・クノップ社に、"The End"は、フレデリック・ブラウンの *Nightmares and Geezenstacks*（一九六〇年）から引用したが、これについては、バンタム・ブックス社に、"Perils of Modern Living"の詩については、ニューヨーカー誌とハロルド・P・フュルスに、またフュルスの詩に対するテラーの手紙については、ニューヨーカー誌とエドワード・テラーに（詩も手紙もニューヨーカー・マガジン社の一九五六年よりの引用）、"Misalliance"の歌詞については、作者マイケル・フランダースに、それぞれ感謝の意を表する。

マーティン・ガードナー

1　いろいろな鏡

動物に鏡を見せると、その反応はさまざまである。鏡にうつっているのは実物ではないのに、そのことが、全然わからないらしいのもいる。たとえばインコがそうだ。鳥かごのなかに鏡を入れてやると、インコは、鏡にうつってみえる像にすっかり気をとられてしまう。その脳の中でどんなことがおこっているのかはわからないが、このインコの動作を見ていると、別のインコがもう一羽いると考えているとしか思われない。大人の猫や、犬などの哺乳動物は、鏡に対してあまり興味を示さない。たぶん彼らは、鏡の像にはにおいがないので、本物ではないことがすぐわかってしまうのかもしれない。若いチンパンジーははじめて自分の姿を鏡で見るとたいへん興奮し、不思議がる。鏡が部屋のまん中や、草の生えたところにあると、もう一匹のチンパンジーを見つけようと鏡の後ろ側に跳ねていく。そしてまた鏡の前にもどってきては、見えたり消えたりする鏡の中のチンパンジーを見ている。

懐中鏡を与えてやると、年をとったチンパンジーは、何時間でも、それをおもちゃにしている。鏡に向かっていろいろな顔をする。鏡を使って自分の後ろにある物を見る。物を直接に見たときと、鏡で見たときとをくらべるというわけである。彼らは自分で見えない部分の毛をなおしたり、歯の間にはさまった食べ物を取ったりするのに鏡を使う。チンパンジーに麻酔をして、においのない顔料で耳のまわりに輪を描いておくと、起こされて鏡でそのマークを見つけるとこすりとろうとする。類人猿に手話を教えたら、鏡にうつった像が何かとたずねられると、「私」を意味する手ぶりをするかもしれない。明らかに、彼らは鏡の中の像が、別のチンパンジーなのではないということは知っているようだ。これらのことから、類人猿はある程度自分自身という自覚があるように思われる。たしかに、伝書バトも鏡でしか見えない顔料のマークをつつくように訓練することはできるが、ハトはこのほかにでも何も意味のないいろいろなことを仕込めばできるようになる。

さて、話の順序として、まずあなたにも鏡の前に立ってもらうことにしよう。この本はまずそこから出発するのがいちばんいいと思う。前にいったように、チンパンジーに鏡をやると、不思議がったり、好奇心をもやしたりする。あなたにもこれと同じように、鏡にうつっている自分の像というものについて、少し考えてもらうことにしよう。そこで、壁の一面が、全部鏡になっているような部屋を想像してほしい。あなたはいま、その大きな鏡に向かって立って鏡の中をまっすぐに見つめている。さて、あなたにはいったい何が見えるのだろうか。

そこに見えるのは、もちろんあなたとはまったく反対向きの、しかしあなたとまったく同じ姿で見つめ返しているもう一人のあなたである。しかしはたして、まったく同じ姿であろうか。いや必ずしもそうではない。誰の顔もそうであるが、あなたの顔も、右側と左側とはどこもかしこも同じというわけではないだろう。髪を左で分けているかもしれないし、片方の耳や眉がもう一方よりも少々高いところについているかもしれない。片方の頬に傷あとやあざがあるかもしれない。気をつけてみれば、対称でないところが必ず見つかるはずである。その対称でない特徴に気をつけて鏡の像をよく見ると、これらの特徴もやはり左右入れかわっていることがわかるだろう。もし、あなたが髪を左で分けていたとすると、鏡にうつった像では右で分けている。他の特徴も同様に、すべて、左右が入れかわっているはずである。

もちろん、部屋自体についても、またその調度についても、すべてこの左右の逆転がおこっている。鏡にうつっている部屋は、こまかいところまで実物と同じである。と同時にまたちがっているのである。ルイス・キャロルの『鏡の国のアリス』の話の中に、アリスが、居間のマントルピースの上の鏡をのぞき込むところがある。あのとき、アリスがいったように、部屋の中にあるものすべてが「反対向き」になっているのである。

ところが、すべてが反対向きかというと、そういうわけでもない。イスは同じイスに見えるし、ランプやテーブルもそのままである。コーヒー茶わんと皿をもって鏡にうつせば、うつってみえるのはごく普通のコーヒー茶わんと皿である。ところが、時計を鏡の前にもっていくと、ちがいはすぐにわかる。鏡の中の時計の文字は普通の「右回り」ではなくて、「左回り」の順に見えるのである。(この文字の順の逆転を重要なカギに使ったミステリー小説がたくさんある。A・E・W・メイソンの有名な殺人ミステリー、『矢の家』(*The House of the Arrow*)もそうで、一人の少女が見た時計の文字がカギになっている。彼女は、少し開いたドアのすきまから時計をチラリと見たのであったが、それが鏡にうつったものだったことに気づかなかったのである。彼女が時刻をまちがえて読みとったのは、当然である。)ところで、時計の針が「時計回り」に動くように作られたのは、北半球では日時計の影がそのように動くからだといわれている。もし時計が南半球で発明されていたならば、針は逆回りになるように作られていたかもしれない。

本を鏡にうつしてみよう。かなり離れたところにある鏡にうつせば、本は何の変哲もなくうつる。しかし、本を鏡にずっと近づけて題名を読もうとすると、それが「反対向き」になっていることにすぐ気づく。反対向きの字を読むのはやっかいである。鏡の国のアリスが、鏡の間に入ってすぐ、テーブルの上においてあった本を開いたとき、世にもへんてこりんな詩に出くわすところがある。諸君のなかには、あれを思い出された方もあるだろう。その詩の第一節は次ページのように書いてあった。

アリスはりこうだったから、鏡にうつったものをもう一度鏡にうつせば、はじめから鏡にうつさなかったのと同じであることに気がついたのである。彼女は叫んだ。「鏡にうつした本ですもの。もう一度鏡にうつせばもとどおりになるわよ。」

小さい子供は、鏡のこの性質を不思議がる。文字を反対向きに書いたり印刷したりした暗号文が、鏡を使うと簡単に読めるので大よろこびである。しかし、大人たちはもうこんなことはおもしろがらない。鏡のこの特性にあまりに慣れっこになってしまっていて、もう当たり前のことと考えているのである。大人たちは鏡のことならよくわかっていると思っているのだ。しかしはたしてそうであろうか。あなたはどうだろうか。十分理解しているだろうか。

Twas brillig, and the slithy toves
Did gyre and gimble in the wabe:
All mimsy were the borogoves,
And the mome raths outgrabe.

ここで、簡単な質問を出してあなたを困らせてみよう。鏡が、ものの左右を逆にするだけで、上下は逆にしないのはなぜだろうか。よく考えてほしい。鏡の表面はまったくつるつるで平らである。右も左も、上も下も、全然ちがったところがあるわけではない。鏡の中であなたのからだの左右が入れかわるのなら、なぜ頭と足とは入れかわらないのだろうか。上にあげた「わけのわからない」詩の各行は、さかさまになってはいるが、右から左へ進めばちゃんと読める。鏡にうつせば左から右へ読んでいける。それなのに、なぜ、上の行は上のまま、下の行は下のままでいるのだろうか。

鏡は左右を入れかえる。では、もし鏡を右に九〇度まわしたら、どうなるだろう。顔がさかさまにうつるだろうか。もちろん、そんなことがおこらないことはわかりきっている。では、鏡はなぜこんなに、気味が悪いほどがんこに、左右だけを好んで入れかえるのだろうか。鏡にうつった部屋も左右がかわっているのに、なぜ上下はさかさまにならないのだろうか。

こんないじわるな質問をしたのは、あなた方に、猿のようになってもらいたい、懐中鏡にうつった自分の姿を見て考えこむ、ありこうな猿のようになってもらいたいからである。これはまったくややこしい問題なのである。友だちに同じ質問を出してみるとよい。彼らも同じように面くらってしまうにちがいない。答えに窮してただニヤニヤ笑っているか、そうでなければ答えにもならないことをいうかどちらかであろう。もし誰か、明快な説明のできる友だちがいたら、驚きである。鏡に関するかぎり、大人たちは猿の程度までもいかず、むしろ犬や猫なみである。鏡に像がうつるのを当たり前のこととして、鏡の性質を明確に理解しようとはしない。

ことをもっと複雑にするために、左右が入れかわらない鏡を作ってみよう。それはむずかしいことではない。たとえば、長方形の枠なしの鏡を二枚、図1のように机の上においてみよう。両方の縁を合わせ、鏡の面は互いに直角になるように向ける。このあわせ鏡をのぞき込むと、いったい何が見えるだろうか。もちろん、自分の顔がうつるはずである。

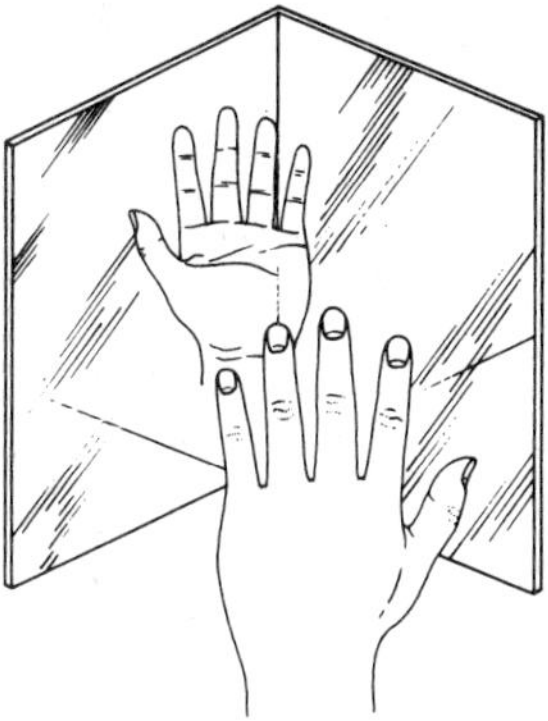

図1　鏡を2枚合わせれば、像は逆転しない。

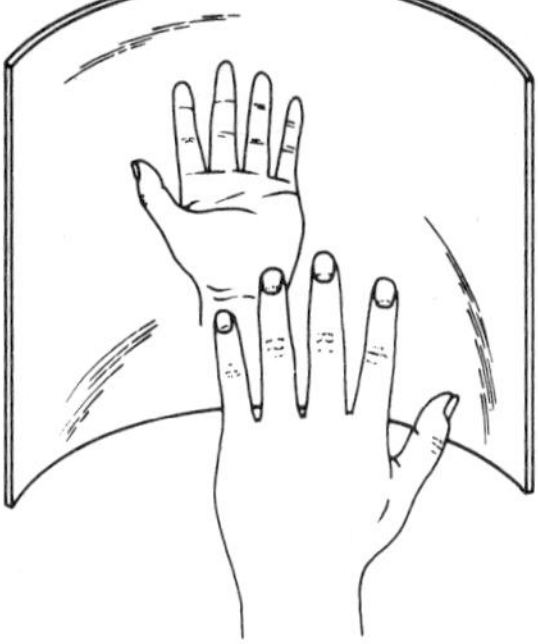

図2　1枚の鏡でも曲げれば、うつる像は逆転しない。

もし、うつった顔の幅がひろすぎたり、細すぎたりしていたら、鏡の間の角度を調節して、ちゃんとした像になるように直す。しかし、こうしてうつっている顔はまともだろうか。ためしに自分の右の目をウインクしてみよう。鏡の中の像では左の目がウインクしないで、――すなわち本物の自分の右の目と同じ側の目ではなくて――像の右の目がウインクする。つまり、鏡にうつった像は「まとも」な鏡の像ではない。しかし、その像は、ほんとうの、逆転していない像である、という意味で「まとも」な像であるともいえる。あなたはこれではじめて、他の人があなたを見ているのとまったく同じ自分の姿を見ることができたのである。

　このような鏡は、別の方法でもできる。鏡を曲げるだけでもよいのである。たとえば薄い金属板をピカピカに磨いて、よくうつるようにして、図2のように少し曲げる。それにあなたの顔がちゃんとうつるようにすると、その像には逆転はおこっていないのである。逆転しているか、していないかは、鏡面に向かってウインクしてみるか、口のどちらか片側に舌を出してみるかすれば、わけなく確かめることができる。この種の曲面鏡は古代ギリシャの時代からすでに知られていた。ギリシャの有名な哲学者プラトンの対話編『ティマイオス』(*Timaeus*)にもこのことが出ている。また、ローマの詩人のルクレチウスの書いた『ものの本質について』(訳注1)(*On the Nature of Things*)はすぐれた科学詩であるが、その第四巻にいろいろな鏡について述べているところがある。そこにもやはりこの鏡のことが書いてある。

このような、あわせ鏡や曲面鏡を九〇度まわしてみよう。そこにうつっていたあなたの顔はどうなるだろうか。像の上下がすぐさま、さかさまになる!(図3)。ある角度におくと、左右を逆転することもなく、また上下を逆転することもない。ところが別のおき方をすれば上と下とが入れかわってしまう! 近年、像を反転しない鏡が作られた。デイヴィド・エミル・トーマスという人がいろいろな反転しない鏡や、歪曲鏡を発明し、一九七八年の米国特許“No. 4,116,540”として登録されている。サイエンティフィック・アメリカン誌一九八〇年十二月号の「鏡像」(訳注2)(Mirror Images)の記事を参照のこと。

チンパンジーに鏡をもたせると、うつった自分の姿を見て、もっとくわしく調べてみたいと思っているようだ。ひとつ、われわれも考えてみよう。そのために、まず次の章では、一次元、二次元の世界を考えることにしよう。幾何図形を鏡にうつすと、鏡はどんなはたらきをするのだろうか。このことを追及していくと、いとも不思議な科学的事実が、いろいろと眼の前に展開するのである。その中には、つまらないこともあるだろうが、また、興味津々たることもあるはずである。二十世紀に入って、科学の分野では驚くべき重大事件が二つおこった。一つは物理学において、パリティ保存が崩壊したことである。もう一つは、生物学における発見で、「遺伝をつかさどる暗号」がらせん構造をもっている分子によって運ばれる、ということがわかったことである。この二つのことは、両方とも右と左の問題に密接に関連したものであって、鏡がもっている逆転作用

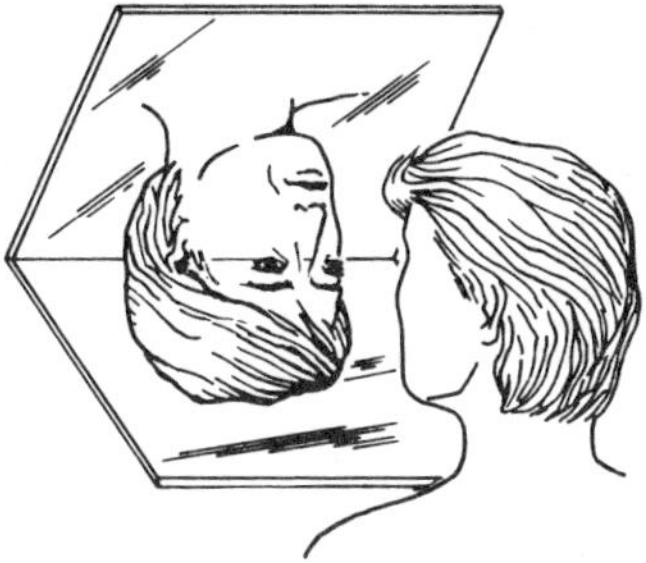

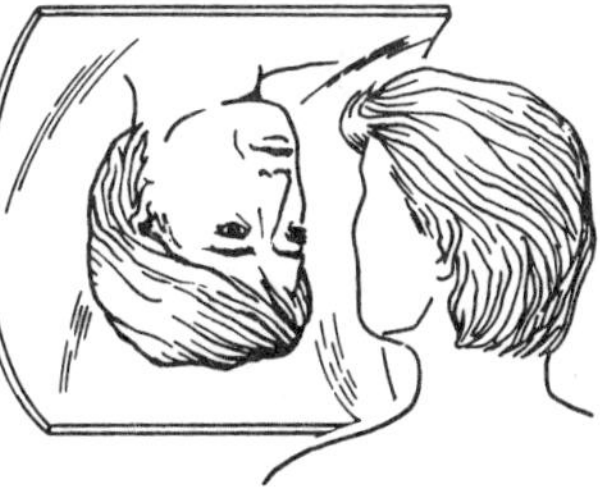

図3　どちらの鏡も90°回転させると、うつる像がさかさまになる。

にも深いつながりがある。これらのことがらは、現代科学という大海のいちばん深いところであって、海図もほとんどできていない。われわれはこの本で最後にはその深みを探ることになるのである。

(訳注1) 邦訳書『物の本質について』樋口勝彦訳、岩波文庫、一九六一年。
(訳注2) 邦訳は「鏡と像」、日経サイエンス誌、一九八一年二月号に所収。

2　直線の世界、平面の世界

われわれの住んでいる世界は三次元である。あるいは幾何学者が近ごろ好んでいうように、3－空間の世界であるといってもよい。立体はすべて、縦、横、上下のおのおのの軸に沿って長さのひろがりがある。（ある私の友人が、かつて大学にいたとき、一風変わった教授がいて、こんなふうにしてこのことを教えてくれたそうだ。その教授は、この三方向の軸を説明するのに教室中を走りまわったというのである。まず横の軸を説明するのに教室の前方で左右に走り、次に中央の通路を前後に走って縦軸を説明して、ついには上下の軸を説明するのに自らその場でとび上がってみせたのだった！）三次元空間にある幾何図形の研究をするのは立体幾何学である。二次元の世界だけを考えるならば、それは平面幾何学である。それは、つまり二次元空間、平面上に描かれた図形の学問である。もう一歩進んで、一次元空間の図形を考えてみよう。これは、一次元の図形、つまり、一本の直線上に表わすことのできる図形である。一次元から始めて、おのおのの次元で、鏡にうつる像の性質がどうなるか、そのことについて調べてみることが必要である。

まず手はじめとして、もっとも簡単な次元、すなわち、直線の世界をとり上げることにしよう。直線の世界というのは両端が無限の遠方にあるような一本の線であって、その上に点が無数に並んでいる。話をおもしろくするために、この直線上に、直線虫という原始的な生物がいたとしよう。オスの直線虫は長さが一〇ミリで、その一端に眼が一つ、ついている（図では眼を点で示してある）。メスの長さは五ミリで、これも一端に眼が一つだけついている。眼は、いずれも大人にならないと発達してこない。したがって、直線虫の子供はただの棒線であって、眼がない。一本の直線だけの世界では、彼らの一生は変化にとぼしい。それを、より変化に富んだものにするためには、直線を一本だけでなく、何本にも増やして、こみ入った網の目を作ってやるべきである。そしてちょうど、線路の上の貨車のようにその網の目に沿って、直線虫が自由にあっちへいったり、こっちへいったり、まわったりすることができるようにしてやるべきだろう。しかし、そうすると、ことは不必要に複雑になってしまうばかりだから、彼らにはやはり、一本の直線の上で一生を送ってもらうことにする。

この直線に対して、図4のように直角に鏡をおいて、直線虫の姿を鏡にうつしてみよう。図4では、鏡は普通の形に書いてあるが、直線虫にとっては「鏡」というのは彼らのいる直線上の一点にしかすぎない。直線虫の子供については、実物と鏡にうつった像とがまったく同じであることに注意してほしい。数学者はこのことを、子供の直線虫は、鏡にうつった像に重ねることができる、という。それは、こういうことである。この子供を直線に沿って、鏡のほうに動かしたと考えてみよう。その子供を、向きをまわさないで直線に沿ってすべらせていくと、しまいには、実物と鏡像とで、互いに対応する各点がすべて一致するようにすることができる。このとき、われわれは、この図形は対称であるというのである。

では、直線虫の大人は対称形だろうかというと、そうではない。なぜかというと、大人の直線虫を直線に沿って鏡の中まで動かしていっても、鏡像と重ねることができないからである。これは、大人の直線虫の両端にちがいがあるからである。いま、直線の方向が東西であったとしよう。もし、大人の直線虫が東を向いているとすると、鏡像は西を向いている。実物のほうの向きを変えれば、鏡像と相対する各点を一致させることはもちろん可能である。しかし、そうするためには、この直線虫をいったん直線からとり出して、もっと高い次元、すなわち二次元空間の世界で扱わなけれ

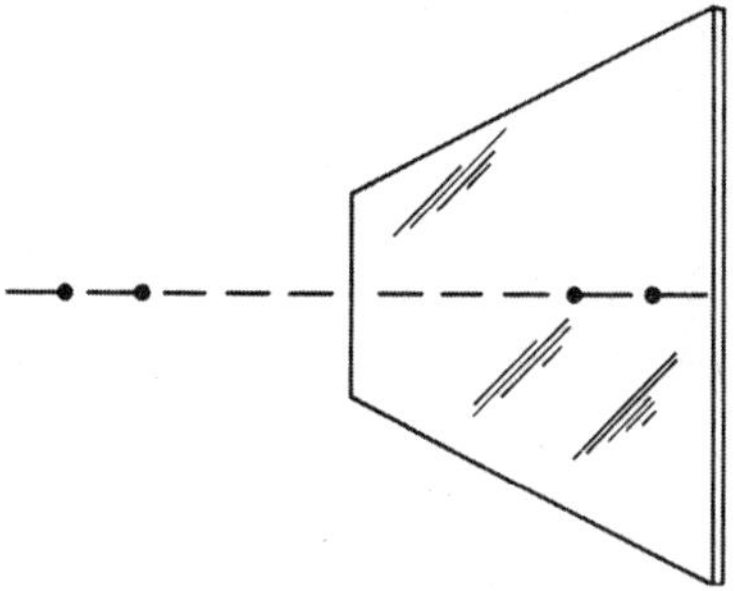

図4　直線虫とその鏡像。

ばならない。より高次元の空間を使わなければ、大人の直線虫を、その鏡像に重ねることはできないのである。このような図形を、われわれは非対称形という。

直線の世界で対称形と非対称形を区別するのにはもう一つの方法がある。もし、ある図形が対称形であるならば、次のことがいえる。すなわち、その図形のまん中の一点でこれを二分すると、できた二つの半分ずつの図形は互いにまったく同じものである。つまり、対称形の図形には、必ず一つの点があって、その点でそれを二つに分けると、分けられた図形の一つを鏡にうつして得られる像と、もう一方の図形とがまったく同じになるということである。この点をわれわれは対称の中心という。いま、かりにこの中心に鏡をおき、その面を直線と直角に向けたとする。そしてまたこの鏡は、表も裏も両面とも鏡であったとする。そうすると、図形の半分と、うつった像とがいっしょになって、もとの図形を復元することができる。もし直線虫の大人が両端に眼をもっていたとしたら、それも対称形である。そのような図形もまたその鏡像と重ねることができる。対称の中心があって、そこで図形を半分にして、鏡にうつすと、残りの半分とこの像とは同じになるであろう。

いま、直線の世界にA、B、Cの三匹の大人の直線虫しか住んでいないとして、みな東を向いていると考えてほしい。次に、この三匹のうちどれか一匹、たとえばまん中のBを反対向きにさせたとする。この変化はAとBにはすぐにわかることである。しかし、もしわれわれがこの三匹のいる直線全体、いわば彼らの「宇宙」をそっくり反対向きにしてしまったらどうであろう。直線虫自体には、変化がおこったことがわからないであろう。事実、彼らにとっては、何か変化がおこった、といっても意味のないことである。われわれには直線が反対向きになったことがわかる。しかしこれはわれわれが三次元空間の世界にいて、直線の世界を外界と関係づけてみることができるからである。しかし、直線の上にいる直線虫は一次元の世界しか感知することができない。自分のいる直線の世界のことしかわからないのである。だから、彼らにとっては、何の変化もおこらなかったのである。自分たちのいる世界の一部だけが反対向きになったときに、はじめてその変化を知ることができる、というわけである。

　平面の世界、つまり平面幾何の二次元空間の世界では、話がもう少しおもしろくなってくる。しかし、鏡による対称の問題は、これまでと本質的には同じことである。図5には、対称形でない平面虫とその鏡像とが図式化して書いてある。（鏡は三次元空間のように書いてあるが、平面虫にとっては、鏡は彼の眼の前にある一本の直線にほかならない。）この平面虫はその鏡像と重なることはできない。彼のいる平面上でどう動かしても、鏡像と互いに相対応する点を一致させることはできない。もし、切り抜きの人形を動かすようにこの平面虫をもち上げることができさえすれば、彼の向きを反対にして、もとの平面にもどすことができる。しかし、このように向きを変えるには三次元空間が必要である。二次元しかない平面の世界でできることではない。

図5　平面虫と鉛直に立てた鏡にうつる像。

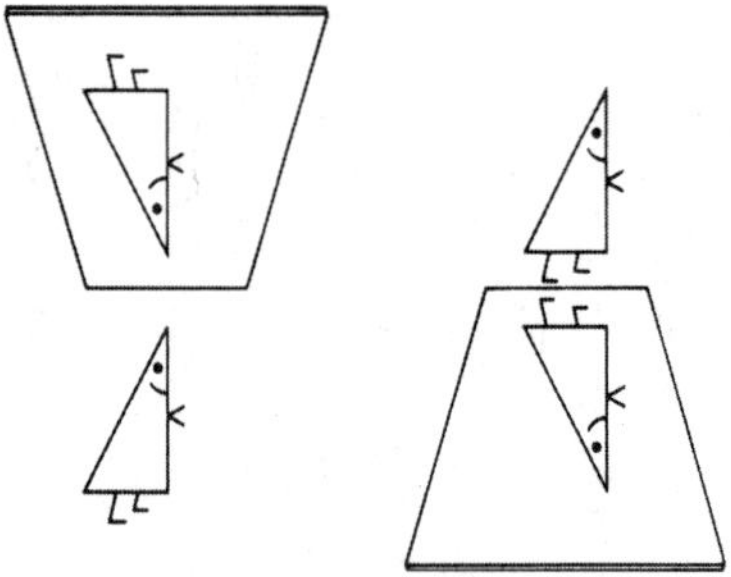

図6　平面虫と水平に置いた鏡にうつる像。

もし、図6のように、この平面虫の頭の上や足の下に鏡をおいたらどうなるだろうか。この場合には、鏡に対して直角なのは上下の軸だから、本物と像とは上下が逆転している。しかし像の上下が逆転しているといっても、図5の像と本質的には同じものである。同一の平面の中で位置を変えたにすぎない。図6にある鏡の中の像はどれでも、図中からとり出して、一八〇度まわせば図5の鏡の中の像と、互いに相対するおのおのの点を一致させることができる。対称形でない平面虫の像は、鏡をどこにどうおくかには関係なく、常に同じ逆転像を鏡の中につくるのである。

鏡にうつしても逆転しないような対称形の平面虫は、いくらでもある。みんな描いてみるのもむずかしいことではない。正方形、円、楕円、正三角形、二等辺三角形、菱形、ハート形、スペード形、クラブ形などなど、いずれも実物とその鏡像との間に差異はない。

直線の世界で対称形の図形には、必ず、それを互いにまったく同じ二つの部分に分けるような点があった。これを対称の中心とよぶ、ということはすでに書いたとおりである。平面の世界でもこれと同じことがいえる。ただし、今度は点ではなくて線である。この線を対称軸という。図7にいろいろな対称平面図形を示しておいた。点線で示したのが対称軸である。対称軸の数は、図形によって、一本の場合から、無限の場合まであることに注意してほしい。円だけは、対称軸の数は無限であるが、他の図形はそうではなく、対称軸の数はすべて有限である。図形の対称軸のところに鏡の縁を重ねて立てると、直線の世界の場合と同じように、実物の半分と、鏡像の半分とで、再びもとどおりの図形ができる。

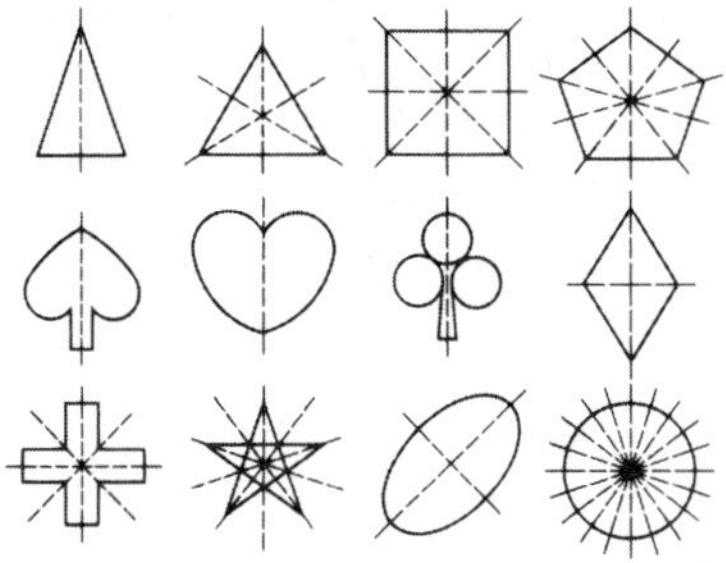
図7　1本以上の対称軸をもつ平面図形。

　対称軸が少なくとも一本ある平面図形ならば、互いに相対応するおのおのの点を一致させて、実物と鏡像とを重ねることができる。この意味で、この図形は対称形であるといえる。数学者はこのほかにもいろいろな種類の対称について論じている。これら、他の対称のうち、若干のものについては11章でふれることにする。けれども、この本で取り扱うのは、その中のある種の対称だけ、すなわち、反射（反転）による対称だけにとどめることにする。したがって、ここで「対称形」というときには、どの次元の話であっても、すべて鏡像と実物とが同一であるということだけを意味している。つまり、図形自身よりも高次元の世界を使うことなく、実物と鏡像とを重ねることができる、ということである。同様に、ここでいう「非対称形」というのは、ある図形の実物が鏡像と同一でない、したがって重ならない、という事実のみをいっているのである。

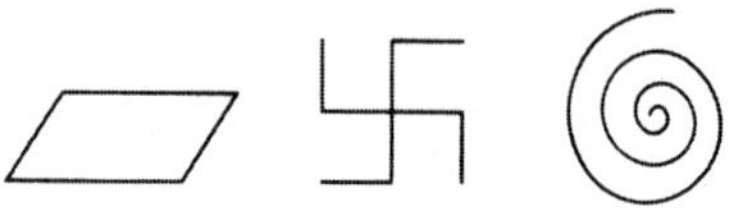

図８　対称でない平面図形。

　対称形でない平面図形はいくらでも描くことができる。たとえば、平行四辺形、まんじ（卐）形、渦巻きなど、図８に示してあるものがこれである。これらの図形はその鏡像と実物とを重ねることができない。また、その図形を二つに切って、互いが互いの鏡像になるようにしようと思っても、それは不可能である。図形をそのように二つに切ることのできる線がない。鏡の縁を図形のどこにもっていっても、鏡像と、もとの図形の半分とをあわせて、もとの図形を作るということは不可能である。だから、このような図形は、一平面に二とおりの描き方がある。先ほどの図８に示したまんじ形は、ナチスのシンボルとして使われたものである。古くから、いろいろな民族が、このまんじ形をそのシンボルに使ってきた。しかもカギが右向きのものと、左向きのものと両方あったのである。

われわれの使っているアルファベットの大文字には対称形なものもあり、そうでないものもある。これから、必要なたびに練習問題を出していくが、まずその手はじめとして、このアルファベットの大文字に関して問題を出すことにしよう。(問題にはすべて番号がつけてあるから、あとで巻末の「問題の解答」を参照してほしい。)

練習問題1　図9にある大文字のアルファベットのうち、対称形のものはどれか。また対称形でないものはどれか。

まず鏡を使わないで答えを考えてみよう。対称形の文字ならば、これをある軸によって二つに分けるとき、それぞれが互いの鏡像になるような軸が少なくとも一本は(あるいはもっと多く)ある。もし、そのような対称軸が一本もないとすれば、その文字は対称形ではない、というわけである。対称形の文字を全部ひろい出して一枚の紙に、対称形でない文字を全部、別の紙に書きぬいてみよう。対称形の文字を書いたほうの紙を鏡にうつしてみよう。もし、紙に書いた文字がすべてまちがいなく対称形であるならば、紙を適当に動

A B C D E F G H I J K L M N O P
Q R S T U V W X Y Z

図9　対称な文字はどれか。

かして、鏡にうつすとその中の文字がまともに見えるようになる。ただし、ある文字がまともに見えるようにするには、紙をある方向に向けねばならず、また、別の文字がまともに見えるようにするにはまた別の向きにしなければならない。これは、それぞれの文字の対称軸の方向が同じではないからである。たとえば「A」という字の対称軸は縦である。紙の右端を鏡にあてれば、うつった「A」はまともに見える。けれども、Bという文字は対称軸が横向きである。Aがまともに見えた位置のままにしておくとBは左右逆転したように見える。しかし紙の上端を鏡にあてるとBはまた当たり前に見える。

先ほど書きぬいた文字を一つ一つ鏡にうつしてみれば、ほんとうに対称形であるかどうかをためしてみることができる。これが終わったら、今度は、それぞれの文字について、あるだけすべての対称軸を引いてみてほしい。「O」以外は簡単に引けるはずである。もし「O」という文字が楕円形に書いてあれば対称軸は二本だけである。けれども図9のOは正しく円に書いてあるので、対称軸の数は無限になってしまう。

次に、対称形でない文字を書きぬいたほうの紙を鏡のところへもっていってみよう。もし正しく非対称形な文字だけが書き出してあったとすると、どのように紙を動かしてみても鏡の中の文字がまともに見えるようにすることはできない。対称形でない文字を鏡にうつすと、うつった像はすべて「反対向き」になってしまう。紙に書いたこれらの文字を調べてみると、どれも、図形を同じように二分する対称軸がないことがわかる。このように、文字にいろいろの対称があるおかげで、これを使っておもしろい遊びをすることができるのである。このことは4章でもっとくわしく説明するが、その前に、次の3章では、立体の対称形、非対称形ということについて述べてみたいと思う。つまり、われわれが実際に生活しているこの三次元の、立体の世界における対称形について調べてみるというわけである。

3　立体の世界

一次元空間や二次元空間の世界と同様に、三次元空間の世界でも、図形はすべて二種類に分類することができる。一つは対称形の図形、もう一つはそうでない図形である。対称形の立体図形というのは、実物と鏡像とを、対応する各点で重ねることができるようなものである。対称形でない図形とは、それができないものである。すでに述べたように、一次元空間の世界における対称形には対称点があった。二次元空間の世界の対称形には対称軸、いいかえれば対称線があった。ここまで説明すれば、もう見当がつくだろうが、三次元空間の世界における対称形のほとんどでは、同じように対称面とよばれるものがあるのである。

「ほとんどの」というのは、立体の中には鏡像と重ね合わせることができ、したがって対称ではあるのに、対称面がない不思議な立体の一群があるからである。たとえば、四角いボール紙で一角が折ってあり、その対角線の反対側のもう一角が同じように反対向きに折

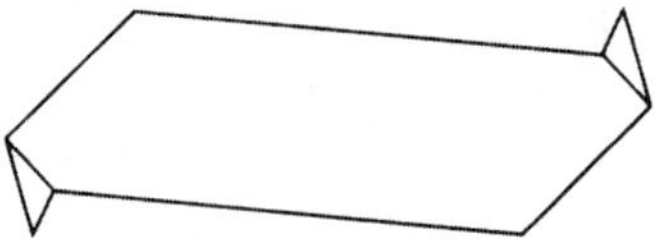

図10　対称面をもたない簡単で対称な立体。

ってあるものを考えてみよう（図10参照）。このような立体には対称面がない。けれども鏡では同じように見える。このような物体は回転すると回転する前と同じように鏡にうつるので回転対称であるという。

では対称面を一つ以上もつような対称の立体を考えてみよう。球は明らかにその鏡像とまったく同一である。円は無数の直線で半分に切ることができ、そしてそれぞれが互いの鏡像と同じになる。球も、ちょうどこれと同じことで、それを二等分するような面が存在する。しかも、そのような面は、球の中心を通って無数に存在するのである。もし、この対称面が鏡であると考えると、球の半分と、その鏡像とで、もとどおりの完全な球になる。ピンポン玉を二つに切ったと考えてほしい。この半分のピンポン玉の切り口を鏡にくっつけてみると、これと鏡像とがいっしょになってもとのピンポン玉になるはずである。

対称面が無限にあるような立体図形は球のほかにもある。たとえば巻タバコのような円筒形のものを考えると、その対称面は、まず円筒の軸のまん中を垂直に切るのが一つある。それに加えて、円筒の軸を通る対称面が無限にある。ソフトクリームのコーンのような円錐形もまた、対称面が無限にある。ただし、その対称面はすべて、円錐形の軸を通るのであって、軸に垂直な対称面は存在しない。立体が対称形であるためには、対称面が少なく

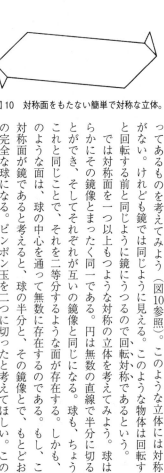

とも一つ、つはなければならない。もちろん、一つに限ることはなく、図形によってそれぞれ有限数の対称面がある。エジプトの大ピラミッドには対称面が四つある。レンガでは三つである。長方形のテーブルは二つ。イスやコーヒーカップは、それぞれ一つずつだけである。ここで、コーヒーカップを対称面に沿って二つに切り離したとしてみよう。このどちらか片方を鏡にくっつけてみると、半分の実物と、その鏡像とでもとのコーヒーカップの姿ができる。(もちろん、これが対称面の定義そのものである。) コーヒーカップが対称形であるということが事実であるからこそ、右利き用カップだの、左利き用カップだのというと、おかしなことになるのである。

図11は、いろいろな立体について、その対称面をすべて書き込んだものである。ただし立方体の対称面は書いてない。この立方体をよく見て次の問題に答えてほしい。

練習問題2　立方体には対称面がいくつあるか。

対称形の立体でも、それをその鏡像と重ねるためには、三次元空間の中でその向きを変えなければならないこともある。たとえば、ソフトクリームのコーンを鏡の前にもってきたとしよう。もし、図12(左)に示したようにしたとする。つまり、円錐形の対称面と鏡

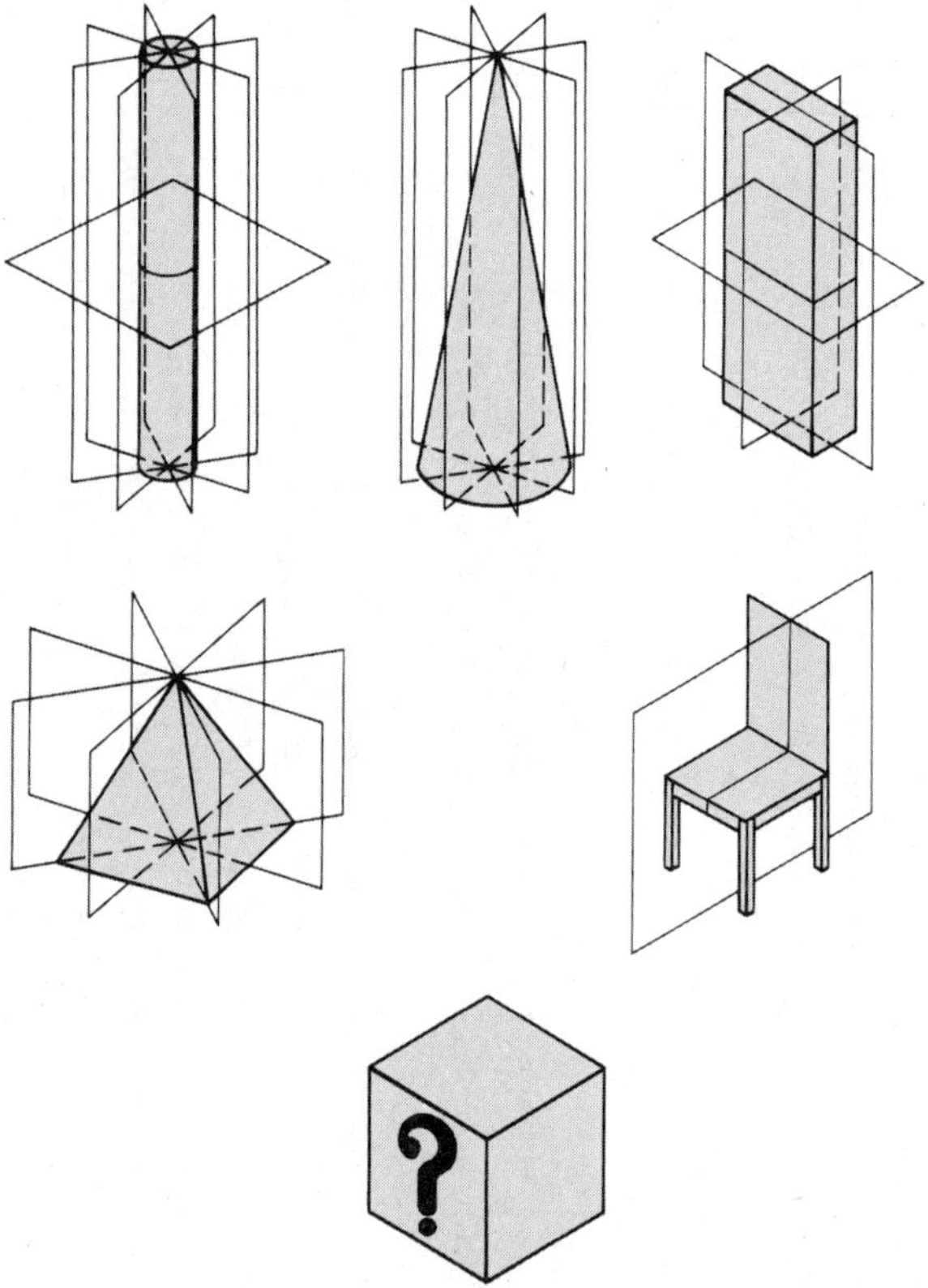

図 11　いろいろな対称面。

の面とが平行になるようにしたときは、両方の図形をただ前後に動かすだけで重ねることができる。しかし、もし、ソフトクリームのコーンの先を鏡に向けて、図12（右）のようにしたとすると話はちがう。このことを、実物と鏡像との二つの図形は三次元空間において、互いに向きが異なっている、という。この二つの図形を重ねるには、どちらか一方の図形をまわして、もう一方と同じ向きになるようにしなければならない。しかし、球の場合は全然まわす必要はない。なぜならば、対称面は無数にあるから球をどんな向きにおいたとしても、そのどれかが必ず鏡面と平行になっているからである。

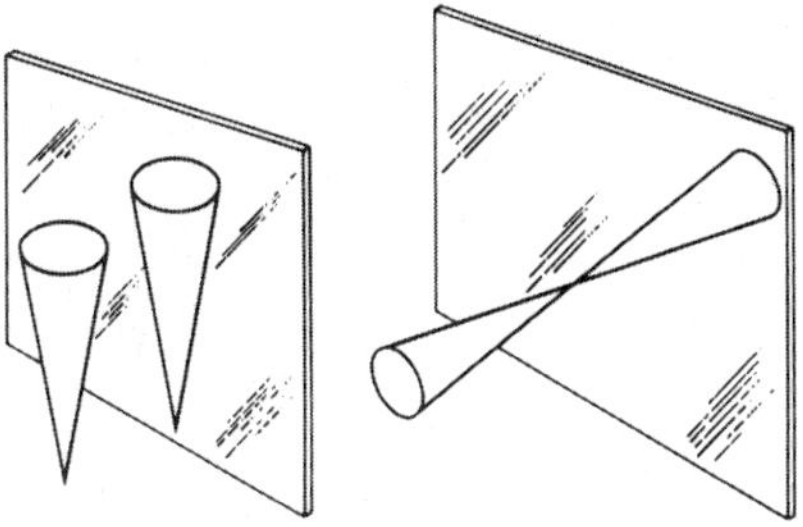

図12　円錐はどの向きでも鏡像に重ね合わせられる。

　対称形でない立体とは、対称面をもたない立体のことである。いいかえれば、鏡の前でどのように図形をまわしてみても、鏡像と重ねることができないものである。たとえば、らせん階段とか、棒キャンデーのまわりにある赤い縞模様のようならせん形などである。平面では渦巻きが対称形でなかったのとちょうど同様に、らせん形、つまり、三次元空間における渦巻きも、対称形ではない。らせん形をある平面で二つに切って、互いが互いの鏡像になるようにすることは、絶対に不可能である。らせん形を鏡の前において、どのように動かしてみても、鏡像はいつも「反対向き」なのである。

対称形でない立体には、その図形と寸分ちがうことなく、ただ「反対向き」になっているだけの相手の図形がある。互いが互いの鏡像になっているのである。このような一対の図形を、左右像（enantiomorphs）という。たとえばわれわれの両手であるが、これは左右像のもっとも身近な一例である。両方の手のひらを向き合わせると、どちらも、互いの鏡像になっている。つまりこの両手は完全な左右像をなしているのである。そこで、この一対のうち、一方を他方と区別するのに、左手型、右手型といういい方をすることがある。一組の手袋もまた、一対の左右像である。一組の靴もそうであるし、両方の耳もまた左右像である。

らせん形を含んでいるものはすべて非対称形である。たとえばコルク栓抜きがそうである。ほかにも、いろいろなねじ、ボルト、ナットなど、ねじ山のついているものはすべて非対称形である。普通のねじは、ねじ回しを右にまわすと先へ進むようになっている。このようなねじは、右巻きのねじ山がついている、ということができる。特殊な用途のために、ねじ山を左巻きに切ってあるねじもある。たとえば自動車の車輪を車軸に取りつけるボルトとナットがそれである。自動車によっては、車の片側の分は右巻きのを使い、もう一方の分は左巻きのものを使っているものがある。（これはなぜかというと、車輪が回転したとき、車の片側では、ナットがよく締まっていくが、逆の片側では、ナットがだんだんゆるんでくるからである。）店で売っている電球の根元の金具には、右巻きのねじ山が切ってある。けれども、昔、ニューヨーク市の地下鉄で使っていた電球は、ねじ山が左巻きに切ってあった！　そうしないと、誰かがこの電球を盗んでいって、家で使ってしまうからである。（今ではすべて、特殊な取りつけ方をした蛍光灯にかわっている。）ところで、左巻きのコルク栓抜きなどというものがいったいあるだろうか。実はそのような栓抜きをアイデア商品の店で売っているのである。もちろん、これは、気のきいた冗談のタネに使うのである。誰か、ビンを開けようとしている人があったら、その人にこの栓抜きを渡して、知らんふりをしていよう。うまくいかないわけがわかるまで、意外に時間がかかるものである！　もちろん、左にまわしさえすれば、この栓抜きでもりっぱに用は足せるのである。

練習問題3　特別な用途のものは別にして、世界中どこでも一般に、ねじやボルトは右巻きにつくられている。これはなぜだろうか。その理由を考えてみよう。

身のまわりを見まわしてみると、人の作ったもので、対称形のものがいかに多いことか。こまかいところはちがっていても、少なくとも大まかに、全体としては対称形のものが多いのである。もちろん、はじめは対称形らしく思われても、よく調べてみるとそうでないものもある。たとえばはさみである。その刃のかみ合わせ方には二とおりあって、その二つは互いに鏡像になるような関係にある。普通のはさみは、右利きの人が使うようにできている。右利きの人が、右手のつめを切るためには、はさみを左手でもつが、さて切ろうとすると、とてもやりにくい。これは、その人が右利きで、左手が器用でないから、という理由だけではない。右利き用に刃を重ねてあるはさみを、逆の手で使おうとするからやりにくいのである。右利き用のはさみを左手にもってものを切ろうとして、握りに力を入れると、実に不自然なのである。左利きの仕立て屋、その他、はさみを使う職業で左利きの人たちのためには、特別に左利き用のはさみが作られているのである。

自動車は対称形であろうか。全体的にはそうである。もっとも、ハンドルの位置など、中心軸についていないものを考えれば、もちろん対称形ではないことになってしまう。アメリカの自動車は左ハンドルだが、これと対《つい》をなすような左右像はあるだろうか。ある。イギリス、日本など、車が左側通行になっている国の車はハンドルが右についている。遠くを飛んでいる飛行機を、地上からながめた形は対称形であろうか。そのとおり、対称形である。ただし、夜は、左翼に赤、右翼に緑の飛行灯をつけるので対称形ではなくなってしまう。扇風機は対称形であろうか。そうではない。なぜならば、扇風機の羽根はらせん形の面の一部をなしているからである。もし、この羽根を、その左右像ととりかえてみたらどうなるだろうか。風が前へ送られるかわりに、後方へ送られてしまう。飛行機のプロペラや、船のスクリューも、同様なわけで非対称形である。糸は対称形であろうか。たぶんそうだろう。いや、念のため、よく見てみることにしよう。その糸が、細い糸をよったものであれば、もちろん対称形ではない。おのおのの糸がらせん状によってあるから、鏡にうつすと、そのよりは反対向きになってしまう。

練習問題4

次にあげたもののうち、対称でないものはどれか。

1 ゴルフのクラブ
2 釣りのリール
3 やっとこ
4 壁かけの缶切り
5 壁かけの鉛筆削り
6 サラダ・フォーク
7 鎌
8 サキソフォーン
9 自在スパナー
10 ボーリングの球

ところで、位相幾何で、メビウスの輪というものは有名であるが、あれも非対称形である。紙を細長く切り、それを半回ひねって、両端をのりづけし、輪を作る。そうすると、裏表がなく、表面一つと縁が一本だけの輪ができる。ただし輪を作るとき、右にひねることも左にひねることもできる。右にひねれば、メビウスの輪が一つできるが、逆にひねれ

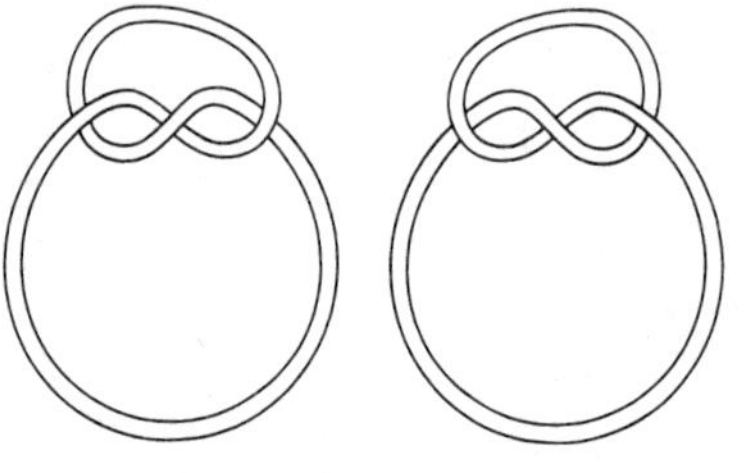

図13　右巻きの結び目、左巻きの結び目。

ば、別の、つまりそれのちょうど左右像であるようなメビウスの輪がもう一つできる。

ひもを図13のように結ぶと、右巻きのものと左巻きのものとができる。図は、そのような左右像の一対を示したものである。片方の結び目をどういじってみても、その鏡像にすることは不可能である。あなたが腕組みをしたとき、これと同じ結び目を自分で作っているのである。このことに気がついたことがあるだろうか。もっとはっきりさせるために、簡単な実験をしてみよう。一メートルぐらいの長さのひもをテーブルの上におくか、誰かにもっていてもらおう。まず腕組みをして、そのままひもの両端を、それぞれの手でもち上げる。そしてそのまま腕組みをほどくと、手にできていた結び目がひもに移されているはずである。どちら巻きの結び目であるかは、腕をどう組むかによって決まる。いま作った、結び目のあるひもをそのままおいておいて、同じことを、もう一本のひもで繰り返してみよう。ただし、今度は、腕を反対に組んでみる。こうしてできる結び目は、前に作った結び目の鏡像になっている。鏡の前に立って、いまと同じように腕組みをして、結び目をつくってみよう。鏡の中の自分、すなわち左右像が、自分とは逆に腕組みをして反対向きの結び目を作るのを見ることができる。

これまで鏡の反射による対称について、簡単な説明をしてきた。この説明を頭において、そろそろ1章で提起した問題、すなわち、鏡は左右は逆転するのに、なぜ上下はさかさにならないのだろうか、という問題に答えてみることにしよう。

おもしろいことに、この問いに対する答えは、実はわれわれのからだについての、ある事実によるものなのである。たいていの動物には、対称面が一つしかない。われわれ人間のからだもそうである。頭の上から足の先まで、からだのまん中を通って、それを左と右、すなわち二つの鏡像に分けるような平面をもっている。これは、全体的に大ざっぱにいって対称形だという意味であって、1章ですでに見たように、誰の顔でも、多少の非対称の要素はあるものである。もちろん、内臓を考えれば、左と右では大きなちがいがある。心臓は左、盲腸は右、といった具合である。(生物の非対称については、後の章で少しくわしく述べることにする。)しかし、表面上は、動物や人間のからだは、生物学者のいう左右相称である。つまり、左は右の、右は左の、それぞれ鏡像になっているということである。からだの前と後ろ、上と下とには、そのような関係はない。この事実と、引力がものをすべて下方に引きつけるということのために、われわれの作る多数のもの(たとえば、イス、テーブル、部屋、建物、自動車、電車、飛行機などなど)が、(前と同様に、表面的、全体的な意味で)左右対称になっているのである。鏡をのぞくと、そこには鏡像であるもう一人の自分がいる。そして、彼は、実物の自分がいる部屋の鏡像である部屋の中にいるわけである。実物の自分が右手を動かすと、鏡像の自分は左手を動かす。われわれがこの逆転現象を右、左、といういい方で表わす。このようないい方をするのは、左右対称なもののどちらか一方を、その左右像と区別するのに、いちばん便利だからである。しかし、数学的に厳密ないい方をすれば、鏡は左右を逆転してはいない。ほんとうは前後を逆転しているのである!

これを理解するのに、北壁一面が鏡になっている例の部屋をもう一度思い出してみよう。そしてその鏡の前に立っていると考えよう。いま、自分は鏡に向かって立っている。そして自分の左側が西、右側が東になっているとする。ためしに西側の手を動かしてみよう。鏡の中でも、西側の手が動くはずである。東側の目でウインクすると、鏡像も東側の目でウインクする。自分はいま、頭が上、足は下である。鏡像の頭も上にあるし、足も下にある。いいかえれば、実物も鏡像も、東西軸、上下軸は三次元空間において、同じ向きにある。では逆転したのは何かというと、それは前後軸、つまり、鏡面に対して直角に通っている南北軸なのである。実際の自分は北を向いているが、鏡像は南を向いている。床にチョークで鏡と直角に南北の線を一本書き、その線上に数字を書いてみよう。そして北から南に1、2、3、と10まで書くことにする。鏡の中の数字は、順序が逆になっていて、北から南へ10、9、8、7、と1まで読んでいくようになっている。厳密に数学的ないい方をすると、この鏡は、上下軸と東西軸は逆転せずに、前後の軸を逆転したのである。ただ普通、このことを左右が入れかわったというのは、自分が鏡の向こうに立ったと考えてしまうので、そういうだけのことなのである。

このことをもっとはっきりさせるためには、鏡に向かっている状態から「右向け右」をして、東向きになり、左肩が鏡側になるように立ってみればよい。鏡が、その面と直角な軸についてだけ、ものの位置関係を逆転させることは前と同じである。立っている向きの関係で、この軸というのは、自分にあてはめていうと左右の軸ということになる。さて、今度は、厳密に幾何学的な意味でも、鏡が上下軸と前後軸は変えないで、左右軸だけを逆転した、ということができる。

鏡が天井や床にあったとしたらどうだろう。鏡が逆転するのはいつも、その面と直角な軸についてのみである。今度は自分の上下軸がそれにあたる。三次元空間における左右軸や、前後軸の位置は変わらない。けれども鏡によって、自分の像はさかさまになっている。それにしても、自分が鏡の中でさか立ちしているところを想像してみると、実物が左手を動かすと鏡像は右手を動かす。鏡は上下を入れかえただけであるのに、それでもわれわれとしては、自分が左右対称であるために、左右が入れかわった、といったほうが便利なのである。鏡が周囲のものをどのような方向に逆転したとしても、自分がその逆転した世界にいると考えてしまうので、右と左の関係が逆になったと思うのである。そのために、こ

図14　奇妙この上ない反転像を生ずる異常な鏡を描いたマグリットの絵。この鏡はときどき前と後をのみ入れかえる（「ジェイムズ氏の肖像」、1937。©エドワード・ジェイムズ財団）。

の逆転のことを前後の逆転とか、上下の入れかわり、といわずに、左右が入れかわった、というわけである。

　これまでのことを要約してみることにしよう。鏡は上下にくらべて左右を好んで逆転する、ということはまったくないのである。ただ、その鏡面に直角な軸に沿って、いろいろな図形のおのおのの点の位置を逆転する、のである。この逆転によって、非対称形の鏡像は実物の左右像になる。われわれのからだが左右対称であるので、鏡による逆転現象は、左右の入れかえとよんだほうが便利である。これは単にいい方の問題であって、習慣的にこのようなことばの使い方をするのである。

　1章で出てきた二つのしかけ鏡は、まったく逆転現象をおこさなかった。けれども、実はそれらの鏡は二本の軸について逆転をおこしていたのである！　普通の鏡のように前後の軸を逆転したほかに、普通の鏡とはちがって、もう一つ、右と左も入れかえてしまっていたのである。この、異なった二本の軸に沿っての二重の逆転でできる鏡像は、利き手型（ハンデッドネス）が実物と同じである。この鏡をのぞき込んで、左目をウインクすると、鏡の右側の目がウインクすることがわかる。ところで、われわれは鏡を見ながら、自分が鏡の中にいて、こちらを向いているように想像するものだから、鏡像の左目がウインクしたと考えてしまう。そこで、逆転がおこらなかったように感じるのである。

このしかけ鏡を九〇度まわしたときはどうなったのだろうか。前後軸を逆転するのは前と同じであるが、もう一本逆転するのは上下軸である。顔をうつすと、顔はさかさまになってうつる。さかさまではあるが、逆転はしていないのである。また、自分がさかさまになって鏡の中にいるところを想像して、左目をウインクすると、鏡像もやはり左目をウインクするはずである。

これでもまだ、よくわからないかもしれない。普通の鏡や、二つのしかけ鏡に対称形でない図形をうつすとどうなるか。これを理解するためには、この章の終わりのあたりを数回、よく読み返して、一つ一つのことを注意深く考えてみてほしい。

本書の第一版出版以来、鏡の中でおこる反転についての私の説明がいくつかの論議のきっかけとなった。まず、鏡はなぜ左右を反転し上下を反転しないかという点についての学術論文が三編、私の注意をひいた。ジョナサン・ベネットは「右と左のちがい」（The

Difference between Right and Left）（アメリカン・フィロソフィカル・クォータリー誌、第七巻、一九七〇年七月号）という論文の中で、私の説明が彼の知るかぎりで「唯一の明快なもの」であるといっている。N・J・ブロックは、ベネットも私もまちがっていると考える。（「鏡はなぜ左右を反転し上下は反転させないのか」（Why Do Mirrors Reverse Right/Left but Not Up/Down?）（ジャーナル・オブ・フィロソフィー誌、第七一巻、一九七四年五月十六日号）では標題が鏡にうつった形で印刷されている。）彼は、反転には四種類があると区別したうえで、そのうち二種類については鏡が左右を反転し上下を反転しないのだという。ドン・ロックは「鏡で見ると」（Through the Looking Glass）という記事の中で（フィロソフィカル・レビュー誌、第八六巻、一九七七年一月号）、私は完璧にまちがっており、ブロックも半分だけしか正しくないと論破している。本人はしごくまじめなのであるが、ロックの記事が三編の中でももっともこっけいである。

私の鏡の像に関する説明がずっと反論されずにきたことに驚きを表わしたややこしい議論がある。リチャード・グレゴリイの編纂した論文集、『オックスフォード版　心の世界への案内』（*The Oxford Companion to the Mind*, Oxford University Press, 1987）の中に同氏が書いた「鏡の反転について」（Mirror Reversal）である。ダグラス・ホフスタッターが編纂した『マインズ・アイ』（訳注1）（*The Mind's I*, Basic Books, 1981）の、四〇三〜四〇四ページに自身で書いている私の説明への弁護がたいへんおもしろい。

ウィリアム・ジェイムズは、その著書『プラグマティズム』(*Pragmatism*)の第二章でハンターとリスの知恵くらべの話を紹介している。ハンターは木のまわりをまわってリスを撃とうとするが、リスは木の幹をちょこちょこといつもハンターの反対側に逃げまわる。ハンターが木のまわりをちょうど一周したとき、ハンターはリスのまわりを一周したことになるのかどうか、という問題である。ジェイムズが正確にいっているように、これはまわりということばで何を意味しているかによって決まってくることである。

鏡がなぜ左右を反転し上下を反転しないかということは、ほとんどこれと同じくらい取るに足らないことである。混乱の原因は、もちろん、いろいろの意味をもちうることばや語句を使って、いろいろな状況について話ができるという事実によるものである。反論の内容が純粋にことばの問題によるので、もっとも混乱の少ないことばを使うことに合意することが唯一の問題の解決策である。ところが、数学者、バーテンダー、哲学者など、「誰にとってもっとも混乱の少ない」ものか、という問題がおこってくる。混乱のほとんどが、一般の言語では左右反転をわれわれの(生物学的な)左右対称をもとに定義することからおこっている。三次元空間の座標幾何の正確なことばを使えば、各座標軸がおのおののx、y、zとよばれる以外は何も他の区別がないから、この混乱は消滅する。

もっと大切なことがらの勉強をはじめる前に、少し頭を休めることにしよう。そのために、次の章では、これまでに学んだことに基づいた考えを使って、楽しく、また、すぐに実験できるトリックや遊びをいくつか説明することにしよう。

（訳注1） 邦訳書『マインズ・アイ』坂本百大監訳、ＴＢＳブリタニカ、一九八四年。

4 手品

これまでの章では、対称とか、非対称とかいうことについて、基本的なところを述べてきた。これらのことをもとにして、おもしろいトリックや、遊びをいろいろと工夫することができる。タバコの「キャメル」の箱を使うトリックは、その傑作の一つである。

「キャメル」の箱の横には、大文字でCHOICE QUALITYと印刷してある。2章で、アルファベットの大文字のうち、どれとどれが対称形であるかを調べておいた。これを思い出してほしい。CHOICEということばには、特別におもしろい点があるのだが、すでにそれに気がついておられるだろうか。CHOICEの文字の一つ一つはみな対称形である。それればかりでなく、どの文字もみな同じく水平な対称軸をもっているのである。だから、一本の水平な軸について、ことば全体が対称になっているのである。したがって、このことばを、さかさまにして鏡にうつしてみても、その鏡像はもとと同じものになって、ちゃんと読める。しかし、CHOICEに並んで書いてあるQUALITYということばはそうはいかない。このことばの中で、水平な対称軸をもっている文字は「I」だけである。だから、このことばをどのようにして鏡にうつしてみても、うつったことばをそのまま読むことはできない。

手品師は、このようなことを実にうまく利用するが、ノース・ダコタ大学医学部長の、テオドル・H・ハーウッドも、この点では玄人はだしであった。彼は例の「キャメル」の箱のトリックが大好きで、よく、人に見せては得意になっていた。

このトリックをやるには、どうすればよいか。われわれも実際にやってみることにしよう。まずはじめに、「鏡にことばをうつすと、文字がさかさまになることは、皆様ご存知ですね」といって、このトリックをはじめる。「けれども、セロハンにも、鏡と同様に、文字を逆転する能力があることを知っている人はほとんどありません。ところで、いったん逆転した鏡像をもう一度鏡にうつせば、これは、もともと鏡にうつさなかった前と同じものになります。そこで、いま、われわれは、このCHOICEということばを一度はセロハンを通して逆転させます。それを今度は鏡にうつします。すると、二度目の逆転がおこって、はじめから逆転がおこらなかったのと同じく、まったく普通の文字にみえるはずです。ひとつ実際にごらんに入れましょう」といった具合にするのである。

このとき、そういいながら、キャメルの箱のセロハンの包装紙をずらして、CHOICEのところにはかぶさっているが、QUALITYのところにはかからないようにしておくのがコツである。そして、文字が上下さかさまになるよう向けておいて、箱を鏡にうつす。図15は鏡に箱がどううつるかを示したものである。

さらに、術者はことばを続ける。「おわかりですか。CHOICEということばは、セロハンで一度、鏡で一度、合計二度、逆転されたので、普通のとおりに見えます。けれども、QUALITYということばは鏡で一度しか逆転していないので、予想どおり、さかさまになってみえるのです」。

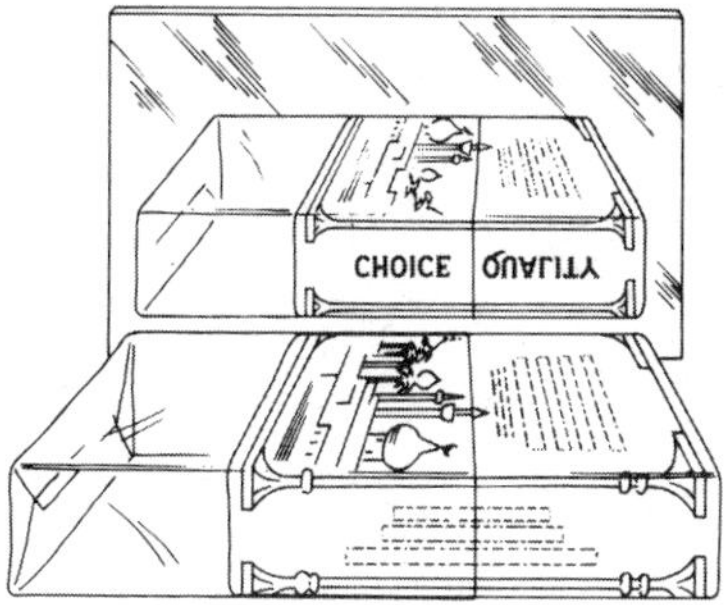

図15　CHOICEはなぜさかさまにならないのか。

たいていの場合、この子供だましの説明にのせられてしまう人は驚くほど多い。誰か、箱を調べてみたいといいはる人がいたら、セロハンをもとどおりに、CHOICEにもQUALITYにもかぶさるようにして渡してやればよい。その人は、ほんとうのことがわかるまで、何回も何回も、セロハンを前後に動かしてみなければ気がすまないであろう。

似たようなトリックに、CARBON DIOXIDE（二酸化炭素）ということばのおのおの単語を別の色で印刷するのがある。これをさかさまにして鏡にうつすと、一方のことばは反転するが他方はしない。これを指しながら、たとえば鏡は赤は反転させるが青はしないといえばよい。

コネチカット州ハートフォードのグラフィック・デザイナーのリチャード・ウエリングが、ゼネラル・フード・キッチンズの発行した料理の本の写真が載った広告の校正刷りを送ってきた。この本はCOOKBOOKということばが本の表紙のほぼまん中に大きくプリントしてある。写真がまちがって上下さかさまになっていたのだが、COOKBOOKということば全体を通じて水平の対称軸が通っていたために、誰もまちがいに気がつかなかったのである。運よくウエリング氏が、この広告が印刷される前に気がついた。

フランク・B・ブレイディという記者がクイズを送ってきた。次の五つの文のうち、正しくない文が一つだけあるのがわかるだろうか。

1 CARSON WAS BORN CHRISTMAS DAY 1809——LIVED TO THE AGE OF 59
（カーソンは一八〇九年のクリスマスの日に生まれ、五十九歳まで生きた）

2 BUFFALO BILL WAS BORN IN 1846——HIS BIRTHPLACE WAS SCOTT COUNTY, IOWA
（バッファロー・ビルは一八四六年に生まれた。生地はアイオワ州スコット・カウンティ）

3 HICKOK DIED DEC 3 1883——DOC BEECH DECIDED HE CHOKED

（ヒコックは一八八三年十二月三日死亡——ビーチ医師は窒息死と断定）

4 CUSTER WAS KILLED AT LITTLE BIGHORN MONTANA IN JUNE 1876

（カスター（訳注1）はモンタナ州リトル・ビッグ・ホーンで一八七六年六月に戦死した）

5 CROCKETT OF TENNESSEE MET DEATH AT THE ALAMO IN THE YEAR 1836

（テネシーのクロケットはアラモで一八三六年に死んだ）

このページを鏡の前でさかさまにもつと、反転しない文がただ一つある。それが誤りの文である。

縦の対称軸をもっている文字は、鏡を横に立ててうつしても、もとどおりにうつる。これで、図16の二つの名前のうち、TIMOTHYという男の子の名前は、鏡にうつしても同じなのに、REBECCAという女の子の名前のほうは逆転してしまう理由がわかるであろう。このことを友だちに見せながら、鏡は黒で印刷した文字は逆転するが、白いのは逆転しない、などといってからかってみるのも一興である。（TIMOTHYとREBECCAのかわりに使えるより長い単語はELECTRONICとAUTOMATAがある。）

数字を少しくずして書いて鏡にうつすと、それが文字として読めるようにすることができる。図17の計算は数字で見ると、まちがっているように見えるが、鏡で見ると、実は正

図 16　TIMOTHY はなぜ逆転しないのか。

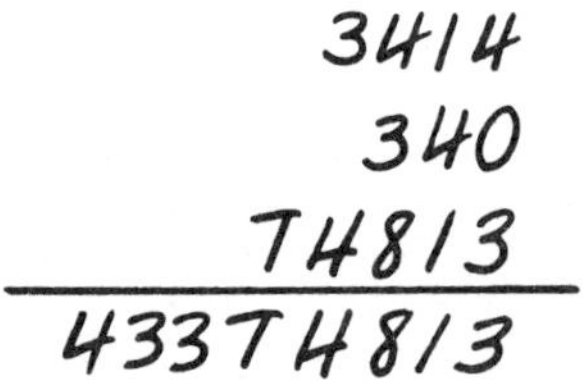

図 17　鏡にうつすとこの計算のまちがいは直る。

しいということがわかる。
　同様に、パイを次のように書いて

そして鏡にうつすと、パイ（円周率）の最初の三桁が見える。
　いろいろの単語を書いて、その右に鏡をおいてうつしてみると、他の単語にかえることができる。たとえば、小文字で書いた「bum」という字は鏡の中では「mud」に変わる。この三文字を切り抜いて（できるだけ大きいほうがよい）、壁鏡か姿見に「bum」となるような向きにはりつける。部屋を暗くして、懐中電灯でこの文字を照らしてみよう。文字の影が後ろの壁にうつるはずである。

練習問題5　後ろを振り向いて、壁の字を読んでみよ。「bum」と読めるだろうか、それとも「mud」であろうか。また、姿見の後ろの壁の字を鏡にうつして読んだらどうであろうか。実験をしないで、この二つの質問に答えよ。

ベル研究所の有名な数学者であるロナルド・グラハムは、講義の中で冗談をいうのが好きである。透明なシートにすべての文字が逆向きにプリントしてあるもの、たとえば

A rolling stone gathers no moss.

をオーバーヘッド・プロジェクターでスクリーンに投影すると、当然変な向きになる。グラハムが一八〇度向きを変えるが、それでもまだ変である。今度は裏返しにするがまだおかしい。一八〇度向きを変えてみるけれどもだめ。そこで腹を立ててこのシートをほうり投げてしまう。

人の顔が左右対称であるということは、写真を使ってみればわかる。正面からとった顔の写真のまん中に、枠のない懐中鏡を立てる。もちろん、鏡の縁と、写真の顔の対称軸とが一致するようにする。そうすると、半分の鏡像と、写真の半分とでもとの顔ができあが

る。もっとも、もとの顔が完全に左右対称でないので、こうしてできた顔は、実際とは多少ちがって見える。

自分や、友だち、あるいは雑誌に出ている有名人などの正面写真を使って、この鏡テストをやってみよう。鏡の中心から左へ向けて立てて、左半分だけで合成した顔と、鏡を右へ向けて立てて、右半分だけで合成した顔とは、ずいぶんちがって見えることがあって、とてもおもしろい。二十世紀初頭のドイツでは、このようにしてできる二つの別な顔は、それぞれその人の人格の二つの側面を表わしているのだ、と主張する心理学者のグループがあった。今では著名な心理学者でこの説をとる人はもういないが、それでも、この鏡テストで友だちを「分析」してみるのもおもしろい。それに、鏡を中心からちょっとずらせてみると、絶世の美人の顔も、怪物まがいになっておもしろい。

ホテルのロビーなどで、四方全面が鏡になっている柱を見かけることがある。人間のからだは左右対称なので、このような鏡の柱でおもしろいトリックをすることができる。鼻を柱のかどにくっつけて、半身だけがみんなに見えるように、柱のかげに立ってみたまえ。実際に見える半身と、鏡像とで、全身が復元できる。（少し、右に動いたり、左に動いたりして、観衆から見て、合成してできた姿ができるだけ普通に見えるように調節する。）そうしてから、観衆から見えているほうの手を上げて、息を指に吹き込むまねをする。同時に、見えていないほうの手で帽子をもち上げるのである。（帽子は水平のままもち上げるように気をつけること。）観衆のほうからは、あたかも、ほんとうに、帽子が風に吹き上げられたかのように見えるのである。指を口からはなして、それといっしょに帽子をゆっくりと頭の上にもどす。この簡単な遊びに多くの人が目をまわすことだろう。

アンコールがきたときは、観衆に見えているほうの脚を上げればよい。鏡像といっしょに合成されている姿を見ている人びとには、あやつり人形が両脚をはね上げているようにしかみえない。同時に眼玉をグルグルとすばやくまわしてみよう。観衆のほうから見ると、一つの眼玉は右回りにグルグルまわり、もう一方は左回りにグルグルまわるというわけである。

いろいろな図形やパターンの上に鏡の縁をおいてみると、鏡像と実際の図形とで、必ず左右対称な図形ができる。諸君も子供のころ、紙にインクをこぼしてしみを作ったことがあるにちがいない。紙の上に、インクを数滴おとして、その紙を半分に折る。このとき折り目がインクのところを通るように折る。互いに半分になったどうしをよく押さえる。この紙を開くと左右対称のパターンができている。精神病医が診断の際に用いる。ロールシャッハ法という有名なテストがある。これもこうしてインクのしみを利用してつくるものである。もちろん紙の折り目が、このパターンの対称軸である。

二枚の鏡をV字形に合わせて、この絵やパターンの上においたとしよう。すると、鏡像がいくつもできる。鏡の角度をきっちり一八〇度の何分の一かになるような値にすると、偶数個の対称軸をもったおもしろい図形ができる。たとえば角度が 180/2＝90 だとすると、図形には対称軸が四本できる。ただしこれではたいしておもしろいことはない。180/3＝60 の角度だと、対称軸が六本になって、雪の結晶と同じような美しい六角形ができる。これらの鏡像を見ると、次から次へといくごとに左右の向き方が逆になっていることに注意してほしい。二つの鏡を六〇度の角度に合わせて、それを雑誌のカラーのイラストの上においてみよう。そして、イラストの上でこの鏡を、角度は変えないまま少しずつずらせてみる。六角形の抽象パターンの形は次々と、リズミカルに変わっていくが、しかもそれがいつも、六方対称を保ちながら変わっていくのである。普通の万華鏡では、鏡を六〇度に合わせてあって、それに色ガラスの破片によってできる勝手な形をうつして、これと同じような図柄をつくるようになっている。

万華鏡（カレイドスコープ）の変形でテレイドスコープというものがある。これは筒の両端に、色ガラスのかわりに、凸レンズをつけて望遠鏡にもなるようにしたものである。このテレイドスコープで見ると、鏡が 180/4＝45 の角度で合わせてあるので、景色がすべて七回反射してうつってみえるのである。だからこの場合にはパターンは八角形になっていて、対称軸の数は八本である。

左右の問題に関係した遊びに、サイコロを使うおもしろいものがある。サイコロをいくつか用意する。たとえば三つだったら、図18に示したように重ねる。そしてそのいちばん

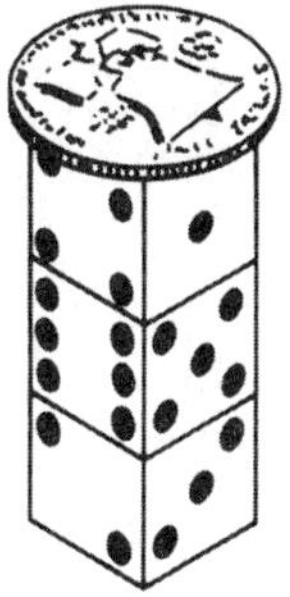

図18　三つのサイコロそれぞれの上向きの目の数はいくつか。

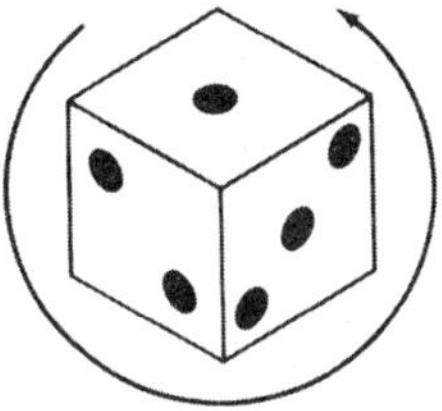

図19　近代のサイコロは左回りである。

上に硬貨でもおいてみよう。どのサイコロも、必ず上下二面がかくれていて、他の四面だけが見えるようにする。図のそれぞれのサイコロの上面の目は何であるか、それを当てることができるだろうか。サイコロの目はどこでも、反対側の数字と合わせるとちょうど七になっている。だから、いちばん下にあるサイコロの上面の目は六か一である。まん中のサイコロの上の目は同様な理屈で四か三、いちばん上のサイコロは五か二である。しかし、この二つの目の数のうちでどちらが正しいか。どのようにすればそれを決めることができるであろうか。

　これを決めることができるというのにはわけがある。それは、サイコロの反対側の目の数を足すと必ず七になるようになっているのだが、それには二とおりしか方法がないという事情があるからである。この二とおりのやり方は互いに鏡像になっているのである。図19で示したように、サイコロの一、二、三の目が自分のほうを向き、一が上になるようにする。そうすると、数字が、小さいほうから大きいほうに順に、左回りに、つまり矢印の向きに、書き込んであることがわかる。近ごろのサイコロは、みな、このようにできている。昔のサイコロには、数字を左回りに書き込んだのもあれば、右回りに書き込んだものもあった。反対側どうしを足して「七になる」サイコロの歴史は、遠く古代エジプトの時代にさかのぼるが、そのエジプトでも、数字を左回りに書き込んだものと、右回りに書き込んだものとの、両方があった。

近ごろのサイコロがみな「左回り」であることを知ってさえいれば、十円玉でかくれているサイコロの目を当てるのは、さほど困難なことではない。それぞれのサイコロの見えている二つの面を見くらべて、どこに一、二、三があるかを頭の中で考えてみればよい。反対側どうしで目の数の和が七になることと、一、二、三、という目の書き込み方が左回りであるという二つのことさえ頭においておけば、この、目の数のクイズは、ちょっと練習するだけで、少しもむずかしくはなくなるはずである。

練習問題6　図18中のそれぞれのサイコロの上の目を当ててみよ。

このようにサイコロが重ねてあるとき、それぞれのサイコロの上の目を正しくいい当て

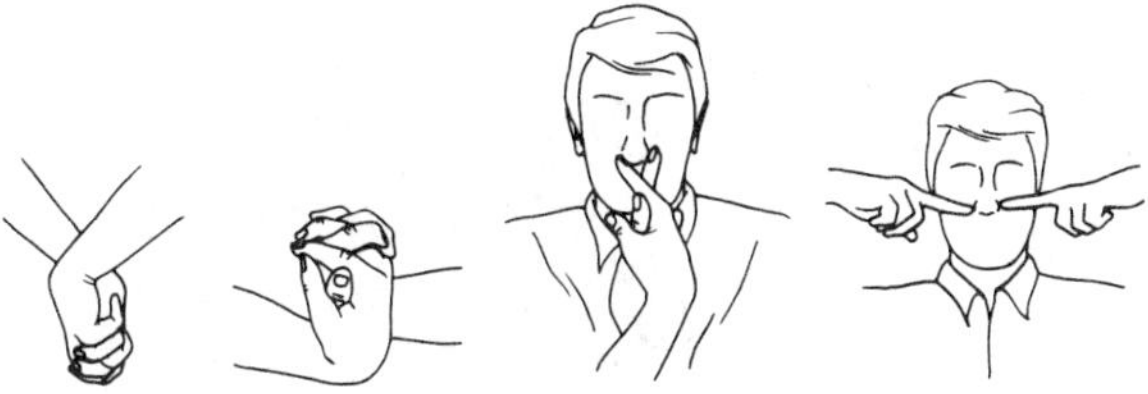

図 20　指と鼻の妙技。

られる人はほとんどいない。おそらく千人に一人もいないくらいである。かつて、カジノで賭博師がこのトリックをするのを見たことがある。賭博師が後ろを向いている間に、客の誰かが六つか七つのサイコロを適当に積み重ねる。賭博師が振り向きざまにこれを一瞥して、上向きのかくれている目の数をすばやく当てるのである。客が、重ねたサイコロを上から次々に取り払っていく。賭博師は次々に目の数を当てていく。失敗することはほとんどないので、いったい、サイコロの目がどんな具合に書き込んであるのかなどと、まったくややこしい議論が客の間ではじまるというわけである。

左右の非対称を何段階か使ったおもしろい指のトリックがある。図20ａのように両手を組んでみよう。両手を組んだまま腕をまわして両手を上に向け、鼻の近くにもってくる（図20ｂ）。人さし指を交差したまま上に向けて、つめのほうを図20ｃのように鼻のわきに押しつける。今度は指の先を鼻につけたまま肘をもち上げて、図20ｄのように手と腕がくるまでもち上げる。

非常に簡単なように見えるが、誰かがまねをしようとすると手首のところでこんがらがって肘が上がらない。いくら同じことを繰り返して見せても、見ている人は誰もまねできないかもしれない。

この秘訣は理屈ではわかっていても不思議なものである。最初に手を組むとき（a）、手を「まちがって」組まなければならない。つまり、いつも組む組み方とは反対の組み方をするのである。たまに、このまねを難なくやってのける人に出くわすことがあるかもしれないが、それはまれなことである。このトリックで何がおこっているのかについての分析は、読者諸賢に任せることにする。

図21　二つのキングによるトリック。

トランプの絵札を使ったおもしろいトリックがある。クラブのキングにスペードのキングを、クリップで図21のように重ねてみよう。まず、この重ね合わせたカードを観客に向けて、おのおののキングの顔が外側を向いているところを見せる。空いているほうの手で下のほうの顔の部分をかくし、「これをさかさまにしてもまだキングたちは互いに外側を向いていると思いますか」と観客に聞いてみるとよい。たいていの人が絵札は一八〇度の回転対称に描かれていることを知っているので、「はい」と答えるはずである。驚くなかれ、重ねたカードをさかさにするとキングたちは互いに顔を向き合わせているという具合である。

これと同じことを友人たちにやってみると、きっとおもしろがるだろう。いささか数学的なにおいもして、高尚な感じなので、よけいに好奇心をそそられるはずである。左と右に関する興味深いことがらについては、私の著書『予期せぬつり下がり』(*The Unexpected Hanging*, Simon & Schuster, 1969)の「回転と反射」(Rotations and Reflections)という章、およびスコット・キムの驚くべきかつ美しい著作『反転』(*Inversions*, W. H. Freeman and Company, 1989)を参照されたい。さて、われわれにはさらに調べていかなければならない大切なことがある。次の章では、反射による対称が絵画において果たしている役割について述べることにする。驚くべきことには、この、反射による対称は、音楽や詩の世界にまで影響を及ぼしているのである。

(訳注1) ジョージ・アームストロング・カスター(一八三九〜七六)。アメリカの将軍。南北戦争時に北軍で活躍した。アメリカ・インディアンとも戦い、この文例はスー族との有名な戦いをさす。

5 絵画、音楽、詩、数字

反射による対称を使うと、いろいろなおもしろいデザインを簡単に作ることができる。この方法は古くから利用されてきた。たとえば、前に述べたように、子供がインクのシミを作って遊ぶのもその一つである。子供たちがはじめてインクのシミで絵を作る方法を教わると、彼らは大声を出してはしゃぐ。とくに黒いインクだけではなく、色の絵具をおとした紙を開いて、できた左右対称のパターンを見たときはなおさらである。それにしても、子供たちはなぜ、このような絵を「きれいだ」と感じるのだろうか。答えは明らかである。子供たちは、意味のないパターンでも、その中にある秩序、あるいは調和を感じとってこれを楽しんでいるのである。それは子供たちが、自分の身のまわりの世界でも対称形のものをたくさんみているからであろうか。ほんとうのところは誰にもわからないが、子供たちが自然界で経験することの大部分が左右対称であるので、この種のパターンを快く感じるのだと考えてもよいだろう。原始的な文化には左右対称なパターンが見られることが多い。絵画史の初期においてもまたしかりである。初期のエジプト芸術においては、対称であるということが、スタイルの根本でさえあった。中世紀の宗教画にも、左右の対称性を強調した構図が少なくない。

近代感覚としては、このような絵はもはやたいくつでしかない。というのも、対称性はあまりに単純明解すぎるからである。（もっとも、いま流行の「ポップ・アート」なるものの中には対称性のリバイバルが見受けられる。また、新抽象主義者たちの幾何学的図形にはこのようなものが一時的に流行になっているようである。）けれども、まわりを見まわすと、人が作ったもので、左右対称な形やパターンがいくらでもあることに気がつくのである。ただ便利さのために対称形に作られたもの（たとえば、ドア、窓、イス、などなど）だけでなく、快い感じを与えるためにそのように作られたものがたくさんある。花びん、電気のスタンド、シャンデリア、鳥の水浴用のいれもの、ステンド・グラスの窓、クリスマス・ツリーの装飾、イヤリング、えりピンなどなど、枚挙にいとまがない。服地や壁紙、カーテン地、タイルの床なども、左右対称なパターンの繰り返しであることが多い。登録商標、なじみの深い紋章、たとえば十字形とかブルボン王家の白百合などのようなものも、左右対称であるのが普通である。ヘルマン・ワイルがその著書『シンメトリー』(訳注1)（*Symmetry*, Princeton University Press, 1952）の中で指摘しているが、これら人工のものは、対称性を重視するあまり、自然をまったく犠牲にしてしまっていることさえある。

帝政ロシアやオーストリア・ハンガリーの紋章についている双頭の鷲は、そのいちばんいい例である。

日本の美術は西洋美術とはまったく対照的に、また中国美術とさえも異なって、できるかぎり対称性を避けようと努める。エヴァレット・F・ブレイラーが岡倉覚三（訳注2）の著書『茶の本』（*The Book of Tea*, Dover, 1964）の解説で指摘しているように、日本の美術に大きな影響を与えた道教と禅における解脱の概念では、ダイナミックな成長を強調する。ところが、対称的な図形は反復と充足を暗示する。日本人の対称性嫌いは茶の湯の作法にすら及んでいる。「花びんや香炉を床の間におくのにも、完全にまん中におかないよう注意しなければならない」とブレイラーは書いている。

西洋美術においては、いろいろな図形はほとんどといってよいほど縦の対称軸をもっている。われわれは、自然界の縦の対称軸に慣れている。だから、たとえば、壁紙の鉛直な対称模様を九〇度回転してしまうと、なぜだかわからないが、不快に感じるのである。けれども、対称軸が水平なものもあるにはある。なめらかな湖面や川面に、木や他のものがうつっている景色を描いた絵がそうである。そのような景色の絵を見ても、われわれはちっとも不快だとは感じない。むしろこの対称性が快くさえある。えりピンについていえば、魚、その他の天然のものの形を使って対称軸が水平になるようにしてある場合もあるが、それを別とすれば、対称軸が水平に一本だけというのはめったにない。これも、同様な理由による。

自然界では、鉛直な対称軸を中心とした対称形が圧倒的に多い。それは、もちろん、重力が上から下にはたらく力であるという単純な理由による。この結果、すべてのものが、水平には、どの方向にも等しくひろがろうとする性質がでてくる。この横にひろがろうとする性質があるので、水たまりの表面は水平面になるのである。たとえば湖を考えてみると、それが南北であろうが東西であろうが、その方角には関係なく、水は横にひろがっている。けれども、空中に、上向きにひろがるということは決してありえない。写真のネガ・フィルムと、ポジの画像とは、左右がちょうど逆になっている。が、それにもかかわらず、湖の写真はネガを見ても、少しもおかしく見えないのはこのためである。けれども、この写真を上下さかさまにして見ると、とたんにその写真の中の水が自然の法則にあてはまらないことになる。したがって、それを見ると、何か不自然な感じになるのである。木が対称であるようすは、大ざっぱにいって円錐形と同じである。つまり、対称軸は無数にあるが、水平なものは一本もない。この場合も重力が大きな意味をもっている。木は重力にさからって上に成長するものである。そして、地中に根をはり、空中には葉をつけている。したがって、一本の木の上側と下側とは全然ちがう。木は地中に根をはっていて、動物のようにあちらこちらと動いたりはしないから、「前後」とか「左右」というものは木には存在しない。鏡を鉛直にもって木をうつすと、鏡像も、本物とたがわぬ木に見える。

実際、自然の風景をうつした写真では、たまたま、字の書いてある標識とか、道の片側だけに車が走っているなどといった、何か人工的で、対称形でないものがいっしょにうつっていないかぎり、景色が逆転しているかどうかを見わけることはほとんどできない。しかし、そのような写真を水平軸に沿って逆転させる、つまり、上下をさかさまにすると、とたんに今度は何かが明らかにおかしい、ということになる。ニューヨーカー誌の一九六二年五月五日号の一八九ページに、漫画がのっていた。その漫画は、一人の男が朝、ベッドから起き出して、寝室の窓のブラインドを上げている図であった(図22)。ところが、窓の外に見える景色がすべてさかさまなのである! この漫画がおもしろいのは、実際にはこのようなばかげたことがあるはずがないからである。もし、この窓の外の景色が、単に

図22 シェードを上げると途方もない景色が展開されている(©ザ・ニューヨーカー・マガジン社、1962年5月5日号)。

左右が入れかわっただけであったなら、まったく自然なままで、ちっともおかしくはないのである。

芸術家や漫画家は、ときおり、さかさまの絵を描いてたのしむことがある。さかさまにすると、まったく別の絵に見えるような絵を描くのである。われわれは、このような絵を見ると驚いてしまう。それは、絵を見ているとき、それをさかさまにしたらまた他のものに見えることがある、などということは考えてみたこともないからである。左右の入れかえだけなら、ごく当たり前のことなので、そうしたらあるいは、ポップ・アートでいう「フロップ」（逆転）したならばどうなるか、ということは容易に想像がつく。しかし上下さかさまの絵を見ながら、それをもう一度ひっくり返したらどう見えるかを考えるなどということは、ほとんど不可能に近い。

私は学生時代に、家具つきの部屋を借りて住んでいたことがある。その部屋には、複製の絵が何枚かかけてあったが、私はみな嫌いだった。そこで、この絵から何とか逃げ出したいと考えて、その絵を全部さかさまにしてしまった。そうしたらもとの絵の感じがなくなり、色と構図だけしか目に入らなくなって、気持ちがよくなった。しかしこれらの絵は、その女家主が買っておいたもので、そのお気に入りであった。そのためたいへん残念なことに、結局私は、絵をまたもとどおりにかけ直さねばならない破目になった。ここでこのような話をもち出したのにはわけがある。それは、具象的な絵を、一八〇度回転させるか、水平にもった鏡にうつすとかすると（この二つのやり方は、かなりちがった意味合いをもっている）、たしかにその絵のもつ「美的価値」を変えてしまう。ところで、絵の左右が入れかわったとしたら、いったい、その絵の美的価値が変わるであろうか。「変わらない」と答えたいところである。けれども、もう少し考えると、少なくとも西洋人は、ものを左から右へ読むのに慣れているということから、多少の変化があるかもしれない、と思うのである。芸術評論家の中には、絵が「フロップ」（逆転）すると、何かその絵の価値が失われてしまう、と主張する人もいる。

この主張を支持するような実証もある。ニューヨークの写真家で、デイヴィド・B・アイゼンダラスという人がいた。この人が五〇枚の風景写真をとり、それぞれについて、まともにプリントしたものと、左右を逆転して、ちょうどもう一方の鏡像になるようにプリントしたものとを作った。これら二枚一組の写真を、二枚同時にいろいろな人に見せて、どちらかよいほうを選ばせてみたのである。この結果、全体として左右が対称な風景は、まともなプリントのほうを選んだ人と、逆のほうを選んだ人とがほぼ同数であった。ところが、構図が左右対称でない写真については、約七五パーセントの対象が二組のうちのどちらか一方の、しかも同じ向きを選ぶという結果が出た。この七五パーセントのほうを選んだのは、すべて、左から右へものを読む人たちであった。同じ絵を、右から左へ読んでいくヘブライ語しか読まない人に見せたところ、左から右へものを読む人が選んだ絵と反対の鏡像のほうを選ぶ傾向が強かった。

この実験よりも前に、ドイツの心理学者、ハインリッヒ・ウールフリンとテオドーラ・ハアクの二人がこれに似た実験を行なったことがある。これらの結果、ある絵画がフロップすると、その絵の美的価値が多少損なわれるかもしれない、と考えられる。けれども、全体としては、絵画の美的価値が鏡像反転によって損なわれるかどうかという点については、確たる結論はでていない。有名な芸術家の間でもこの点については意見が一致していない。たとえばルーベンスは、自分の作品が反転しているかどうかについて無頓着であった。他の芸術家はまちがって反転させられたりしないように多大の労力を払った。

経験論的にいえば、左右反転によって魅力が減るとしても、わずかであるといえる。絵を見ているときの眼の動きを調べても、ものを左から右に読む人が、絵を左から右に「読んで」いるという証拠はない。眼は、絵の特定のスポットに止まったり、また他をながめたり、と勝手気ままに動きまわるのである。もちろん、絵全体の評価をすることがないわけではない。これは読む習慣と関係があるかもしれない。しかし、そうだとしても、その損失はあまり大きくはないことは明白である。ためしに、いろいろな複製の画集の中から、できるだけこれまでに見たことのない絵を選んで、直接それを見たときと、鏡にうつしたときとを見くらべてみるとよい。両者の間で、何かその絵の美的価値が増減していると感じるだろうか。

横顔は、圧倒的に左向きが多い。また、右利きの人はほとんどの場合、横顔を描くときに左向きに描く。レオナルド・ダ・ヴィンチは有名な左利きであるが、人の横顔を右向きに描くことを好んだ。西洋では、(観客席から向かって)ステージの左が、場面の主役を務める俳優が立つ場所として好まれているが、中国では、逆が上手《かみて》であるようである。

これらの問題、あるいはそれに関連した点に関する論文としては、心理学者、チャールズ・グロスとマーク・ボーンスタインによる「科学と芸術における左と右」(Left and Right in Science and Art)(レオナルド誌、第一一巻、一九七八年冬号、二九〜三八ペー

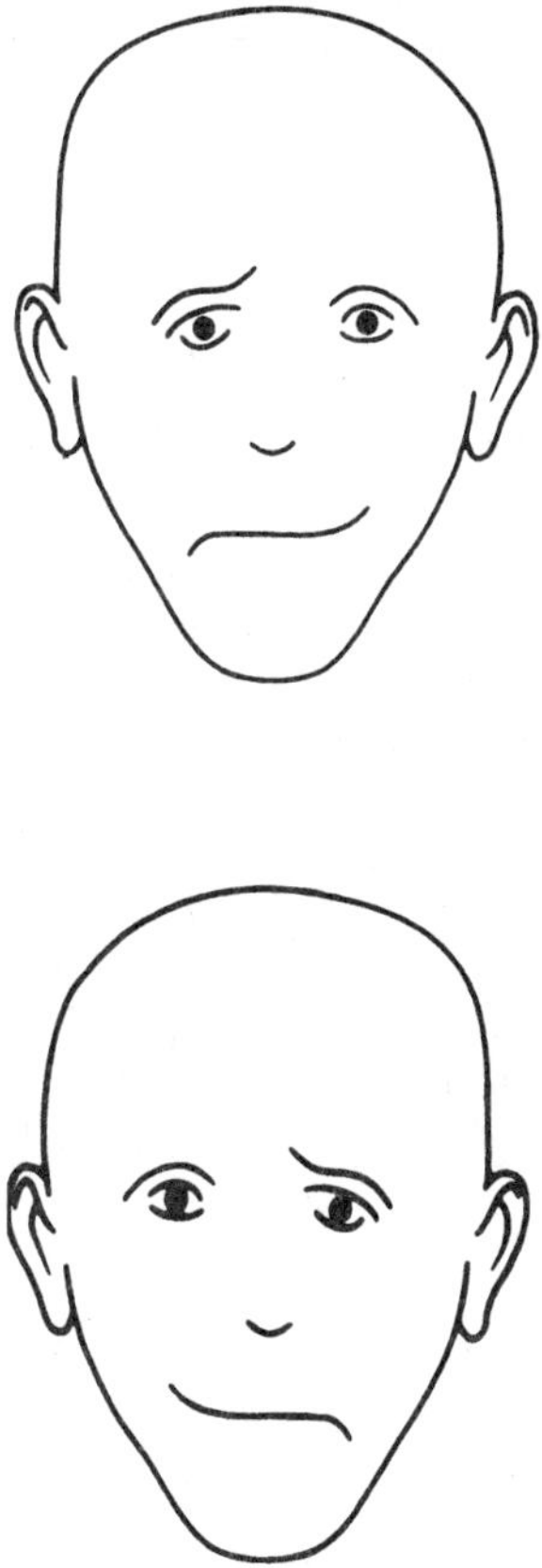

図23　どちらが幸せな顔をしているか。

ジ）を参照されたい。この中で、彼らは、図23に示すような図を再現している（ジュリアン・ジェインズ著『ふたつの心の競合による意識の起源』（*The Origin of Consciousness in the Breakdown of the Bicameral Mind*, Houghton Mifflin, 1977）より）。どちらも同じ顔をしているのだが、右利きの人は、上よりも下の顔のほうがハッピーな顔をしていると見る傾向が強く、左利きの人については逆のことがいえるようである。漫画のように、何枚かの絵で一つの話になっている場合には、一つ一つの絵の左から右への関係が重要な意味をもっている。話はふつう左から右へ進行するから、最初にせりふをしゃべる人物は左に描かれなければならない。そうしないと、読者がせりふの順をまちがえて読んでしまうからである。日本には絵巻物というものがある。長い巻物に、絵で物語が書かれているのである。この巻物では、話が右から左へ進んでいく。これは、巻物は右から解くようになっているからである。

映画のフィルムは、簡単に左右対称にすることができる。左右を逆転したフィルムを見ていても、なかなかそうとは気がつかないものである。広告塔の文字が反対だとか、人が左手で握手するとかいう場面が出てくるまでおそらく気がつかないであろう。馬に乗った将軍の銅像など左右対称なものが多い。建築にみられる左右対称性はあまりにもなじみの深いものであるから、ここで改めて説明するまでもないほどである。左右の対称性はまた、踊りにおいても重要な役割を果たしている。ラジオ・シティ・ミュージック・ホールのロケット・ガールズは、よくラインダンスを踊るが、あのラインダンスは、はじめから終わりまで、すべての動作、動きが左右交互になるように振りつけてある。

映画は、フロップするだけでなく、さらに、時間軸においても逆転することができる。そうすると、まったく奇妙な特性をもつことになる。人が後ろ向きに歩いたり、水から人が飛び出して、飛び込み台の上にもどったり、などなどである。バレーを踊っている人を撮影したフィルムを逆転させたらどうなるだろうか。逆転した踊りは、多少グロテスクではあるが、前ほど奇妙ではない。普通の音楽に合わせて映写すれば見て楽しくないこともない。一流の振りつけ師だったら、時間的に前後に対称な踊りを考えることができるのではあるまいか。つまり、踊りを映画のフィルムにとっておいて、それを逆転させると、前に踊ったのとほとんど同じにうつるような回文的(palindromic)振りつけができるだろうかということである。

さて、音楽にもこの鏡の対称性が大きな役割を果たすことがある、といったら諸君はまさか、と思うにちがいない。けれども、音楽というものは、音のパターンが時の流れに従って動くものと考えればよいであろう。メロディーの鏡像は、そのメロディーを逆向きに演奏すればよい。これはテープレコーダーでやれば簡単なことである。実際には、多くの場合、逆向きの音楽は、ただ意味のない音のよせ集めでしかなく、聞くにたえないものである。ピアノの音楽であるはずのものが、逆にまわすとどうしたわけかオルガンのように聞こえてしまう。（どうしてそうなるか考えてみるとよい。）十五世紀には、カノンという作曲手法がよく使われた。（その一つはあるメロディーがうたわれると同時に、そのメロディーを逆からうたったメロディーを重ねるのである。たとえば“Row, row, row your boat . . .”など多重唱がそれである。）大作曲家といわれる人びとでも対位法の効果を出すために、メロディーの逆をよく使った人が多い。

一九八〇年代において、宗教的ファンダメンタリスト（訳注3）たちの間で、ロックのレコード、とくにパンクロックやヘビーメタルの分野でさかんに行なわれた「バックマスキング」についての議論がかまびすしかった。バックマスキングとは、レコードに埋め込まれて録音されている、たとえば「やさしいサタン（悪魔）に乾杯」といったかくれたメッセージのことで、レコードを逆転させて音が再生できるような機械で再生させたときだけ、はっきりとメッセージが聞き取れるようになっている。大きなキャンペーンがおこり、セミナーや、講演会が全国各地で催され、引き続いてボン・ファイヤーがたかれ、レコードがドラマチックに燃やされた。これらのファンダメンタリストたちの手で本が何冊も出版され、このようなバックマスキングはサタンのしわざであり、反転したこれらのメッセージは悪魔たちが歌っているのだ、ということがまことしやかに書き立てられた。ロックは悪魔のささやきであるといって、これを攻撃した人たちの中で、もっとも影響力のあった一人は、ジミー・スワッガートという悪名高いゴスペル・シンガーであった。

一九八二年、カリフォルニア州選出の共和党下院議員ロバート・ドーマンは、このような悪魔のメッセージを含んでいるレコードのカタログを作成した。同議員は、議会に対して、「注意。このレコードは背景にマスキングがしてあり、レコードを逆再生するとそのメッセージが聞きとれます……」という文をラベルにはることを義務づけるようにと主張した。似たような法案が、いくつかの州で議会に上程された。この種の警告文をラベルにはったことで、売り上げを抑制する効果があるかどうかははなはだ疑問であり、むしろ売り上げは上がったかもしれない。

このキャンペーンについてもっとくわしく知りたい読者には、トム・マッカイバーの「バックマスキングと音楽における悪徳思想」(Backward Masking, and Other Backward Thoughts about Music)(スケプティカル・インクワイアラー誌、第一三巻、一九八八年秋号、五〇～六三ページ)ほど良い参考書はないだろう。(同誌、第一三巻、一九八九年春号、三二六～三二九ページも参照されるとよいだろう。)これらの中で、マッカイバーは長大な参考文献リストを提供している。

このような逆語りのメッセージが聞き手の深層心理に何らかの影響を与えることができるという証拠はまったくない。筆者の個人的な意見としては、いわゆるバックマスキングのほとんどは偶然ことばに似たあいまいな音であって、ちょうど空に浮かぶ雲が、われわれの想像力で何かに似ているように見えるのと同じだと考えている。けれども、バックマスキングの中には、欲の深いプロデューサーが、レコードを逆向きにきいてみたいと思うティーンエージャーに、よけいにレコードを売ろうとして意図的に吹き込まれているもの、も、あ、る、ということも一部事実である。ところで、ゴスペル・ミュージックの中にも、キリスト教賛美のメッセージをバックマスキングしたものがある、といわれている。バックマスキングの技術に関しては、M・W・ウォーカーの「市販されているレコードにおける逆語りのメッセージ」（Backward Messages in Commercially Available Recordings）（ジャーナル・オブ・ポピュラー・ミュージック・アンド・ソサエティ誌、第一〇巻、一九八五年、二～一三ページ）と、「前向き逆向きの録音法（超自然的力をかりない法）」（How to Produce Forward/Backward Recordings——without Supernatural Guidance）（ジャーナル・オブ・ポピュラー・ミュージック・アンド・ソサエティ誌、第一一巻、一九八七年、九一～九三ページ）がある。

音楽はまた、高低を「さかさま」にすることもできる。高い音を低い音で、低い音を高い音で置き換えるのである。逆転していない鏡の国のアリスが、鏡の向こう側で、何か耳慣れた曲をピアノでひいていると考えればよい。逆転したピアノから出てくる音楽はそのような感じのものである。あなた方も自動演奏のピアノがあれば、自分で同じことをやってみることができる。音楽の入っているロールの高音と低音を入れかえて、はじめのほうから終わりのほうへかければよい。かつて、モーツァルトは、面白半分に、高低と前後の両方とも逆転したメロディーが重なるような、カノンを書いたことがあった。つまり、第一のメロディーの高低を逆にして、さらに、はじめと終わりを逆にしてしまったのである。このカノンをうたうのに、楽譜には一つのメロディーしか印刷する必要がなかった。というのは、一人が楽譜を普通にもって読む一方で、もう一人は同じ楽譜をさかさにして読めばよいからである。ダグラス・ホフスタッターは、その著書『ゲーデル、エッシャー、バッハ――あるいは不思議の環』(訳注4)（*Gödel, Escher, Bach: An Eternal Golden Braid*, Basic Books, 1979）の中で、J・S・バッハの「蟹のカノン」という曲では、一人の歌い手が、他のパートのメロディーを後ろ向きに歌うようになっていることについて検討している。

詩というものも、音の連なりを時間という一つの次元に従って書きならべたものと考えることができる。熟練した詩人も、特別な音韻効果を出すために、反射対称性をうまく使っている人が多い。たとえばロバート・ブラウニングであるが、かの有名な叙情詩「夜の出会い」（Meeting at Night）では韻をふむのにabccbaという形をとっている。これは、音が逆向きにかえってくることによって波の動きの感じを出すようにしているのである。

The grey sea and the long black land;
And the yellow half-moon large and low;
And the startled little waves that leap

In fiery ringlets from their sleep,
As I gain the cove with pushing prow,
And quench is speed i' the slushy sand.

Then a mile of warm sea-scented beach;
Three fields to cross till a farm appears;
A tap at the pane, the quick sharp scratch
And blue spurt of a lighted match,
And a voice less loud, through its joys and fears,
Than the two hearts beating each to each!

一つの文章があるとき、それを文字という記号が一直線上に並んだ連なりだと考えることができる。そうすると、これらの記号を鏡でうつすことによって、いろいろとおもしろいことがらがでてくる。ただし、文字の形はそのままとしておく。左右が対称な、つまり、綴《つづ》りが頭からでも後ろからでも同じになることばを回文的な単語（palindromic words）という。radar, deified, rotator などがこれである。インドで使われている言語にMalayalam（マラーヤラム語[訳注5]）というのがある。南カロライナのバークレイ郡には

Wassamassaw という回文的な名前の沼がある。逆に綴ると別の単語になるものを semordnilap というが、これは palindromes を逆に綴った造語である。これには、live, straw, desserts, redrawer などがある。文章全体が対称であるとき、これを回文（palindrome）という。これまでに、素晴らしい回文が何千と作られてきた。なかでもとくにすぐれているものを二つ、ここに抜き出しておくことにする。

A man a plan a canal——Panama!

Straw? No, too stupid a fad. I put soot on warts.

最初の回文は、しばしば、アメリカのユーモア作家、ジェイムズ・サーバーの作といわれているが、これはまちがいである。これはリー・マーサーの作である。彼は、ことばの判じ物の大家で、ロンドンに住んでいた人であるが、ほかにもたくさんの回文を作っている。二番目の回文も彼の作になるものである。

回文は文字を単位とせず、ことばを単位としてもつくることができる。以下にA・V・シュブニコフとV・A・コプツィックがつくった回文を『科学と芸術における対称』（*Symmetry in Science and Art*, Plenum, 1974）から引用しておく。"Is it odd how asymmetrical is 'symmetry'? 'Symmetry' is asymmetrical, how odd it is!"（非対称が「対称」であるとはいかにも不可思議なものよ！「対称」が非対称であるとはいかにも不思議なものよ！）イギリスのことば遊びの達人Ｊ・Ａ・リンドンは、ことば単位の回文をいくつもつくった。たとえば、"You can cage a swallow, can't you, but you can't swallow a cage, can you?"（ツバメを鳥かごに入れることはできるが、鳥かごを飲み込む(訳注6)ことはできないだろう）とか、"Girl, bathing on Bikini, eyeing boy, finds boy eyeing bikini on bathing girl."（ビキニを着た女の子が男の子を見たら、男の子が女の子のビキニを見ているのに気がついた）である。

　文字単位にしろ、ことば単位にしろ、回文の詩を書くのはなかなかむずかしい。けれどもリンドンは行を単位としてとても素晴らしい詩をつくっている。

As I was passing near the jail
I met a man, but hurried by.
His face was ghastly, grimly pale.
He had a gun. I wondered why
He had. A gun? I wondered . . . why,
His face was *ghastly!* Grimly pale,
I met a man, but hurried by,

As I was passing near the jail.

リンドンの回文も含めて、いろいろな回文については、ハワード・バーガーソンの『回文とアナグラム』(*Palindromes and Anagrams*, Dover, 1973) を参照するのがよいだろう。拙著『数学のサーカス』(*Mathematical Circus*, Knopf, 1979) の回文に関する章、あるいは、同じく、『ペンローズ、はね上げ戸の暗号に迫る』(*Penrose Tiles to Trapdoor Ciphers*, W. H. Freeman and Company, 1988) も参考になるはずである。

数字にも回文的なものがある。桁を逆にしても数字の変わらないものがそれである。たとえば最近の年代では一八八一年がそうで、ひっくり返しても、鏡にうつしても数字が変わらない。(一九六一年はさかさまにはできるが回文的ではない。) この次に来る回文的な年代はもちろん、一九九一年である。どんな数でもよいから、その数と、桁を入れかえて作った数とを足してみる。できた和について同じことを繰り返してみる。そうすると、しまいには回文的な数字になるだろうか。たとえば、89に98を足すと187である。187たす781は968でまだ回文的でない。この繰り返しをさらに続けていくと、8,813,200,023,188という数で回文的になる。89という数の場合、実に二四回の足し算であった。

この方法で有限回足し算をすれば、いかなる整数も回文的になるという憶測が立てられている。けれども、カリフォルニアの数学者チャールズ・W・トリッグのように、この考えが正しくないと考える人もいる。彼は、一万以下の整数で百回足し算を重ねても回文的にならないものを二四九個も発見している。そのような整数で最小のものは196である。あなた方の中で試してみたいと思う人は、この数字をコンピューターにかけて、百回以上足してみるとよいだろう。別のカリフォルニアの数学者、デゥイ・C・ダンカンという人は、たとえば10110のような二進法の数字の場合、この過程では必ずしも回文的な数字にならないことを示した。この数字が絶対に回文にならないことの証明は、ロナルド・スプラグの著書『数学のたのしみ』(*Recreation in Mathematics*, Blackie & Son, 1963)の問題五に出ている。

一九七七年、ヘイコ・ハーボースはマセマティック・マガジン誌(第四六巻、一九七三年、九六ページ以降)で、二のべきを基数にする数系ではこの憶測が成り立たないことを証明した。それ以外を基数にした数については、この憶測が成り立つかどうかはまだ解決されていない。十進法においては、一九七五年に、ハリー・J・サールがイスラエル・サイエンティフィック・センターで、回文数を発生させることなく196を二三万七三一〇ステップまで計算した。

グスタフ・J・シモンズは累乗の回文について論文を二編書いている(ジャーナル・オブ・リクリエイショナル・マセマティックス誌の一九七〇年四月号と一九七二年一月号)。

二乗、三乗、四乗の数には回文的な数が無数にある。けれども、四乗よりも大きなべき数で回文的な数があるかどうかはわかっていない。回文的でない数を、二乗して回文的になるような数の最小のものは676、すなわち26の二乗である。回文的な数で二乗も回文的なもの、および回文的ではないが二乗は回文的なものは、ともに無限に存在する。（ルドルフ・オンドレイカの「二乗数の回文（一五一）」（A Palindrome (151) of Palindromic Squares)（ジャーナル・オブ・リクリエイショナル・マセマティックス誌、第二〇巻、一九八八年、六二〜六五ページ）を参照のこと。）

回文的な数でなくて、三乗が回文的になるものは珍しく、今までに知られているものではただ一つで、それは、10,662,526,601、すなわち2201の三乗だけである。nが三より大きい場合、回文的でない数でn乗が回文的になる数はいまだ発見されていない。

学問的にかなりの興味をひいたものに、回文的な素数がある。素数とは、一およびその数自身以外に他の整数では割りきれない整数である。回文的素数は1か、3か、7、または9で始まって終わらなければならず、また11だけは例外として他は桁数が偶数であってはならない（さもなければ、11の倍数になってしまう）。

2	787	11311	15451
3	797	11411	15551
181	919	12721	16561
191	929	12821	16661
373	10501	13831	30103
383	10601	13931	30203

（aを基数とするいかなる記法においても、$a+1$ だけが、偶数桁の回文的な素数なのである。）回文的な素数に関する興味深い疑問のほとんどは、まだ答えが見つかっていない。このような素数が無限にあるということすら、証明されてもいないのである。反転できる素数というのは、回文的ではないが、後ろ向きに読んでも素数であるような素数をいう。このような数についても無限であるか有限であるかわかっていない。

一〇万未満の素数の中に、回文的な素数が一一三個あり、回文的ではないが、さかさに読んでも素数であるものが八二三個ある。（一九八九年現在で）知られている最大の回文的素数は五二五一桁の数で、$10^{5250}+666\times10^{2624}+1$ である。ゼロから九までの数字をすべて含む最小の回文的素数は、一九八〇年にハリー・ネルソンによって発見された 1,023,456,987,896,543,201 である。

オタワのノーマン・グリッジマンは、回文的な素数について、ある一つの発見をした。それは、回文的な素数をよく見ると、まん中の桁の数字だけが一ちがいで他はすべて同じであるようなペアが数多くある、というのである。たとえば、小さいほうからはじめて四七個の回文的な素数をとると、その中に一二組ものそのような素数の組が見つかる。前のページにそれをあげておくことにする。

それではこのような、まん中の桁の数字だけが一ちがいの素数の組み合わせも無限にあるのだろうか。グリッジマンは「ある」と考えるのだが、今のところこれを証明した人は誰もいない。

いろいろな回文作者の中でも傑出しているのはフレデリック・ブラウンで、彼は非常に短いショート・ショート・ショートのお話全体を、単語が単位の回文で書いている。おもしろい話ばかりを集めた『悪魔とギーゼンスタック(訳注7)』(*Nightmares and Geezenstacks*, Bantam, 1961)という、彼の本があるが、その中にこの話が載っている。この章を結ぶにあたって、このブラウンの回文小説ほど似つかわしいものはないと思うので、同氏の承諾を得てここに全文を引用することにした。

THE END

Professor Jones had been working on time theory for many years.

"And I have found the key equation," he told his daughter one day. "Time is a field. This machine I have made can manipulate, even reverse, that field."

Pushing a button as he spoke, he said, "This should make time run backward run time make should this," said he, spoke he as button a pushing.

"Field that, reverse even, manipulate can made have I machine this. Field a is time." Day one daughter his told he, "Equation key the found have I and."

Years many for theory time on working been had Jones Professor.

END THE

（訳注1） 邦訳書『シンメトリー』遠山啓訳、紀伊國屋書店、一九七〇年。

（訳注2） 岡倉天心のこと（本名覚三）。一八六二〜一九一三年。美術評論家。フェノロサに師事。東京美術学校の創設につとめ校長となる。のち横山大観、下村観山らと日本美術院を創立。国粋美術の興隆に指導的役割を果たす。

（訳注3） fundamentalist（根本主義者）。二十世紀の初期（とりわけ第一次世界大戦後の一九二〇年代）よりアメリカ合衆国のプロテスタント諸教派の間で保守的な宗教運動がおこった。もともとは近代化に伴う合理主義や世俗主義がキリスト教信仰の根本要素を危うくしているという立場からの宗教的批判運動であった。「聖書」に書かれてあることは一字一句まで正しいとする聖書無謬論、処女懐胎、キリストの復活、キリストの犠牲死による贖罪、キリストの再臨などの教理の信仰を欠くべからざるものとする。進化論を攻撃するなど、各種の運動を展開（本書二九三ページの訳注1参照）。

（訳注4） 邦訳書『ゲーデル、エッシャー、バッハ』野崎昭弘、林一、柳瀬尚紀訳、白揚社、一九八五年。

（訳注5） インド南西端地方で話されるドラビダ語族に属する言語のひとつ。

（訳注6） swallow は、「ツバメ」と「飲み込む」との二つの意味がある。

（訳注7）　邦訳書『未来世界から来た男』小西宏訳、創元推理文庫、一九六三年。

6 銀河系、恒星、惑星

空間、時間、その他、あらゆるものを含めて、宇宙全体は、一般に、大きく見て、球対称性をもっているようである。われわれは地球の上に住んでいるが、この地球は、太陽のまわりをまわっている一個の小さな惑星であるにすぎない。数千億個の星が集まって銀河系をつくっているが、太陽はその中の一つである。銀河系の形は、渦巻き形で、中心から長い腕が四方にのびている。ちょうど、マンモス回転花火から火の腕がふき出しているようなものである。われわれの太陽系はその腕の一つの中に存在していて、銀河系の中心からの距離は約三万光年である。（一光年というのは、光が一年かかって伝わる距離で、約九・五兆キロメートルである。）われわれの銀河系というものは、同じような他の銀河系といっしょになって、一つの集団をつくっている。そして、この集団のさらに遠く、想像もつかないくらいの遠いところには、またこのような銀河系集団が散在しているのである。天文学者は、いろいろな証拠から、これらの銀河系集団の間の距離はだんだんひろがりつつあって、ちょうど大きな風船をふくらますように、全宇宙は膨張しつつあると考えている。

ビッグ・バン理論（大爆発説）によると、全宇宙に存在する物質の量は有限である。はじめは何もなかった。今まで真空であったところに、どうしてかはわからないが、点のような特異な部分が現われた。この特異点が爆発して、それから宇宙の進化がはじまったというのである。これに対抗する理論で、今では見捨てられてしまった定常宇宙理論によると、宇宙に存在する物質の量は無限である。宇宙が膨張するにつれて、新しい物質がたえず次から次へと創成されていくので、膨張しても密度が希薄になってしまうことはないというのである。どちらの説でも、宇宙は球対称性をもっている。

そこでまず、ビッグ・バン理論を考えてみよう。空間は、どんどんひろがって大きくなる。しかし、その爆発後に形成された星やその他の物体など、すべての物質の量は有限で、形は球である。そこでこの宇宙の中心を通る大きな平面で、それを切ったと考えてみよう。その平面の向きがどうであっても、その一方の側にある宇宙の全貌は、他の側にある宇宙と同じである。いいかえれば、この物質空間は、球対称性をもっているのである。

次に定常宇宙理論によれば、物質空間はすべての方向で無限までのびている。どこが中心ということはない。すなわち、この空間では、勝手な点を通り、勝手な方向をもつ面が無限にたくさんあるのであって、それによってこれを二つに切ることができる。この平面で切った片側のようすが、全体として、他の側とちがうと考える理由はない。このような空間は、無限一様の三次元空間対称性をもっている。ビッグ・バン理論でもそうであるが、宇宙が大規模な左右非対称性をもっていると考える理由はないのである。

銀河系は対称的だろうかといえば、答えはしかりである。渦状銀河系にしても、三次元的構造としてみれば、対称的である。一つの平面だ、け、の、上、に、ひ、ろ、が、っ、て、い、る、渦状銀河系は、非対称的であることは事実であって、その平面以外のところでこれをまわさないかぎり、平面的でいくらまわしてみても、その鏡像の形にはならない。しかし、渦状銀河系は、平面形ではないのである。横から見れば、レンズのような形で、板を二枚合わせたようになっている。銀河系をこの二つの「盤」に分ける平面が対称面であって、「盤」の互いが互いの鏡像になる。前に述べたとおり、これは、渦状銀河系は、その鏡像と重ねることができるということを意味する。二つの「盤」のどちらか一方をまわすだけで、両方の「盤」は同じ向きの渦になるわけだ。もちろん、いまは、銀河系全体としての構造を問題にしているのであって、銀河系をつくっている一つ一つの星を考えて、その大きさ、性質、また相互の関係を問題にするということになれば、話はちがってくる。そこまで考えれば、銀河系はその鏡像と重ねることができないのはもちろんである。

銀河系を大きく全体として見ることにしても、ある性質については、その鏡像と重ねることができない。銀河系の磁気の北極・南極を考えると、そういうことになるのである。

われわれの銀河系は、非常に弱いけれども磁界をもつことが知られている。この磁界のようすはまだよくわかっていないけれども、その磁界の軸は、銀河系の回転軸と一致しているらしい。この磁界の軸の両端に、北極・南極という印をつけたと考えると、銀河系の「左」側と「右」側とは同じではない。銀河系は、その鏡像と重ならないのである。一方をまわして、その渦の腕が、左右像になっている相手のほうの渦の腕と重なるようにしたとすると、一方の磁北極は、他方の磁南極と重なってしまう。しかしこれはほんとうの非対称性ではないのであって、このことについては後に述べる。非対称のように見えるとすれば、これは、磁界軸の両端に印をつけるつけ方に関係がある。磁界というものそれ自身は対称的なのである。このへんのことはめんどうだが、19章で磁気の本性について論ずるまで、おあずけにしておく。

このような擬似非対称性は、われわれの太陽にもある。太陽の形だけでいえば、球対称性をもっていることはいうまでもない。太陽は自転している。しかし、だからといって、鏡像と重ならないということにはならない。重ねるには、こうすればよい。一方の上下を反対にして、回転軸の向きを逆にする。そうすれば、一方と鏡像とは、点対点で一致し、両方とも同じ向きに回転することになる。しかし、太陽には磁界があることがわかっている。地球の磁軸は、回転軸とほぼ一致しているが、太陽の場合も同様である。そこで、その軸の端に、「磁北極」、「磁南極」という印をつけ、太陽の鏡像でもその印をそのままにしておくとすると、回転している太陽とその鏡像とは一致しない。回転軸を一致させると、回転の向きは一致しない。回転の向きを一致させると、回転軸は一致しない。その理由をここで説明することはできないけれども、おもしろいことには、太陽の磁軸は、ときどき完全に逆転するのである。すなわち、磁北極は磁南極になり、磁南極は磁北極になる。太陽の回転の向きは変わらないのだから、この磁力の逆転は、太陽が、いわば手型性《ハンデッドネス》を変えて、自らその左右像になるということを意味する。

惑星ではどうだろうか。みな、太陽と同じように球対称をもち、その鏡像と重なりあう。もっとも、表面の凹凸や、磁界の擬似非対称まで考えれば、話は別である。もちろん地球も磁界をもっていて、磁北極、磁南極は、回転の北極、南極の近いところにある。この磁界から生ずる擬似非対称性ということのほかに、地球の形は北半球と南半球とで同じではなく、非常にわずかであるが、セイヨウナシ形であることがわかってきた。地球は、球を両極でつぶしたような「扁平楕円体」であると考えられてきたのであるが、しかし精密観測によると、南極におけるつぶれは、北極におけるつぶれよりもほんの少しだけ大きい。このちがいを考えに入れると、まわっている地球というのは、まわっているコマに似ているといえる。なぜかといえば、上と下の形がまったく同じではなく、(磁軸の印のつけ方は別にして)その鏡像と重ならない。しかし、回転していなければ、この非対称性は生じない。コマをもって鏡にうつすと、その鏡像に同じ形である。しかし、コマをまわせば、たちまち「回転の向き」が問題になってくる。上からみて時計回りにまわっているコマは、鏡にうつせば反時計回りにまわっている。一方の上下を反対にして回転の向きを同じにすると、一方の頭は他方の足のほうになる。コマの頭と足はちがうのだから、コマとその鏡像とは重ならない。

回転している天体の表面においては、半球ごとに、「左手型」と「右手型」とのちがいというおもしろい非対称性がある。たとえば、北半球で飛行機に乗って、北極に向かってまっすぐに飛んでいるとしよう。そうすると、飛行機は正面から右へ右へとそれる著しい傾向があるので、パイロットはそれを修正しなければならない。ところが、南半球で南極へ向かって飛んでいるとすると、今度は、正面から左へ左へとそれる。これは、物理学者がコリオリ効果といっているものの一例である。コリオリとは、十九世紀はじめのフランスの工学者ガスパル・ド・ギュスターブ・コリオリのことで、はじめてこのことをくわしく調べた人である。このコリオリ効果は、地表上の物体が、それぞれちがった速さで空間を動いているということによって、生じるのである。たとえば、赤道上に立っているとすると、地球の自転によって、二十四時間に四万キロメートルの割合で円運動をしていることになるから、その速さは時速一六七〇キロメートルである。赤道から極のほうへいくと、円運動の半径はだんだん小さくなる。しかし、二十四時間にひとまわりするということは同じなのだから、空間に対する速さは、だんだん小さくなるはずである。極へいけば、速さはむろん、ゼロになる。

地球の中心からどのくらいの距離にいるかということによっても、同じようなことがおこる。たとえば、高い山の頂上にいると、麓《ふもと》にいる場合にくらべて、同じ二十四時間内に、大きな円を描くことになる。山をおりてくると、回転による速度はだんだん小さくなる。鉱山の坑をおりていっても、同じように、回転運動の半径は小さくなる。深くいけばいくほど、おそくなるのである。極端なことをいって、地球の中心までいけば、速さはゼロである。

このような速さの変化によって、とくに経線に沿うときは、南北半球で向きが反対のずれ（偏向）が生ずるのであるが、これはそうむずかしいことではない。もちろんこのずれが目立って現われるのは、物体が長い距離を動くときである。銃で的を撃つような場合には、コリオリ効果は小さくて問題にならない。しかし、大陸間ミサイルが南北方向に撃ち出されたようなときには、このずれを考えに入れないと、弾着が正確にいかない。いま北半球で、ミサイルが北極へ向かって飛んでいるとしよう。北へいけばいくほど、地球回転の半径は小さくなる。ミサイルには慣性があるから、発射のときにもっていた東向きの速さは、そのままである。北へ向かって、たとえば八〇〇キロメートル飛んでいったとすると、そこは、地球の東向きの速さがずっと小さい場所に来ているわけだ。ミサイルの東向きの速さはもとのままである。したがって、北極へ向かっていくと、ミサイルは東、すなわち右へそれる。少し考えてみればわかるが、ミサイルが南半球で南極へ向かっていると すれば、それは向かって左にそれる。北半球でも南半球でも、東にそれるということは同じである。地球儀に「それ具合」の線を書きいれてみると、両半球で互いに鏡像になっている。

北半球でも南半球でも、物体が極に向かって運動していれば、コリオリ効果による「それ具合」は、どちらも東方であり、赤道に向かって運動していれば、どちらも西方である。コリオリ効果は、大気の流れや海流の運動に大きな影響を及ぼすが、これは当然のことである。北半球で北に向かって流れている川、南半球で南に向かって流れている川は、西側の岸よりも、東側の岸のほうを、強く浸食すると考えている地質学者もある。コリオリ効果が川の流れに重大な影響をもっていることは疑いないが、東西両岸の浸食のちがいが目に見えるくらい大きいかどうかということについては、地質学者の間でも、意見はまちまちである。ミシシッピーその他の川の、南北方向に流れているものについて、両岸を比較した研究もあるが、結果はあまりはっきりしていない。

水の流し口のところで水は渦をつくる。しかしコリオリの力がこれにはっきり影響を及ぼしているかどうかということも、はっきりしていない。風呂桶の栓を抜いて水を流すと、流し口のところで渦になることは、みなさんご存知のとおりである。北半球の風呂桶の渦と、南半球の風呂桶の渦とは、向きが逆であるとひろく信じられている。こう考えるのには、次のようなことがもとになっている。図24のように、底の平らな、丸い大きな桶を、北極のま上においたとする。そして、底の中心にある流し口から、ま下のほうに排水管がついているとする。桶の水がこの中のほうへ流れていくと、コリオリの力がはたらいて、水は矢印のように東へそれ、全体として、反時計回りの渦になる。ひとたび渦ができてしまうと、自分でだんだん強くなる。北極にこんな桶があったとすれば、それはおそらく図に示したように、反時計回りの渦になって流れ出るだろう。

南極だと、話はさかさまになる。水は東にそれるにちがいないが、今度は時計回りの渦になる。この渦を巻く傾向は、極でいちばん強く、桶の場所が赤道に近づくにつれて弱くなり、赤道ではゼロになる。南半球の桶では、スコットランドの方言のように"go widdershins"（横紙破り）するのである。赤道の桶では、二山の枯草の間にいるロバということわざのように、どっちへ行っていいかわからないで、ウロウロするだろう。水はどちら向きにまわったらよいかわからないから、左右同じ確率でどちらかにまわって対称性をくずすことになる。近代の粒子物理学では、後で学んでいくように、自発的な対称性の破れが重要な役割を果たしている。対称的な系が不安定な状態になって、突然その系に「向

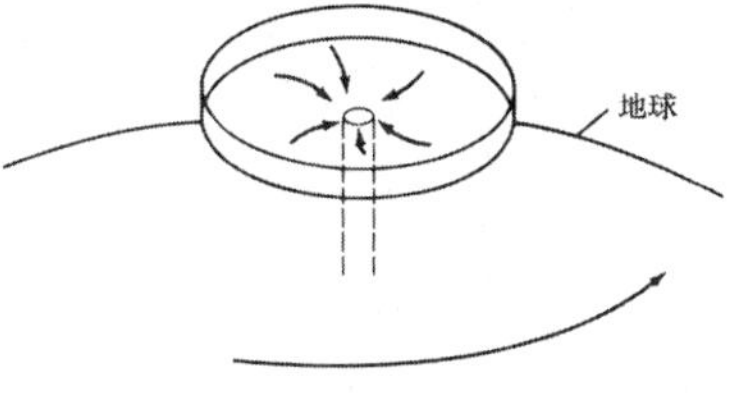

図24　北極で風呂桶にできる渦。

き」が生じるのである。

赤道以外のところに大きな風呂桶があって、底の栓を抜くまでは、水は完全に静止していたとする。そうすれば、地球の回転によって渦の向きが決まることは、まちがいない。しかし、桶が小さいと、他のいろいろのことが介入してくる。いちばん大きいのは、風呂桶に水を入れたときの流れが残っていることだ。水の「記憶力」は、驚くほど長いのである。水が完全に静止していると見えるようになっても、流れはずっと後まで、何時間も消えない。このような流れが残っていると、それと同じ向きの渦をつくる。流す前に、幾日も静かにしておいたとしても、渦の向きは桶の表面や、排水管のわずかな凹凸などによって影響されることもありうるだろう。

しかし、桶の水を抜くときに、コリオリ効果があることがわかるという実験もある。一九六二年、マサチューセッツ工科大学の物理学者アスカー・H・シャピロは、直径二メートル弱の丸い桶を使って、こんな実験をした。桶に水を入れてから数日間も静かにしておいて、栓を抜く。いつでも反時計回りの渦ができたので、これはコリオリ効果のためだというのである。ところが、ジェネラル・ダイナミックス社のメルウィン・ジバルキンの「風呂桶の渦について」(A Note on the Bathtub Vortex)(ジャーナル・オブ・フルイド・メカニクス誌、一九六二年九月号、二一〜二四ページ)によると、これは確認できなかった。これはおそらく、ジバルキンの使った桶が小さすぎたためかもしれない。ジバルキンは直径三〇センチ、横側は透明の桶を使って、水にまぜた染料の運動がよく見えるようにしたが、水を何時間も落ち着かせないかぎり、渦は桶に水を入れたときの流れの向きに生じたという。完全に静止した水を流したときには、どちら向きかの渦にかたよるということはなかった。しかし、驚いたことには、はじめの渦の向きがどちらであっても、水の深さが約一センチ以下になると、渦の向きがさかさまになった。ジバルキンがかりに解釈したところによれば、水が流れていると、桶の底のほうにある水の層に、逆向きの流れを誘発するのではないかというのである。

シャピロの実験結果は一九六五年に、シドニー大学の調査員五名によって支持された（サイエンティフィック・アメリカン誌、一九六五年十一月号、五四ページを参照のこと）。彼らは、水を円形の桶に入れ、十八時間以上静かにおいた後で、中心の栓を抜いたところ、渦が時計回りになるという結果を見たのであった。彼らは、ネイチャー誌に、「われわれの実験結果のようになったのは、微細な空気の流れの影響を受けた結果でない、という証明もできなければ、定量的に同じような反対向きの流れにシャピロの実験が影響されなかった、ともいいきれるものではない。……しかしながら、南半球で、タンクの中の液体を抜く実験を注意深く行なえば、渦は時計回りに巻く、という仮説に強い自信を得た」と書いている。

サイエンス・ニュース誌（一九八九年六月十七日号）に載った投書によれば、赤道近くのケニアの原住民たちは、観光客たちにたいへんおもしろいいんちきをして見せているそうである。ロバート・ゴールデンバーグが一九八八年にナニュキを訪問したときの模様をこう書いている。

お決まりの見せ物の一つは、原住民がプラスチックの碗皿を使って見せるコリオリの力のデモンストレーションである。皿の底には穴があけてある。男が穴にコルクの栓をして、皿に水を入れる。そして小枝かわら切れを二、三本水に浮かせる。そうしておいて赤道から二〇歩ほど南に歩く。観客もこれにおずおずと続いて同じように歩いていく。そうしてからおもむろに栓を抜く。水が抜けるにつれて小枝が反時計回りにまわる。今度は赤道から北へ二〇歩ほど歩いて同じことをすると、小枝は今度は時計回りにまわるのである。

彼にこの実験を赤道直下でやってみてほしいと頼んだところ、しぶしぶとやってくれたが、水を抜いても小枝はどちらにもまわらなかった。安物の装飾品とソーダを買ってから、私はまた他の観光客にまじって、この実験をもう二回ほど見ることにした。もしこの「コリオリの力」のデモンストレーションが偶然によるものだとするならば、三回とも続けて小枝はちゃんと同じほうを向いて回転したことを報告しておかねばならない。この男の説明によれば、小枝の回転の速度は、赤道からの距離、すなわち

「緯度」と関係があるとのことであった。

このトリックはどうやっているのか不思議なところである。筆者の想像では、北や南に歩きながら、原住民の男はこっそりと皿を傾けて、水に動きの方向づけをしているのではないかと思う。

北半球では台風や旋風が反時計回りであるが、南半球ではその逆である。これはコリオリ効果によるということには疑問はない。実際、時計回りのトルネード（竜巻）は北半球では珍しく（約一〇〇回に一回くらいの割である）、一九七五年に実際に写真で撮影されるまでは、ほとんどの科学者はそのようなことがおきうるとは信じていなかった。しかし、風呂桶の渦については、相反する両説があって、もっと大きなちゃんとした桶を使わなければ、はっきりした結論は得られない。

7 植物と動物

宇宙にある銀河系の数は、わかっているだけでも数十億ある。そしてその一つ一つがまた、数十億という恒星の集まりなのである。これらの恒星の多くには、さらにそれをとりまく多数の惑星があるに相違ない。とすれば、それらの惑星の中には、生物のいるものもあるかもしれない。こう考えることは、ごく自然な道理であるといえる。かつて、このことを考えたトマス・カーライルは次のようにいっている。「これら惑星に、もし生物がいるというなら、何とも大きな心配のタネであり、バカバカしさのもとであることか。もしいないというならば、これまた何とも無駄な空間であることか。いずれにしても嘆かわしき光景ではある」。

この宇宙空間に、いかなる形でも、はたして生物が存在するのか否かということは、今のところわれわれの知りうるところではない。話をわれわれの属する銀河系、さらには太陽系だけに限ってみてもそうである。地球の両隣である金星や火星についてですら、はたして何らかの原始生命体が存在するかどうか、わかってはいない。ただ、どちらの場合も、存在の可能性はごく低い。

地球以外の惑星に何か生物が存在するとして、その生物はSF作家が想像したものよりも、もっと奇妙な形をしているであろうか。それとも、われわれの知っている生命体と何か共通な特徴があるのだろうか。もちろん、これも、まったくの推測にすぎないとはいえ、少なくとも対称性に関するかぎり、まともな推量を行なうことはできる。地球では、生命は球対称から始まった。それが大きく二つの世界に分かれた。一つは、円錐対称性を有する植物の世界であり、もう一つは左右の対称性を有する動物の世界である。もし他の惑星にも生物が存在するとすれば、その進化のしかたが地球上のそれと類似しているだろうと考えられる理由がいくつかある。

前後左右に揺られながら海に浮いている単細胞の原始的な生物は、当然ほぼ球形をなし、どの方向にも対称面をもっている。けれども、いったん、生物が海の底や、陸に定着すると、はっきりとした上下軸ができる。どの植物でも、根の先とてっぺんとははっきり区別することができる。けれども、海中にある部分でも空中にある部分でも、前後とか左右とかの区別はまったく存在しない。ほとんどの植物が、大まかにいって、円錐的な対称形であるのはこのためである。つまり、鉛直な対称面を無限にもち、しかも水平な対称面はもっていない。たとえば木であるが、木には、たしかに上下の区別がある。しかし、木のどちらが前で、どちらが後ろかだとか、どちらが右でどちらが左かなどを区別することはできない。花の多くも、また円錐対称形である。果実の中には、オレンジ、マクワウリ、ココナッツなどのように、球対称的なものもある。（もっとも、へたの部分を無視すればであるが。）円筒対称、つまり、共通の一本の軸を通る無数の対称面と、この軸に垂直に全体を二分するような対称面を一つもった対称になっている果実は、ブドウだとかスイカだとかである。円錐対称の果実でなじみの深いものにはリンゴ、セイヨウナシがある。（生物学者の間ではこの円筒対称と円錐対称を合わせて放射対称とよんでいる。）バナナは左右対称な果物である。少し湾曲しているのと、一端がとがっていることのために、バナナを互いに鏡像になるように二分できる対称面は一つしかないからである。

植物界で、対称でないもの（すなわち、対称面が一つもないもの）があるだろうか。ある。もっともいい例は一部にらせん構造をもった植物である。すでに述べたように、らせん形は鏡像に重ねることができない。したがってらせん形は二つの異なった形をもっている。一つはもくねじのように、右巻きのらせん形で、右へまわすと木の中へ進むものである。もう一つは右巻きらせん形の鏡像で、左巻きのらせん形である。らせん形は、単に幹や茎、巻きひげなどだけではなく、種子のつき方、花、球果、葉などにも見られる。また葉が幹へつくつき方に至るまで植物全般にわたって見られる現象である。（8章で見るように、らせん構造は動物の世界にも見られる。漫画家の見方については図25を参照のこと。）

B.C.
BY JOHNNY HART
ウァ、人間のようだ……どこでそんな立派な糸をみつけたんだ？
なあに、ちょいとナットの中を潜ってきたのさ。

図25　らせんは地面に穴を掘って住むものにとっては、一種のステータス・シンボルなのかもしれない（ジョン・ハート氏、およびクリエーターズ・シンジケート社の許諾による）。

らせん形がもっとも普通な形で見られるのは攀援《はんえん》植物と回旋植物（巻旋植物、纏繞《てんじょう》植物ともいう）である。回旋植物が棒や木や他の植物などに巻き上がっていくとき、大半は右巻きになるが、逆巻きになる変種も幾千とある。なかには一つの種類で右巻きにも左巻きにもなるものもあるが、普通は特定の種類の植物は、どちらか一定の巻き方をして変わらないものである。たとえば、スイカズラは常に左巻きのらせん形になる。サンシキヒルガオ属は常に右巻きのらせん形を作る。よく知られているアサガオもこの仲間である。同じ向きに巻く二つの植物が互いにからみ合うと、同じ形のきれいな二重らせんができるが、反対向きの植物がからみ合うと救いようもないもつれ方をする。セイヨウヒルガオとスイカズラのように、互いにつるの巻き方が左右にちがう植物が、もつれ合った姿は、長い間、英国の詩人たちを魅了してきたものである。ベン・ジョンソンは、一六一七年の作品、『至福の夢想』（*Vision of Delight*）の中で「青きセイヨウヒルガオは、おのずとスイカズラを抱きしめる」と書いている。シェイクスピアも、『夏の夜の夢』の第四幕第一場で、女王タイタニアが織工のボトム（実は妖精パックのいたずらで、頭部がロバの頭にされてしまっている）を抱きたい気持ちを、次のように彼女に語らせている。「眠れ汝《なんじ》よ。されば我、汝を腕に抱かん。……セイヨウヒルガオの、甘きスイカズラをやさしく抱くがごとくに……」

シェイクスピアの時代には、bindweed（ヒルガオの類）のことを時として woodbine とよぶことがあった。後になって、woodbine は honeysuckle（スイカズラ）のことを指すようになった。これが、ただでさえ混乱しやすい多くのシェイクスピア評論家たちを混乱させるもととなった。人によっては、美しい女王タイタニアが、「夜のある時刻に」、スイカズラどうしがからまり合うように自分とボトムが相抱き合うことを話しているのだなどと、この部分についてばかげた解釈をしてしまう結果になってしまった。bindweed と honeysuckle の巻き方のちがいを知っていることではじめて、タイタニアの情熱を強調した隠喩なのだと知ることができるのである。

近くは、セイヨウヒルガオのスイカズラに対する愛をうたった歌がある。これはロンドンの左利きの詩人であり芸人であるマイケル・フランダースが作詩、彼の友人ドナルド・スワンが作曲したものである。フランダースはかつてケンジントン博物館に行ったとき、そこに、攀援植物の左巻き、右巻きについての展示があるのを見て強く興味をひかれた。その結果できたのが「不似合いな縁組」(Misalliance) という歌である。(この曲は、"*At the Drop of a Hat*" という題のついたこの二人のリサイタル実況録音盤の中に入っていてエンジェル・レコードから発売されている。) 氏の許可を得てこの詩の全文をここに引用する。

「不似合いな縁組」

香り芳し、スイカズラ、つるは陽に向け右に巻く
ほかのもたいてい同じよう、つるはみんなが右に巻く
けれども左巻きもある、サンシキヒルガオよい見本
コンボルビューラスその名前

ドアの両側に根を据えて
互いに競って成長し、かもいのとこまで伸びてきた
楣《まぐさ》に巻きつき進んだが、その巻き方はただ一つ
互いに出会って立ち止まり、巻きひげに触れ、笑み交わし、そこで二人は恋をした

右巻きなのはスイカズラ
相手のヒルガオは左巻き
「結婚しましょう、今すぐに
親さえ許してくれるなら
互いに愛し抱《いだ》き合い、別れることなどありゃしない
永久《とわ》に生きましょ幸せに」
こういったのはスイカズラ

スイカズラの両親は、これをば聞いて驚いた
「ヒルガオなんぞは最低さ
教養もなく、ばかものよ
このわれわれは右に巻く、でもあいつらは左巻き」

左巻きのヒルガオよろこんで、右巻きカズラにささやいた
「貯金をしましょう、金貯めよ（原注1）
ちりも積もれば山となる

それからかけおちハネムーン
運が良ければ幸福《しあわせ》よ」
右巻きカズラにささやいた

そこへひょっこり蜂が来て、彼らに忠告することにゃ
「前にもいったがまたいおう、子供のことを考えろ、子供ができりゃの話だが、
おめでとうとはいわないよ」

かわいそうだよ、子供たち
上に伸びるに、どうやって、どっちの巻き方すればよい
右か左かどうしよう、何とみっともないことか
きっとまっすぐ上に伸び
ついには地面にたおれくる

びっくりしたのはスイカズラ
驚くヒルガオにささやいた
「みんなが反対しているよ

オー・マイダーリン、オー・マイダーリン、オー・マイダーリン・コロンバイン
あなたは遠くに去っていく
二人は永久《とわ》に結ばれない」

あくる日二人はかわいそう、根っこを引き抜き思案する
右に巻こうか左にしようか
迷いに迷ったそのあげく
ついにはしおれて相果てた

この本の中では、著者はらせんの筋が、普通のねじ回しと同じ向きに巻いている場合を右巻きとよぶことにした。フランダースは同じ向きのらせんを左巻きとよんでいる。というのは、このらせんはどちらから見ても、らせんがあなたに向かって反時計回りに巻いているように見えるからである。攀援植物に関する文献には、この種の混乱がよく見受けられる。

回旋植物は、つるが物に巻きつくときに右巻き、左巻きが決まっているが、それだけではなく、茎もまた、つるの巻き方と同じ方向にねじれていく。よく、同種の植物が二、三本、ロープのようにひと束になってよれていることがある。たとえばツリガネカズラ

(Bignonia) の茎は、三本がいっしょになって、右巻きの束になることが多い。スイカズラは左巻きに二本がひと束になることが多い。時として、ブナやクリの木なども樹皮がひどくらせん形にねじれていることがある。もっとも、この場合のねじれ方は、種に無関係に右にも左にもなる。

イソギンチャクのように、何か他の物に定着していて、自力で動くことのできない動物を固着動物というが、これらも、多くの植物と同じく、円錐形の放射対称をなしている。動物でも、ゆっくり、弱々しくしか動かないものがある。棘皮《きょくひ》動物（ヒトデ、ナマコなどがこれに含まれる）やクラゲ類も円錐対称をなしているものが多い。これらは波間に浮遊していたり、海底に定着したりしているので、食物や危険が、どの方向からも、同じ確率で身に迫ってくる。けれども、いったん、動物が自由に移動できるようになると、今度は必然的にその動物の前後がはっきり区別できるように変化してくる。たとえば海中では、食物を求めて敏速に動きまわれる能力をもったものは、定着していたり、ゆっくりとしか動けないものよりもはるかに有利になった。そうなると当然、口は、からだの後ろ端についているより、前端についていたほうが都合がよい。魚は獲物に向かってまっすぐに進むことができるから、他のものよりも先にそれを手に入れることができる。この、口がどこにあるかというだけのことでも、魚の前後《まえうしろ》（生物学者の好みに従えば、頭部と尾部）がはっきりする。眼も、後ろにあるよりは、前の、口の近くにあったほうが都合がよいのは明らかである。なぜなら、どこを通って来たかを見るより、行きたい先が見えたほうがいいからである。要するに、水中を泳ぎまわるようになったという事実のために、魚という海中動物は前後の区別があるように、進化せねばならなかったのである。

動きまわるようになったために、前後の区別ができたのと同時に、重力のおかげで動物には上下の区別、また生物学者の用語を使えば背部と腹部の区別ができてきた。（人間のように、動物が立ち上がれば、もちろん、腹部、背部は、それぞれ前後と同じことになる。また頭部、尾部は上下と同じことになるが、ここでは話を海中生物にだけ限ることにする。）左右はどうであろうか。ちょっと考えるだけで、海のように、水に囲まれている状態では、左右が重大な意味をもっていないことがすぐに理解できる。泳いでいる魚にとって、前と後ろとでは大きなちがいがある。一方はこれから進んで行こうとする方向であり、他方はそこから自分が来たところだからである。魚にとって、上下もまた大きな意味をもつ。上に向かって泳げば海面に出るのだし、下に向かって泳げば海底に着くからである。けれども、魚が右に泳いだとしても、それは左に行った場合とどのようなちがいがあるのだろうか。何もありはしない。左を向いても、そこには海があるし、その海も、右にある海とまったく同質で変わりはない。重力のように一方向きの力が、水平にはたらくということはない。魚についているいろいろなもの、たとえばひれであるとか、眼であるとかいったものが、左右でだいたい同じように発達する傾向にあるのは、このような理由によるものである。もし、かりに魚が右だけを見ながら、左を見ないで泳いだほうが有利であったなら、必ずや、魚の眼は右側に一つだけ発達したはずである。しかし、実際にそのような有利さは存在しない。こうしてみれば、魚には対称面が一つしか存在せず、それが左右に対称になるようになっている理由が容易に理解できるのである。

爬虫類が陸にはい上がり、やがて鳥類、哺乳類へと進化していった際、新しい環境のもとで、左右対称がとくに都合悪いということはなかった。上下の差は今や動物の構造にとってますます影響の大きな要素になった。というのも、地上を移動するために新たな付属器官が必要になったからである。かりに足が背中についていて空中に突き出ていたとしたら、ほとんど足としての価値がなくなってしまう。前後のちがいが相変わらず重要であったことはもちろんである。

この進化のプロセスの例外を昔の神話と現代の幻想にみることができる。昔、ギリシャにはアンフィスバエナ（amphisbæna：ギリシャ語で、「どちらでも行ける」という意味）という、からだの両端に頭のついたヘビがいた。このヘビはどちらにもはい動くことができた。ポープがこのヘビのことをこのように『衒学迂人列伝』（*Dunciad*）に記している。

（ものの本によれば）こうして、アンフィスバエナは
両端で（獲物を）攻撃する

どちらが先導して、どちらが従っているのかはわからない
なぜならば両方とも頭であり、しっぽであるのだから

L・フランク・ボームの『ジョン・ドウと天使』(*John Dough and the Cherub*)という最近の子供向けの漫画に、デュオという犬がでてくる。また、ヒュー・ロフティングのドリトル先生の本の中にもプッシュミ・プルユーという動物がでてくる。どちらも両端に頭がついていた。

地上でも空中でも、海中のときと同様に、右も左も大きな差異はなかった。ジャングルの中にいる動物や空を飛んでいる鳥にとって、自分の左側にある世界は右のそれによく似ていて差はなかった。これで、なぜ地上や空中にいる動物が、海中にいるときにもつようになった左右の対称をそのまま保持しているかが理解できる。H・S・M・コクゼターは素晴らしい本『幾何学入門』(*Introduction to Geometry*, Wiley, 1961)を書いた。その中で、われわれになじみ深いウィリアム・ブレイクの詩の一節を引用しているが、その題材となっているのがまさにこの左右対称性なのである。以下はその引用である。

夜の森を火はあかあかと照らす
虎! 虎!

いかなる不滅の手か眼《まなこ》か
恐ろしい汝《な》が対称性を作りしは

地球全体と、そこにはたらくさまざまな力が対称的であることを考えると、動物のからだの基本をなしているこのような左右対称が、将来、どのようにか変わってしまうとは思われない。どんなにささいなことでも、左右の均衡が破れるとたいへんである。たとえば右眼を失うというようなことでも、それはその動物の生存にとって不利な重大な結果をもたらすことになる。たとえば敵が、見えない右側から容易にしのび寄って来ることもありうることになる。(図26を参照。)

もし他の惑星に動物がいて、海中や空や陸上を自由に動きまわることができるとしたら、それらもまた、左右対称という特徴をもっているにちがいない。われわれはもう、なぜそうであるかを理解することができる。他の惑星でも、地球上と同様の諸要素がはたらいて左右対称をつくり出すだろうからである。重力によって上下の基本的差異が生じ、移動によって前後の基本的な区別がつけられる。環境が左右で異なっている、ということがないかぎり、からだの左右対称が保持されるはずである。

これ以上、推測を深めることができるだろうか。これ以上、地球上の生物と地球外のそれとの間に、類似点があると考えることははたして可能であろうか。答えはイエスである。

地球外の惑星の未知の海においても、その海がどのような化学的組成であろうと、水の中では尾と種々のひれを動かせて泳ぐよりも簡単な方法を考えつくことは困難である。このことは地球上において、独立に進化した動物の推進法がほとんどこれ一つであるという事実をみても明らかである。魚は尾とひれで推進するように発達した。それから魚は進化して水陸両方で生息できるようになり、陸上に上がって爬虫類となった。爬虫類はさらに進化して哺乳類となる。しかし哺乳類のうちあるものは海にもどった。(後にクジラやアザラシになった仲間がこれである。)

"そうか？　お前がずっと独りでいたというなら、あれは誰の眼だ？"

図26　これらの生物は放射対称な眼がかなり早いスピードで進化したらしい。これでより柔軟性に富む行動ができるようになったであろうか。それとも単なる傷つきやすい形になっただけなのであろうか。(ゲイリー・ラーソンの *Beyond the Far Side*, Andrews & McMeel, 1983 より。)

その際、これらの動物の足はひれ足にもどってしまったし、尾もひれ状になって推進の動力源と方向舵の役を果たすようになった。

これと同様に、

空を飛びまわるには翼以外の簡単なものを考えることは困難である。再び地球上の例にもどろう。翼もまたいろいろなものから独立に進化して、この形になってきたのである。爬虫類が進化して羽根をもち、空を飛ぶようになった。昆虫もそうである。齧歯《げっし》類のあるもの、たとえばムササビなどは滑空する必要から翼が発達した。コウモリは哺乳類であるが、これもりっぱに発達した翼をもっている。魚の中には、水面から飛び上がって敵から逃れるものがあるが、これも十分とはいえないまでも滑空用の羽根が発達している。人でさえ、飛行機を作るときには、機体には「翼」を取りつけ、鳥が飛翔する姿に似せているのである。

動物が地上で動きまわるのに、いくつかの関節でできた脚《あし》を使う以外に簡単な方法があるだろうか。脚の機構を調べてみると、実は犬でも家バエでもたいした差異がない。この二つは互いにまったく別々に進化したものなのに、脚の点では差異がないのである。もちろん、地上を動きまわる簡単な機構として、車輪を考えることもできる。しかし、動物の四つ脚が車輪に進化しにくいのにはそれなりの理由がある。まず、車輪を支えるためには車軸が必要である。また、車輪が自由に回転できるためには、車輪が軸と固定しないで分離しているか、あるいは車軸自体が胴体とは分離していて回転できなければならない。そうなると、どうやって胴体のほうから車輪をまわすかという大問題がおこる。これは不可能といわないまでもたいへんに困難なことである。L・フランク・ボームはその著書、

『オズのオズマ姫』(訳注1)（*Ozma of Oz*）の中で、犬のように四つ脚をもち、その足先に小さな車輪がついている「車輪族」という人種を発明している。『オズのかかし』(訳注2)（*The Scarecrow of Oz*）では、しっぽにプロペラのついた「オーク」（Ork）という鳥を発明している。もし、どこかの惑星で足先を車輪にすることができたとしたらどうだろう。きっとその惑星には、自転車のような形をした動物やらモーターボートによく似た魚だとか、飛行機のような鳥だのがいるにちがいないが、現実にはそんなことがあるはずもないのである。

地上を歩いたり、空中を飛ぶのにプロペラを使う動物はいないけれども、しっぽ（flagella）をプロペラのように回転させて液体の中を動きまわるバクテリアがいることは知られている。（ハワード・C・バーグの「バクテリアはどのようにして泳ぐか」(訳注3)（How Bacteria Swim）（サイエンティフィック・アメリカン誌、一九七五年八月号、三六ページ以降）を参照。）またDNAのよりをもどすために、細胞の中に回転する装置があるかもしれない。（サイエンティフィック・アメリカン誌、一九六七年二月号、三七ページを参照。）単細胞動物の中には、からだ全体を回転させて水の中を泳ぐものもいる。エジプトの聖なるスカラベであるフンコロガシも見のがしてはならない。小さな球状にしたふんを地面を転がして運んでいくからである。

眼や耳や鼻のような感覚器官はどうだろう。これらの器官が十分にはたらくためには、やはりほぼ必然的に、今のような形にならざるをえないようである。脳が、外界の「地図」を正しく把握するのには電磁波、つまり光を使うのが理想的である。分子が伝導する圧力波も、自分のまわりのようすを知るうえで重要な手がかりになる。この圧力波つまり音をキャッチするのが耳である。ある物体から分子が拡散してくることを探知するのは鼻である。においと味が、主な感覚機能であるだけでなく、個々の間での主たるコミュニケーション手段であるような知的異星人の高い文化も、あるかもしれない。つい最近になってようやく、生物学者たちは、地球上の動物の種の中で、フェロモンとよばれる物質の直接伝播によって、いかに多くの情報が効率よくやりとりされているかを発見した。エドワード・O・ウィルソンの「フェロモン」(Pheromones)(サイエンティフィック・アメリカン誌、一九六三年五月号)という「鼻」のさめるような記事を参照のこと。

他の惑星でも、光とか音、分子が存在することは確かである。したがって、そこに住む生命体についても、これらの現象を利用できるような感覚器官が発達して、生命をとりまく環境により有利に順応できるように進化していることは、十分に考えうることである。地球上でも、眼には少なくとも三とおりの、まったく別々な発達のしかたがある。脊椎動物の眼、昆虫の眼、いろいろな軟体動物の眼、これらは互いには関係なく別個に発達したのである。たとえば、タコは驚くほど良い眼をもっている。ある意味ではわれわれ人間の眼よりも良いほどである。このタコの眼には、やはり、上下のまぶた、角膜、虹彩《こうさい》、水晶体、網膜がちゃんとあって、人間の眼のような構造である。互いにまったく別個な発達過程をたどりながら、これほど複雑な器官が、基本的には同じ機能と構造をしているのである。進化の驚くべき事実の好例といえる。

眼の他の感覚器官が一カ所に集まって顔のようなものを形づくるのにも十分な理由がある。第一に、眼や耳や鼻が口に近いことは、食物をとるのに便利である。またこれらの器官が脳に近いことも便利である。神経刺激が諸器官から脳へ伝わるまでには時間がかかる。刺激が脳に伝わるのが速ければ速いほど、その動物の、食物を捕らえたり、危険を避けたりする反応が速くなる。脳は感覚器官から伝わってくる情報を評価し解釈しなければならないが、この思考作業も電気的なネットワークによって行なわれる。ちょうど、非常に複雑なコンピューターを小さくしたようなものである。進化した生物の脳にとっては、電気的インパルスを伝える神経線維が本質的に重要なようである。

かりに、他の惑星の生物が、地球の人間と同じくらいの知的レベルに達したとすると、その生物は少なくともいくつかの「人間らしい」特徴をもっている可能性が高いようである。手の先に指があることは明らかに便利である。大切な脳を保護するためには厳重におおいがしてなければならないし、動きまわるときにできるだけショックが少ないように地面から遠くになければならない。感覚器官が脳の近く、からだの前面に集まれば、自然に顔のようなものになるはずである。シカゴの芸人にクラーク・クランドールという人がいる。あだなは「上院議員」であるが、彼はいつも眼や鼻がからだの別の場所にあるときの利点を演じてみせては人を喜ばせている。たとえば、指の先に眼がついていれば、手をかざして、パレードの人の頭ごしに楽々と見ることができる。耳が脇の下になれば、寒い冬でも暖かくてよいだろう。口が頭のてっぺんにあれば、帽子の中にかくれてしまうから、サンドウィッチをほおばりながら会社に行くこともできるわけである。けれども、なぜそのように進化しなかったかは容易に想像がつく。指先に眼があったのでは、脳から遠すぎて傷つきやすく、危険である。脇の下に耳があったのでは音を聞くうえで効率がよくない。よく聞こうとするには、いつも両腕をあげていなくてはならない。頭の上に口があると食べるたびに脳を傷つける恐れがあるし、だいいち、何を食べているのかを見るのがたいへんむずかしい、などなどである。

もちろん、偶然の要素もたくさん関係しており、さらに、他の惑星環境はいろいろであるから、地球上で見られるのと生き写しの生物がよそにもいるとは期待できない。誰も火星に象やキリンがいるとは思わないのである。とはいうものの、よその惑星にいる生物が地球上における生物の形とそれほど大差があるとも思われない。ＳＦ小説に出てくるベム（BEMとは *Bug-Eyed Monster*（出眼怪獣）の頭文字をとった想像の動物）は、地球上のいかなる動物とも似ていない。にもかかわらず、それも動物であることはわかる。そのようなものであるのが、結局のところ当たらずとも遠からず、なのかもしれない。実際、異星動物について、地球上にいるいろいろな動物がお互いにちがっている以上、大きなちがい方を考えることが困難なのである。タコといい、カモノハシといい、また、サイチョウ、ダチョウ、ヘビなどといい、このようなものを見たことも聞いたこともない人にとっては、たいへんに不可思議で奇妙なものであるにちがいない。火星にいるかもしれない生き物とて、この程度の奇妙さであるのかもしれない。アナブレプス（anableps）という魚があるが、これこそベムの見本のような代物である。このアナブレプスはコイの一種で、青っぽい色をした小さな魚で、眼が四つもある。もっとも、正確には実際に四つあるとはいえないかもしれない。ともかく、あわの化け物のような巨大な眼があって、その左右それぞれが、不透明な膜で上下に分かれている。水晶体は左右の眼にそれぞれ一つずつであるが、角膜と虹彩は上と下とで別々に二つずつついているのである。それで、この小さな魚（長さがおよそ二〇センチメートル程度である）は、この不透明膜を水面とちょうど同じ高さに保って泳ぐ。そうすることで、左右の「眼」の上半分では水上のようすを見ることができ、同時に下半分の「眼」で水中のようすを見ることができるわけである。このおもしろい生き物の性生活は非対称的であるが、このことについては、次の章で少し述べることにする。

よその惑星に行けば、アナブレプスのような、一風変わったいろいろな動物が、海や陸を徘徊《はいかい》し、空を飛びまわっているにちがいない。アナブレプスなどよりもはるかに奇妙なものもあることであろう。しかし、それらとても、地球上の動物とあまりかけ離れすぎていて、われわれがそれと認識できないほどのことはないだろう。では、われわれは何を頼りに、これらを動物であると識別しうるのであろうか。その識別の基礎をなすものはほかでもない、動物の左右対称性という特徴である。これこそ、他の外見上の形状などよりも、より基本的なものであるようである。

(原注1) [この部分の原文“Many a mickle make a muckle”は] スコットランドの寸言で「ちりも積もれば山となる」の意。

(訳注1) 邦訳書『オズのオズマ姫』佐藤高子訳、早川文庫、一九七五年。

(訳注2) 邦訳書『オズのかかし』佐藤高子訳、早川文庫、一九八二年。

(訳注3) 邦訳は、日経サイエンス誌、一九七五年十月号に所収。

8 動物における非対称

放射対称性がふつうである植物の世界においても、右と左の非対称があちらこちらに認められる。ちょうどこれと同じように、左右対称性が基本の動物界においても、左右対称でないものもたくさんあるのである。このような非対称性について説明しようと思えば、それだけで一冊の本が書けるほどである。けれども、ページ数にも限りがあるので、ここではそのような非対称性のうちで、もっとも興味深いものだけをいくつか述べることにする。

植物の場合と同様だが、動物の場合も、からだの構造の一部にらせん形が一つあると、その動物のからだは自動的に対称でなくなってしまう。もちろん、らせん形がからだの片方にあっても、反対側に、一方とは反対向きのらせん形があって、左右のバランスがとれていれば、左右対称性は崩れずにすむ。たとえば動物の牙はらせん構造になっているが、これは左右で一対になっており、このよい例といえる。（たとえば古代のマンモスの牙がそうである。）また、雄羊、ヤギ、カモシカなどの動物がもっている、大きくて、りっぱな角《つの》もそうである。胸や脚など、人間を含めた動物のからだの各部にある大きな骨も、らせん構造をもっているものが多いが、これらの場合、左側と右側とがちょうど、お互いに鏡像になっている。昆虫の触角も左右が一対のらせん形左右像になっていることが多い。鳥やコウモリ、あるいは昆虫も、翼や羽根にややらせん的な構造があることが多く、からだの左右で一対の左右像になっている。

動物のからだの一部にあるらせん形の一つが他のものより顕著であると、全体としてその動物は対称ではなくなる。いろいろなバクテリアや高等動物の精子はすべてらせん構造である。けれども、もっとも顕著ならせん形は、巻貝や他の軟体動物の殻に見られる。らせん形の貝殻がすべて非対称なわけではない。たとえばオウム貝は同一平面上で巻いているので、渦巻き星雲のように、対称面で二つに分割することができる。けれども、いろいろな貝殻で、明らかに右巻きか左巻きかの円がらせん形をしていて美しいものが幾千とある。図27に示したのはその一例である。回旋植物の場合と同じく、このような貝は右巻きのものが多いが、左巻きもないわけではない。あるものは常に右巻きであり、あるものは常に左巻きである。また、生息する地域によって、右巻きであったり、左巻きであったりするものもある。同じ種類の貝でも、ときとして「ふざけ」て逆巻きになることがある。このようなのは珍しく、貝殻の収集家の間で珍重されている。何千という貝殻の化石が古

図 27　右巻きの貝殻、(a)チマキボラ *Thatcheria*、(b)トラタマ貝 *Natica*、(c)ナガニシ *Fusinus*（©ディスカバー・マガジン誌、ポール・テイラー撮影、1982)。

生物学者の手で分類されているが、これらの化石でも右巻きのらせん形と左巻きのらせん形とがある。

ネブラスカ州とワイオミング州の一部に、らせん形の化石がたくさんとれるところがある。これは一風変わったものであるが、一般に、「悪魔の栓抜き」という名で知られている。これは高さが二メートル以上もある巨大な石英のらせん形で、右巻きのものもあり、左巻きのものもある。何十年もの間、これがいったい何物であるかについて、地質学者の論争が続いた。これが、ずっと以前に絶滅した回旋植物の化石であるとする人びとと、今でいうビーバーの祖先が作ったらせん形の穴の跡であるとする人びととに論議が分かれてしまったのである。結局、ビーバー説が勝ちとなった。小さなビーバーの化石がこれらの穴からいくつか出てきたからである。これと同じような由来のらせん形の化石はヨーロッパの一部にも産する。

ニュー・メキシコのカールズバッドというところにある鍾乳洞にメキシココウモリが何十万匹もすんでいる。このコウモリは飛ぶときにみごとならせん飛行を見せてくれる。ジヨセフ・ウッド・クルッチはその著書、『砂漠の一年』（*The Desert Year*, Sloan, 1952）の中で、コウモリが一匹残らず時計と反対回りのらせん形を描いて洞窟から飛び出していくようすを、真に生き生きと描写している。クルッチは、コウモリがどのようにして、みんな同じ方向にらせんを描くよう合意しているのか、不思議でしかたがない。彼は続けてこう書いている。「彼らの習性はたしかに『集団として便利なもの』であるにちがいない。その習性がないと、洞窟から飛び出すということがとてつもなく危険なことになってしまうのだろう。」

コリオリの力がこのコウモリの習性と何か関係があるのだろうか。つまり、このコウモリは、北半球にある洞窟から飛び立つときは左巻きのらせん形を描き、南半球の洞窟から飛び出すときは右巻きのらせん形を描くのだろうか。クルッチはこのことを数人のコウモリ学者にたずねてみたが、この問いに関して何らたいした知識も得ることができなかった。コリオリの力の影響はほとんど考えられないようである。とはいえ、コウモリが洞窟を出るときに描くらせん状の飛行軌跡の右巻き、左巻きの問題は、いまだ動物学者が研究していない、たいへん興味深い分野である。「きっと、いつの日か、誰か使い古しの風洞を立てて、数百匹のコウモリを底に入れて放す実験をすることだろう。……頭がどうかしてきた（訳注1）……もうどこかの財団に自分が資金の申請をしているのが見える。研究題名『コウモリの飛行とコリオリ効果の関係についての研究』。」クルッチ氏は前述の本の中でこのように綴っている。

話を、らせん形以外の非対称性にもどすことにしよう。もっとも変な例は、シオマネキというカニのはさみで、右か左か、片方だけが非常に大きいのである（図28）。この小さなカニが大きいほうのはさみをぶらぶらさせるようすが、手招きしているのに似ているのでこの名前がある。イスカは小鳥の仲間で、非対称性を示す好例である。イスカは、スズメ科の小さな赤い鳥で、上のくちばしがはさみの刃のように下のくちばしと重なり合ってしまう。しかも、はさみに右利き用と左利き用とがあるように、両方のかみ合わせ方ができるのである。アメリカのイスカは、上のくちばしが左側で下のと重なるものが多いが、ヨーロッパにいる種類では「反対向き」のものが多い。イスカは、このくちばしでトキワの木の球果をついばむ。そのやり方は、ちょ

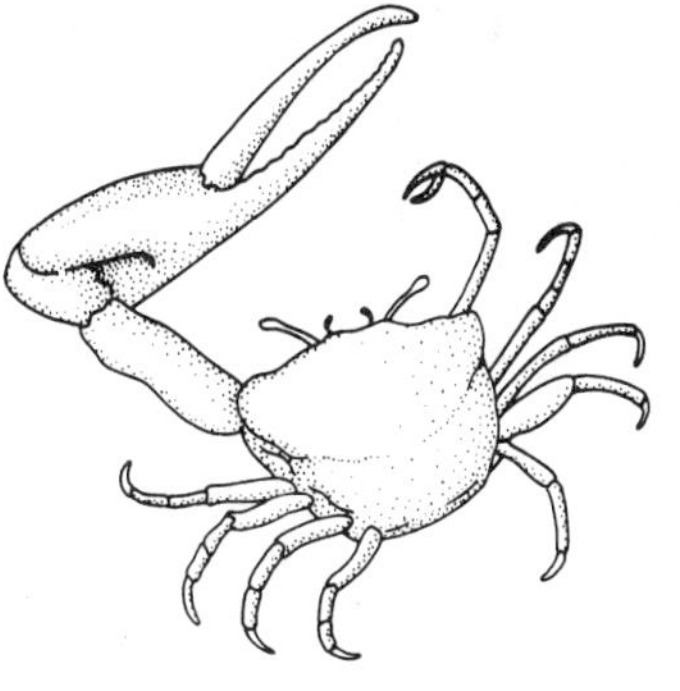
図28　左利きのシオマネキ。

うど、家庭の主婦が缶詰のふたをやっとこか何かで、てこを使ってもち上げるのと同じ要領である。いったん球果が開いてしまえば、あとは舌を突っ込んで中の種子を取り出すのである。このイスカについて、かわいらしい民話が残っている。十字架にかけられたキリストをかわいそうに思ったイスカは、くちばしで十字架に打ち込んだくぎを抜き取ろうとした。けれども努力のかいがなかったばかりか、小鳥のくちばしはねじれてしまい、羽毛は血でまっ赤に染まってしまった、というのである。くちばし全体が片方によじれている唯一の鳥は、ニュージーランドにいるねじれくちばしのチドリである。この鳥は、えさを捜すために石をひっくり返すのにくちばしを使う。そのとき、くちばしが右に曲がっているので、主に自分の右側のほうを捜すくせがある。

わずかの例外はあるが、雌の小鳥は種類を問わずほとんどすべて、卵巣と卵管は左右非対称である。若いうちは左右の大きさは同じであるが、その鳥が成熟するにつれ、右の卵巣と卵管が退化して、しまいには役に立たなくなってしまう。産卵期になると左側の卵管だけが大きく成長し、機能を果たすのである。

魚の世界における非対称性の例はヒラメ・カレイ類が提供してくれる。この類は分類上、一つの「科」であって、種々のヒラメ、シタガレイなどが含まれる。これらの魚は幼いうちは眼がからだの両側に一つずつついている。幼魚のうちは海の水面近くを泳ぎまわっているが、成長するにつれ、片方の眼がだんだんと移動し、頭の上を通って最後にはからだの反対側に来てしまう。二つの眼が両方とも、からだの一方に来てしまうのである。ちょうどピカソの描いた横顔の眼のようになるわけである。かわいそうに、この魚はしかたなく海底に沈んで、眼のついていないほうを下にして泥や砂の中に身を横たえるわけである。二つの眼は上を見つめることになる。この二つの眼は一つ一つが別々に動くので、一つの眼で前方を見ながら、もう一つで後方を見ることができる。からだの上側は色がついており、海底に似せて小さな斑点があるが、眼のついていないほうは白い。種類によっては、環境に合わせて自力で体色を変えて敵の目をくらますことさえできるものもある。ヒラメ類の魚は数百種に及ぶが、たいていは右側にだけ眼があり、眼が左側にあるものは少ない。たとえばハリバットは右利き、すなわち右眼のヒラメであるし、タルボットは左利き、すなわち左眼のヒラメである。右利きのシタガレイはヨーロッパ近海にしか見られないし、左利きのシタガレイは熱帯、亜熱帯地方の海にしかいない。どの種類でもたまには「ふざけて」利き手が仲間とちがっているものがある。チャールズ・ダーウィンの『種の起源』(訳注2)（*Origin of Species*）の第七章のなかに、ヒラメ族に関する興味深い議論がある。（自然淘汰の結果としてヒラメの眼の移動がおこりうることなど考えられない、という説を曲げない人びとに対してダーウィンは、この議論の中でみごとな返答を与えている。）デイヴィド・ポリカンスキーの「ヒラメの非対称性」（The Asymmetry of Flounders）（サイエンティフィック・アメリカン誌、一九八二年五月号）も参照のこと。

前章でふれたアナブレプスという小さな「四つ眼」魚《うお》は、脊椎動物としてはまことに珍しく、非対称な性生活を行なっている。アナブレプスの子供は体外の卵からかえるのではなくて、母のからだの中で生まれる。別のいい方をすれば、雄は、卵がいまだ雌の体内にあるうちに受精させねばならないのである。ところが、雌には右か左か、とにかくどちらか一方にしか開口部がない。また、雄の生殖器官も左なら左、右なら右にしか存在しない。つまり、このアナブレプスという魚は一匹一匹をとってみると、どれも、右利きであるか左利きであるかの、どちらかなのである。したがって、利き手型が同じであると、彼らの遺伝的にプログラムされた行動によって、二匹がうまく結合することが不可能になってしまう。幸いにして雄も雌も右利き・左利きの割合が半々になっているが、もしかりに、雌雄が同じ利き手型であったとすると、これは種にとって重大な問題になるところである。魚類の世界にもセイヨウヒルガオとスイカズラの結婚問題に類似したことが見られる、というわけである。

動物の牙はもともと普通の歯と同じである。ただ、特定の目的に合うように大きくなっただけのものである。象だとかセイウチだとかいうものの牙の大きさが、左右まったく同じであることはまずない。どの種類でも「左牙利き」か「右牙利き」かのどちらかで、牙は片方より大きく、かつ、使う頻度も多いのが普通である。アフリカでは象の右の牙をしいべの牙とよぶことがある。象が右の牙でよく地面を掘ることからきた名前である。

北極海にすむ動物で一角というのがいる。小さなクジラの一種であるが、これがみごとな非対称性を提供してくれる。雄も雌も、歯が二本しかなく、その二本ともが、からだの中心線をはさんで両側に、上あごに並んで生えているのである。雌の歯は二本とも、いつまでも顎骨の中にとどまっている。雄の右の歯も同じように、一生口の中にかくれたままである。ところが、左の歯はしだいにまっすぐ長く伸びて、しまいには体長の約半分ほどにも達するりっぱな牙に成長するのである。体長が鼻先から尾の先まで四メートルあったとすると、このとてつもなく大きな歯は槍のようにまっすぐに伸びていて二、三メートルもあることになる。実際、この世でこれほど長い歯はほかにはない（図29参照）。

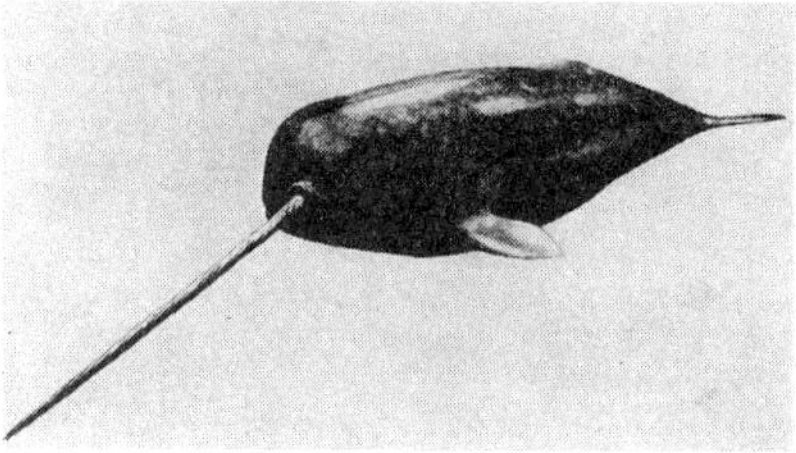

図29　雄の一角獣（©ニューヨーク・タイムズ紙、1969年9月6日号）。

この牙の周囲にはみぞとうねとが交互にらせん形になっている。この巻き方は常に、根元から反時計回りにまわって先へ進むようならせんになっている。ほんの例外的な場合だが、雄の歯が両方とも、牙になっていることがある。このとき、たとえば雄羊やヤギの角の場合のように、一方が右巻きで他方が左巻きのらせんになっているだろうと思うのが普通だろう。ところがそうではない。どちらの牙も例外なく左巻きに巻くのである。このことは長い間、動物学者を悩ませてきた問題である。トムソン卿（Sir D'Arcy Thompson）がその著書『成長と形態』（*On Growth and Form*, 縮冊版が一九六一年、Cambridge University Press から出ている）で発表した説は次のようなものである。つまり、この牙のらせんは一角が泳ぐ際、少しずつ右回りに回転しながら前進することによる。からだが回転しても、歯は慣性で静止しようとするので、歯にトルクがはたらき、歯が前に伸びるにつれ、ゆっくりと時計と反対回りにねじれるのだ、というわけである。

さらにトムソンの説明によれば、「角《つの》が動物のからだの回転に合わせてねじれるのではなく、いってみれば、動物のからだがゆっくりゆっくりと、少しずつ角を中心にしてまわる」のである。「頭と角の運動の差は実にわずかであるが、尾がうごくたびにそれが繰り返される。この差を感じるのは、歯の成長しかけている根の部分と、髄質の部分だけである。そしてそれが一種のひずみとなって、歯の根元のところにトルクを与える。しかも、ちょうど根元が石灰化する過程にあるときに、このトルクが与えられるのである」。以上がトムソン説のあらましである。この説には批判もあったが、今のところ、これより適当な説明を行なった人はいない。

一角はときに「海の一角獣」とよばれることがあるが、これはもちろん、「角」が一つだということに由来するものである。実際、十五世紀から十六世紀にかけては、北欧の商人たちが、この動物の牙を一角獣の角であるといって、ヨーロッパ中に売りまわっていたこともある。このような角を粉にしたものは、広く、種々の病気に効く奇跡の力をもっていると信じられていた。この秘密のタネが、オランダ人の動物学者によってあばかれたのは、十七世紀に入って間もなくのことであった。

何のためにこのように大きな歯があるのかは、正確には今でもわかっていない。動物学者は、はじめ、敵を刺したり、あるいは、呼吸するための穴を、氷にあけたりするためのものと考えた。けれども、そのようなことに使われた証拠は見つかっていない。ただ、繁殖期になると、雄の一角は、ちょうどフェンシングをやっているように、二匹でお互いの角を交差させるしぐさをする。したがって、おそらくは、角があるのは、単に性生活の儀式を行なうためだけなのかもしれない。

ジェイムズ・ニスベは本書の第二版を読んで、ヴァレラ・ヴァレラという不思議な小さな海洋ポリープのことを知らせてくれた。これは、口と触手を下向きに、三角の帆を上にして太平洋に浮かんでいる。この動物は全長のほうが幅より少し大きい。約半数については帆が少し傾いていて、残りの約半数は帆が逆向きに傾いている。太平洋の北米側では、この動物の帆の向きが北西から南東方向になっているものがみられ、反対向きのものは日本側で見つかっている。両方とも太平洋のまん中あたりでほぼ同数生まれるが、反対な帆の向きによって、風が右利き、左利きのより分けをするのだと考えられている。

動物にみられる非対称性の例は何千となくあげることができる。コオロギやバッタ、ゴキブリその他の昆虫の羽根の重なり方、音源を探るために左右の耳が対称でないフクロウの種類、雄と雌とでしっぽの巻き方が反対の日本の秋田犬、タンクの中を泳ぐとき反時計回りに泳ぐ傾向を示すイルカ、非対称的なナンキンムシの雄の性器、ラブールベニアレスという、一定のカブト虫の後ろの左足にだけ生育する真菌、などなどである。イギリスの動物学者、A・C・ネヴィルは、その素晴らしい小著『動物の非対称性』(*Animal Asymmetry*, Edward Arnold, 1976) でたくさんの例を集めている。

動物には左右非対称のパターンを認識する能力があるのだろうか。あるいは、左右のヒントがない刺激に対して、左右の区別をした反応をするように調教することができるのだろうか。この両方の疑問に対するよい研究が、マイケル・コーバリスとアイバン・ビールの貴重な著書、『左と右の心理学』(訳注3) (*The Psychology of Left and Right*, Wiley, 1976) の第四章に書いてある。タコはたいへん眼のよい動物ではあるが、どちらの仕事を教え込むこともできない。ハトは猫や犬よりも覚えがよい。小さな子供はチンパンジーと同じくらいのレベルである。

大人の人間でも、非対称のパターンが左向きであったか右向きであったかを覚えているのは困難である。たとえば、ウィスラーえがく母が左向きであったか右向きであったかを思い出せるだろうか(とコーバリスとビールは問いかけている)。ドル紙幣のワシントンの顔は左に向いていたであろうか、右向きであろうか。一セント硬貨のリンカーンはどうだろうか。トランプのカードの中で唯一の片眼の王様であるダイヤのキングはどちら眼利きだろうか。

人のからだも、他の動物と同じように、全体としては左右に関して対称である。ただし、細かいところでは必ずしも対称でないところがある。人体について、対称なものと、そうでないものとを調べてみることは、たいへん興味深くもあり、また、それだけ複雑な問題でもあるので、とくに章を改め、くわしく述べることにする。

（訳注1） 原文では The bats have got into my belfry. となっている。これは英語の慣用表現で「頭がおかしくなる」という意味だが、文中に bats（コウモリ）と belfry（伏せた風洞）があるので、これにかけて、うまいしゃれになっている。

（訳注2） 邦訳書『種の起原』上・下、八杉龍一訳、岩波文庫、一九九〇年。

（訳注3） 邦訳書『左と右の心理学』白井常、鹿取廣人、河内十郎訳、紀伊國屋書店、一九七八年。

9 人のからだ

人間のからだは、着物をぬげば、ほとんど完全に左右対称になっている。実際の裸体でもあるいは芸術作品でも、均整がとれていて美しいなと思うのは、一つには、そのからだの左右が鏡にうつしたように、同じだからである。女のからだには、非対称はない。男では、妙なことだが、左の睾丸が右のよりも低く下がっているので、対称性が破れている。たぶん、この理由によって、少なくともイギリスでは、ほとんどの男の人が自分の性器をズボンの左側に寄せてはくのだろう。スーツを仕立てているとき、イギリスの仕立て職人は必ず「左にお召しになりますか、それとも右にお召しになりますか」とたずねる。ジェイムズ・ジョイスの『ユリシーズ』(訳注1)（*Ulysses*）の中で（Modern Library版、四六七ページ）、レオポルド・ブルームは売春婦に、自分は「右に着ている」というくだりがある。彼は仕立て屋に「百万人に一人」だといわれたという。

古い五行即興詩が思い出される。

デヴィゼの若者がいた
二つの玉の大きさがちがっていた。
一つは小さく
何の役にも立たなかった。
でももう一つの玉はいくつか賞をもらった。

もちろん、個人個人についていえば、小さな非対称性があるだろう。たとえば、一方の肩が少し上がっているとか、背骨がわずかに曲がっているとか、傷あとや生まれたときのあざが、からだの片方についている、などなどのことがあるだろう。しかし、そのような非対称性も、からだのどちら側に多いということは、まずない。

人のからだの左右対称性は、からだの内部、とくに筋肉や骨格にも現われている。しかし、いろいろな器官を見ると、その位置が大きく非対称的になっているのも少なくない。心臓、胃、膵臓《すいぞう》などは、左にかたよっている。肝臓や盲腸は、右にかたよっている。右肺は、左肺よりも大きい。腸のねじれ方や巻き方は、完全に非対称である。人のへその緒は、静脈二本と動脈一本、あわせて三本がよりあわさったりっぱなものだが、これは必ず反時計巻きである（図30）。

二卵性の双生児は、それぞれ非対称的なところがあって、それが互いに逆向きになっていることがある。けれどもこれは偶然以上の確率でおこることはない。一卵性双生児、すなわち授精後、一つの卵子から成長した双子どうしでは、互いが鏡像対称になっている傾向が強いと一般に広く信じられている。残念ながら、はっきりと結論づけられるほど統計資料は十分でなく、この分野の権威は、一卵性双生児が互いに鏡像対称となる確率は、同じ親から生まれた兄弟どうしでそうなるのより高くはない、と考えている。（エラリー・クイーンの一九三三年の作品、『シャム双生児の秘密』[訳注2]（*Siamese Twin Mystery*）の中で、このちがいが、左右を混乱させるようなヒントを次々に提供している。）

　シャム双生児――授精卵の分割が遅れ、かつ不完全であった結果、互いのからだがつながってしまっている双生児――の場合には、この鏡像対称性に関する疑問の余地はまったくない。彼らは、ほとんどすべての細部にわたっても、正しく左右対称像になっている。一方の子が右利きならば、他方は左利きである。一方の子のつむじが時計回りならば、他方の子のつむじは反時計回りである。耳のちがい、歯ならびの曲がり方なども、互いに鏡像になっている。一方の子の右手の掌紋《しょうもん》や指紋は、自分の左の手に似るよりも、他方の子の左の手のほうに似ている。

図30　ヒトのへその緒。

さらに驚くべきことは、シャム双生児の一方では、内臓が左右逆転しているのである。心臓が右、肝臓が左というように、普通とはさかさまなのである。こういう左右の逆転は、シャム双生児の一方には必ず見られるのであるが、双生児でなくても、一人で生まれた者にも見られることがある。心臓の位置と、主な血管だけが反転している右側心臓よりはずっとまれである。双生児以外の場合には、みつくちだとか口蓋《こうがい》が破裂しているとか、手足の指が多いとかいうような、他の奇形が伴うのが普通である。シャム双生児とその対称性についてもっと知りたい方は、ホレイショウ・ハケット・ニューマンの『人間の多生児』(*Multiple Human Births*, Doubleday, 1940) の第五章を見られたい。著者はシカゴ大学の生物学者で双生児に関する専門家として知られ、この本はわかりやすくておもしろい。

ルイス・キャロルの『鏡の国のアリス』の中に、一卵性の双生児、トウィードルデイとトウィードルダムがでてくるのは有名な話だが、それが互いの鏡像になっていると思わせるところがある。この双生児の兄弟がアリスに握手をするとき、一方は右手を、他方は左手を出すのである。テニエルの描いた挿画、――とくに、二人が向きあって戦争のしたくをしている画――をよく見ると、この双生児は左右像に書いてある。

人間の行動や習慣をみると、著しく非対称的なものが多い。それは、たいていの人は右利きだということの直接の表われである。右手は脳の左側の部分に支配され、左手は脳の右側の部分に支配される。だから右手利きということは、左脳利きなのである。子供が生まれるときには、左右どちらという傾向はなく、それがどちらかになるというのは、親の育て方による結果だというふうに考えられた時代がある。プラトンはこのことを強く主張した。

　プラトンの『法律』第七巻には、こう書いてある。「手の使い方に関しては、われわれは、子守りや母の愚かさによって、いわば、不具にされたようなものだ。われわれの四つの手足は元来はつりあいよくできているのに、悪い習慣でちがいが生じてしまったのである。」プラトンはさらにこういう。「竪琴《ハープ》をひくような場合には、いずれにしろ片方の手でそれをおさえて他方の手で弾ずるのだから、右とか左とかいうことはたいした問題にならない。しかし、ボクシングやレスリングのように、手と手で戦うようなスポーツでは、両手を同じようにうまく使うことを覚えるのが大切だ。だから、すべてのことに対しても子供は両手を使うように訓練すべきだ。」

　今日になってみれば、プラトンのいうことは大まちがいである。アリストテレスが正しく指摘しているように、われわれの左右両腕は、生まれつき同じではないのである。大多数の人が右利きだというのは、人類の遺伝的傾向であって、信頼するに足る歴史によるかぎり、昔からそうなのである。左利きのほうが普通だという社会は、文化人類学者にもまだ知られていない。少数の部族についてさえ、そのようなことは知られていない。エスキモーにしても、アメリカ・インディアンにしても、マオリ人にしても、アフリカ人にしても、みな右利きである。古代のエジプト人、ギリシャ人、ローマ人も右利きであった。歴史を遠くさかのぼると、右利きという証拠はだんだん少なくなり、それは間接的な推定になる。そのようなことは、道具や武器の形や、人がはたらいているところ、戦っているところの絵を手がかりにして推定するよりしかたがない。横顔の絵を描くときに、右利きの人が描くと、左向きの横顔のほうがやさしい。このことを使うと、先史人類の左利き、右利きを知る手がかりになる。原始人の左利き、右利きを研究した人類学者もあるが、その間にもいろいろな意見があって、はっきりした結論は得られていない。ただ有史時代になってからは、どの社会においても右利きであった、ということでは意見が一致している。

いろいろな言語について、左右ということばを調べてみると、ことば自体の由来が、その社会が右利きであったことを示している場合が多い。英語の right（右）という語は、右手を使うのが正しい（right）のだということを思わせる。反対に left（左）の語源は、案外左手があまり使われないので、仕事をする場合もほとんど left out（無視）されてきたことに由来するのかもしれない。意地悪を含めていうお世辞を left-handed compliment（左利きのお世辞）という。「不吉だ」とか「縁起の悪い」、という意味の sinister という語はラテン語の「左」から来ているし、「巧みな」とか「器用だ」とかいう意味の dexterous あるいは dextrous はラテン語の「右」に由来している。フランス語で「左」は gauche であるが、この語もまた、「ゆがんだ」とか「ぎこちない」とかいう意味があるし、「右」の droit という語は「正義」、「正直」、「まっすぐ」という意味がある。英語の adroit（巧みな）はフランス語から来ている。ドイツ語では、「左」は link だが、linkisch となれば「ぎこちない」という意味になる。同じくドイツ語の「右」は recht で、これには、「正義」とか「正しい」とかいう意味がある。英語の場合と同じである。イタリア語で「左手」は stanca か manca であるが、前者には「疲れた」、後者には「欠陥のある」という意味がある。スペイン語では左手のことを zurdo というが、同じくスペイン語の a zurdas は「まちがった」という意味である。L・フランク・ボームの『オズのつぎはぎ娘』(訳注3)（*Patchwork Girl of Oz*）にでてくる主役の男の子、「不運なオジョ」も、バウム自身と同様、左利きであった。そのなかでティン・ウッドマンはオジョに、「偉大な人びとの多くはそう（左利き）なのだ。左利きということは両手利きであるということで、右利きの人は一方しか利かないのさ」といっている。

キリスト教は、西洋の「左」イコール罪悪との考えをさらに強めた。聖書のどこを見ても、左手に関してほめことばがあるところを捜すことはむずかしい。ヨゼフの父親が息子二人を祝福するとき、左と右とを取りちがえて、（本心に反して）右手を長男でなく、次男の肩においてしまう。イエスは再臨のとき、羊とヤギを区別するのに、右に行ったのが羊で、左に行くのがヤギだと話した。悪魔は左利きであるとされていた。聖人たちは、母親から乳を吸うとき、左胸から吸うのを拒否したという。「最後の審判」の画家たちは、神が天国を右手で指し、左手で地獄を指すように描いている。

このような偏見は東洋にも強くみられ、とくに日本で顕著である。(訳注4) 田舎の学校では、左利きの生徒は先生からぶたれることがしばしばであり、左利きの若い女性は、花婿を捜すのに右利きのふりをしなければならなかった。東京の精神科医、箱崎総一は、無用のいらだちの原因となるこの偏見を打破しようと、『右利き文化への警鐘』という本を著わした。タイム誌（一九七四年一月七日号）は、本が売れたのはよいが、「永いきびしい戦い」になりそうであることを報じている。一つ希望がみられるのは、日本で、〔麻丘めぐみが歌った〕「わたしの彼は左きき」というレコードがヒットしたことである。

過去、世界各地において、左利きに対する偏見がいかに実害をもたらしてきたかという例については、カール・セーガンの『エデンの恐竜』(訳注5)（*The Dragons of Eden*, Random House, 1977）の第七章と、ジャック・フィンチェルの『左利き人間』（*Sinister People*, Putnam, 1977）を参照されたい。フィンチェルは過去、現在を取りまぜて、百人以上のサウスポーを列挙している。歴代のアメリカ合衆国大統領については、事情があまりはっきりしていない。歴代はじめての左利きは明らかにジェームス・ガーフィールドであった。ハリー・トルーマンは右手で書いたが、野球のボールは左手で投げた。ジェラルド・フォードは、着席しているときには左手でものを書いたが、黒板で書くときには右手を使った。ウッドロー・ウィルソンとロナルド・レーガンは、生まれながらには左利きであったが、両親に右利きに矯正された、といわれている。ジョージ・ブッシュは完全に左利きのままである。

スミソニアン誌（一九八四年十二月号）は、ベドウィンの生活に関する記事の中で、キプサ、子羊、米《こめ》の典型的料理を食べているアラブの男の人の写真を掲載した。この稿の制作過程で、誰かが左右をまちがえて、男の人が左手で食べ物を食べているように印刷されてしまった。アラブ人読者たちから火のような非難の声があがったのは無理からぬことであった。なぜならば、イスラム教の社会では、誰でも右手で食事をしなければならないからである。昔からの子供の判じものにこういうのがある。「君は自分を拭くのに右手を使うか、それとも左手を使うか。」答えがどちらでも「それは珍しい。ぼくはトイレット・ペーパーを使うよ」というものである。そうはいうものの、トイレット・ペーパーが広く使用されるようになる以前は、どの文化においても、自分自身を拭くには左手を使っていた。というのも、右手はいつも食事をするのに使っていたからである。技術の進んだ今日の社会において、どれだけの割合の人が自分を拭くのに食事をするほうの手を使っているかは、興味深いことである。

人類全体が、どうしてこうまで、生まれつき右手を好む傾向にあるのかはわからない。人間以外の哺乳動物はほとんどの場合両手利きであり、個体がどちらかの手を強く好むとしても、種全体では、左利き、右利きの数がほぼ同数に分かれるものである。一般にはブッシュ・ベイビーとよばれている霊長類のガラゴ属は、その例外かもしれない。ガラゴは、アフリカの木の上に生息する小型の夜行性霊長目である。一九八八年に、メンフィス州立大学の心理学者であるジャネット・ウォードは、彼女が観察したブッシュ・ベイビーの大半は必ずえさを左手で取っていた、という報告をした。（ディスカバー誌、一九八八年七月号、一一ページを参照。）他の調査の結果でこの観察結果が確認されたかどうかは定かでない(原注1)。もっとも、脊椎動物でも、ある意味で左右の好みを示すものもある。たとえばポインター犬が片方の前足で方角を示すとか、オウムが片方の脚でとまり木をつかむとか、馬は非対称的な早駆けをするとかがそれである。けれども、これらはいずれも、ヒトとはかけ離れすぎていて、この問題にはあまり関係なさそうである。

昔々、猿からだんだん人間になる過程で、何かのはたらきによってこの非対称的な習性が形成されたのだろう。原始人が敵と闘うとき、ナイフや槍を右手にもっていたほうが、相手の心臓を突き刺すのに、いちばん距離が短いということに気がついたのだ、ということが指摘されたことがあった。さらに、トマス・カーライルが一八七一年に最初にいったように、左側は弱いから盾で保護する必要があった。当然、盾は左手でもたねばならない。右手は武器をもつために、あけておかなければならない。このようなことを考えると、突然変異で右利きになったほうが、生存競争に勝ち残るのにやや有利であった。

リー・ソークは、「母親と幼児の間の心音の役割(訳注6)」（The Role of the Heartbeat in the

Relations between Mother and Infant)（サイエンティフィック・アメリカン誌、一九七三年五月号）で新説を発表した。新生児は母親の心音を聞く必要が強くあるだろう。霊長類の母親は、新生児の右耳を自分の心臓に近くして抱いたほうが泣き方が少ないことに気がついたかもしれない。こうすれば、右手が他の作業をするのに使えるし、多くの人が右耳利きであることも説明がつく、というのである。神経生理学者ウィリアム・カルヴィンは、その著書『投げるマドンナ』（*The Throwing Madonna*, McGraw Hill, 1983）の中の巻頭論文で、この説を擁護している。もし女性のハンターが赤ん坊の揺りかごを、心音が聞こえて安心できる左側に下げていたとすると、自由な右手がウサギや鳥に石を投げるのに使えたはずである、と彼は書いている。石投げのうまい女性のほうが、よりよく赤ん坊に食料を与えることができ、そのような赤ん坊のほうが生存率が高かったであろうから、そうして右利きの遺伝が始まった、というわけである。ほかにも、多くの人が、人間の右利きについて説明を試みたが、どれもはっきりした証拠をあげるまでには至っていない。ほとんどすべての人類学者と生理学者は、これから究明しなければならない問題だとしている。

いったい、現在、全人口のうち左利きの人の割合は、どのくらいなのであろうか。これはごく簡単明瞭な質問のように思われるが、実はほとんど無意味だといってよいくらいあいまいな質問なのである。過去数十年間に、この問いに関するまちがいだらけの文献がたくさん書かれている。これらを批判しながら、本を書けば、統計学の良い入門書ができるほどである。第一に、左利きの割合は、調査を行なう時期によって変わってくるし、場所によっても変わってくる。第二に、そもそも、左利きというものを正確に定義するのは、容易なことではないのである。ほとんどすべての人が右利きである、というのは正しい。けれども、右利きでない人たちの中には、左利きの非常に強い人もいれば、それほどでない人もいる。あるいは、両手とも同じようによく使えるという意味で、文字どおり両手利きの人がいる。また、どちらの手も同じように不器用だという意味で、右利きでも左利きでもない人もいる。あることは右手でやったほうがうまくできるが、その他のことは左手でやったほうがよいという人もいる。ものを書くときは右手を使うが、食べたりするとき、その他とにかく書く以外のことをするときはすべて左手を使う、という人もいる。またこの逆の人もいる。さらに、生まれたときは左利きになる傾向にあっても、子供のときから右手を使うようにしつけられてきたために、その傾向が出なかったという人がいる。こういう人は右利きとすべきか、左利きとすべきか、というめんどうな問題がある。

　このような問題がいくつもあることを考えれば、左利きの率に関して、専門家の意見が大きく分かれたとしても、驚くにはあたらない。事実、一パーセントから三〇パーセントまでまちまちの数字が出ている。古くは旧約聖書の、士師記第二〇章第一五、一六節に、この問題に関する記録を見ることができる。文章はあまりはっきりしていないが、軍隊には、男たち二万六〇〇〇人がいて、その中から「一本の毛すじをねらって石を投げても、はずれることがなかった」左利きの七〇〇人が選ばれた、としるされている。この部分は二つの点で興味深い。一つは、左利きゆえに非常に器用だ、としている点であり、もう一つは、器用な左利きの率を約二・七パーセントとしている点である。専門家の多くは生まれてくる子供の約二五パーセントは左利きだが、右利きの世界の環境の力によって、「少数派の左利き」の数がずっと減ってしまうのだ、と考えている。

ニューズ・ウィーク誌が、かつて、次の調査を行なったことがある。一九六二年十月一日付の同誌にアンケートを入れておき、どのくらいの人が、雑誌を後ろから前へ読んでいくかを調べた。そしてそのような習慣と、左利きとの相関を見たのである。五八〇〇通の回答があり、この分析結果が、一九六三年二月二十五日号に載せられた。結果は、五六・一パーセントが表から読んでいき、四三・九パーセントが後ろから前へと読んでいた。このような読み方は東洋式のものであるが、この調査が信頼できるものとすれば、これほど多くの西洋人が、ニュース雑誌を後ろから前へ読んでいく習慣をもっていることになる。これは驚くべきことである。しかし、この習慣と左利きとの間には、とくに相関関係は見られなかった。後ろから読んでいく読者のうち、一三パーセントが自分は左利きであると回答し、八五・一パーセントが右利き、一・九パーセントが両手利きであると答えた。前から後ろへ読んでいく読者のうち、左利きと答えたのは一二・四パーセントで、八四・八パーセントが右利き、二・八パーセントが両手利きであると回答した。つまり、ニューズ・ウィーク誌のアンケートに答えた読者のうち、約八分の一が左利きであった。

過去の二、三十年間に、アメリカの左利き率が上昇したというデータがたくさん出ている。専門家の見るところでは、これは、左利きで生まれる率が高くなったからではなく、両親が、左利きで生まれた子供が左利きのまま育つのを気にしなくなってきたからだとある。三、四十年前には、親たちは、心理学者から、もし左利きの子供に、食べるときや書くときに右手を使うように教えると、いろいろな神経障害、とくに吃音になる、といい聞かせられた。左利きを右利きに直すことが、子供たちに感情的なストレスや反抗心をおこさせるだけでなく、(ある学者によれば)子供の脳自体、左右どちらが優位にあるのかわからなくなってしまい、脳の言語中枢に混乱をきたす、というのである。

今日では、吃音、その他の神経障害に対して、利き手の影響はあるとしてもごくごくわずかである、というのが専門家の一致した見解である。アイオワ大学の言語心理病理学者の、ウェンデル・ジョンソンはスピーチ・クリニックを盛んにした人だが、彼は『吃音とその治し方』(*Stuttering and What You Can Do about It*)というよい本を著わした。この本の中で、彼は、心理学者が、いったんは吃音と利き手との間には深い関係があるという説を唱えながら、どうしてその説を放棄するに至ったかということを、その契機となった新しい証拠の要約をしながら説明している。慎重な研究の結果、両者の間にはいかなる形の関連も存在しないことがわかったのである。

ジョンソン博士自身、子供のとき吃音であった。前述の本の中で、彼は、それを治そうとしていろいろな方策を講じてみるが、いずれも失敗に帰してしまうというおかしくも悲しい経験を書いている。口に小石をふくみながら話すという、信仰療法も試みた。脊椎指圧もしてもらった。吃音矯正学校に三カ月通って、「意志は強く、人だのみは少なく」とつぶやきながら、ダンベルを振りまわしたこともある。そして最後に行きついたのが、アイオワ大学で、ちょうど吃音に関する新しいプログラムが始まったところだった、というわけである。担当の精神病医が、吃音は利き手と深い関係がある、という説の信奉者であった。あらゆる証拠がジョンソンの右利きを証明し、そうでないという証拠は何ひとつとしてなかった。にもかかわらず、ジョンソン自身、それからの十年間というもの、何とか自分を左利きにもどそうという努力をした。結局すべて徒労に帰したのだが、利き手説は当時、それほど深く根をおろしていたわけである。一九三〇年代に入って、新しい資料が出され、利き手と吃音との間に相関関係はない、ということになったとき、ジョンソン自身がそれを疑ったほどであった。

新しい考え方は、しだいに親たちの間にもしみ通ってきているようである。今日では、ほとんどの児童心理学者が、もし、子供がひどく左利きでなければ、食べたり書いたりするのに、右手を使うように、徐々にやさしく導いてやることは何の害にもならない、という考え方をしている。けれども、子供の左利きが強い場合には、左利きのままにしておくことがいちばん望ましい。ただし、それは、利き手を強制的に変えさせることにより、吃音が出るからではなく、その子供を精神的に圧迫するばかりで、成功する見込みが少ないからである。親があまりにも強硬に利き手を変えさせようとした場合に、その子供が受ける精神的圧迫によってどんな結果になるかということについては、まだ一定した意見が出るまでになっていない。

右手利きの人は、ほとんどの場合、ボールをけるのに右足を使う。この意味で右足利きであるが、その他の点では左足利きである場合が多い。そして、そのことは右手利きであることと関係が深い場合が多いのである。たとえば、馬に乗るとき、左足から乗りかかることによって、右手がこれを助ける動作にまわることができるわけである。スコップは右手にもったほうが力がはいるが、この右手にもったスコップを地面にくいこませるには、左足で踏んだほうが都合がよい。右利きの子供は、自転車に左側から乗るのが普通である。確かな統計を見たわけではないが、右利きの人が跳躍するときには、きっと左足で踏み切ってとぶにちがいない。人が森の中で道に迷うと、だいたいは、まっすぐ歩いているつもりでも、時計回りか、反対回りか、どちらかに円を描くように歩いてしまう。このまわり方と利き手の相関を調べた人もいるが、これという結論は得られていない。

右手利きの人はまたほとんどの場合、右眼利きである。つまり、ものを見るときに、右眼のほうが強いということである。このことを簡単に実験するには、遠くの点を見ればよい。そして指を一本差し上げて、その点と指の先が重なるようにする（当然、指の先はぼやけて見える）。ぼやけた指がそれぞれの眼に一本ずつ、計二本見えるから、利き眼のほうでそれを見てしまう。片眼ずつつぶって見ると、どちらの眼にうつった像を見ていたかがわかる。顕微鏡や望遠鏡をのぞくときには、たいていの人が利き眼で見るようである。ウインクは利き眼ですることが多いかどうかという点については、いまだ調査も行なわれていないようである。

小さな子供の利き眼を調べるのに、眼科医は高価な機械をいろいろ使うが、そんなことをしなくても、数分間で簡単な道具を作ることができる。一枚の紙を巻いて、小さなメガホンのような形にすればよい。これをテープでとめて巻きがもどらないようにする。そして子供に、太いほうの口からあなたをのぞかせてみる。あなたのほうから見える眼が、その子供の利き眼というわけである。

心理学者はまた、右利きの人は、右耳利きであったり、右あご利きであることが多いということを見いだした。つまり、物音を聞くのには右耳のほうが敏感で、ものをかむのには口の右側を多く使う傾向が強い、ということである。また、右利きの人が重いものを肩にのせて運ぶとき、左の肩をよく使うという証拠もあがっている。けれども、人が、拍手をしたり、手を組んだり、腕組みをしたり、脚を組んだりするときのやり方と利き手との相関を示すような証拠はあがっていない。どの場合でも、それぞれの鏡像になる組み方がある。人にはそれぞれ得意な組み方があり、「そうでない」組み方をすると、手を組むにしても、手組みでも、どうもぎこちない気持ちがするものである。けれども、この組み方をどちらにするかということと、利き手との間にはことさら強い関係はない。

人間の大脳は、右半球も左半球も、ちょっと見には同じように見える。けれどもよく見ると、外見上も、たぶん遺伝的に決定されたものらしいちがいが見受けられる。脳の内部――まだ誰にもよくわかっていないやり方で情報を処理するあの不可思議なミニコンピューター――はどうであろうか。今では、脳の内部メカニズムは、左右両側で、驚くほど異なった機能を果たすことがわかっている。

左右の大脳は、脳梁《のうりょう》とよばれる大きな神経の束によってつながれている。この神経束を切ると、強度のてんかんを患っている人が顕著によくなる。一九五〇年代に、ロジャー・W・スペリーは、同僚たちと、この「分割脳」手術を受けた患者らに対して独創的な実験を継続して行なった。その後、多くの研究者たちがこの分野に参加した。左半球が言語のあるゆる側面――話す、書く、聞く、読む――に主に関与していることはまちがいない。また、ディジタル・コンピューターのように、データを連続して処理するのもこちら側の大脳であるらしい。左半球側は、ものを論理的、解析的、数学的に考えるほうである。右半球は、形態（ゲシュタルト）、メロディー、芸術作品、人間の顔の構造などのような全体的パターンの認識に深く関与している。こちらの脳は並行的にはたらいているようである。直感的ひらめきをするのもこの脳である。感情を処理するのもこの側かもしれない。

分割脳に関する研究はまだ緒についたばかりではあるのに、すでにたくさんの心理学者、とくに超心理学者がとんだナンセンスを書いている。彼らはことを単純化しすぎて、事実の裏づけのまったくない、想像の域をでない理論を展開している。サイエンティフィック・アメリカン誌の一九七五年の四月一日号《エイプリル・フール》の冗談コラムで、私は、手を近づけると時計回りとか反時計回りに回転を始める「心霊モーター」のことを書いた（拙著、『タイム・トラベルとその他の数学的迷想』(*Time Travel and Other Mathematical Bewilderments*, W. H. Freeman and Company, 1988) に転載）ところ、何人かの超心理学者たちから、モーターがどちらにまわるかは、左右、どちらの脳が超能力を支配しているかによって決まるのだ、とまじめに説明をした手紙をもらった。ハロルド・プットホフとラッセル・ターグは、透視に関する著書（『心の勢力圏』*Mind-Reach*, Delacorte, 1977）の一〇二ページで、超能力は右脳のつかさどる機能である、との説を提唱した。この考えはロバート・オーンスタインが、『意識の心理』(*Psychology of Consciousness*, 改訂版は、Penguin, 1986) で以前から提唱していたものであるが、超能力現象を信じる人たちの間に、近年急速に人気がでてきている。彼らは、これを疑う人びとは、左脳のはたらきが強すぎて、超能力の現実が見えなくなっているのだ、ということを好んでいう。

左右の脳がそれぞれ反対側のからだをつかさどっているという事実をとらえて、左利きだけが正常な心をもっているのだ、という冷やかしをいう人たちがいる。残念ながら、どちら利きかということと、脳の機能分化との相関は、あったとしても非常に低いのである。けれども、左利きの人たちは、右利き主流の社会にあって、決して楽でないことだけは確かである。次の章でこのことをくわしくみてみよう。

（原注1） ブルース・バウワーの記事、「霊長類の進化に関する手引き」（A 'Handy' Guide to Primate Evolution）（サイエンス・ニュース誌、第一三五巻、一九八九年一月七日号、一〇～一二ページ）によれば、霊長類の利き手を調べようとする動きが急に高まっているが、その結果はかなり物議をかもしているという。ほとんどの研究者は、人間以外の霊長類はやはり両手利きで、どちらが優位ということはないと考えているが、そうではないと主張する研究者の数が増え続けている。ジャネット・ウォードは、原猿類のガラゴのほかにも、何種類かのキツネザルで左手のほうを好む傾向を示したと報告している。フランスのグループは六種類のヒヒ属と、七、八種類のゴリラに左利きの傾向を認めた。一方、シアトルのワシントン大学では、パトリシア・クールが、彼女と同僚たちが訓練した三〇頭のサルはすべて右利きであったといっている。これらのテストはすべてどちらの手でものをとるかということで行なわれている。人間以外の霊長類に関して、利き足についての実験はまだ行なわれたこと

がないようである。


（訳注1）邦訳書『ユリシーズⅠ・Ⅱ』丸谷才一、他訳、河出書房新社、一九六四年。

（訳注2）邦訳書『シャム双生児の秘密』青田勝訳、早川文庫、一九七八年。

（訳注3）邦訳書『オズのつぎはぎ娘』佐藤高子訳、早川文庫、一九七七年。

（訳注4）しかし、律令制の太政官である左大臣、右大臣では左大臣のほうが上席である。

（訳注5）邦訳書『エデンの恐竜』長野敬訳、秀潤社、一九七八年。

（訳注6）邦訳は、日経サイエンス誌、一九七三年七月号に所収。

10　少数派の左利き

この世の中は、多数派の右利きにとって都合が良いようにできている。ということは、少数派の左利きにとっては、具合が悪くできているということにほかならない。しかし、自分自身がその少数派に属していないかぎり、このことはなかなか察しがつかない。スポーツ用品のなかには、釣りのリール、野球のグローブ、ゴルフのクラブ、ボーリングの球など、対称的な形をしていないものがあるが、そういうものでは、左利き用の特製が売り出されているから、まだいい。一九六八年、ロンドンのウエスト・エンドにサウスポー（左利き）のためにある商品をすべて集めたAnything Left-Handed, Ltd.（左利きは何でも社）という店が開店した。

それ以来、似たような店が、世界の大都市に次々と開店した。これらの店のカタログには、いろいろな左利き用の商品が載っている。トランプ、ひげそり用カップ、スープ用ひしゃく、定規、ギター、腕時計、釣り用リール、コードが適切な向きについたアイロン、反時計回りにまわる掛け時計、書くときにじゃまにならないようにらせん状の閉じしろが右になっているノートブック、「キスして下さい。私は左利きです」と書いたボタンやTシャツ、などなどいろいろである。一九八九年に合衆国にある左利きの店に、縁の近くとっての左側の適当なところに穴があいているコーヒー・マグやビール・マグを売っていた。このマグを右利きの人が使うと中の液体がポタポタとしたたり落ちてしまう。カンサス州トピーカのディーン・キャンベルは「左利きの友」(Lefthander Magazine)という雑誌を出版している。

左利きのお得意のために、今では特製の小切手帳を出して、便宜をはかっている銀行もある。左利きの歯医者のためには、患者の左側に立って治療のできる器械も売り出されている。みな結構なことだが、しかし左利きは、まだまだ不便を免れるわけにはいかない。字は、左から右へ書かなければならないのだ。ニューヨークのマンハッタンの食堂へ入って、昼めしを食べるとしよう。マンハッタンの食堂のカウンターは、席の間がほかのところよりもせまい。だから、彼の左腕は左どなりの人の右腕とぶつかってばかりいる。はさみも、壁かけの鉛筆けずりも、缶切りも、サラダのフォークも、卵の泡立て器も、手まわしの計算機も、たいていのものは右利きの人に都合よくできているから、左利きにとっては実に扱いにくい。

他の小さなものにいたるまで、世の中は、すべて右利きにかたよっている。これが、左利きがいつもこぼしている悩みのタネである。地下鉄に乗るにしても、改札口でオカネを入れようとすると、受け口は右側だ。電話室に入ろうとすると、ドアは右利き用にできている。受話器はどうかというと、それは左手でとって、オカネを入れたり、メモをとったりするのに、右手がふさがらないようになっている。あなた方は、たいてい右利きだろうが、腕時計というものは全部、右利き用にできているということに、気がついたことがあるだろうか。腕時計を右腕につけ、左手で巻いてみたまえ。左の手で巻こうとすると、竜《りゅう》頭《ず》の軸の向きが実に具合悪くできていることがわかるだろう。いろいろなものの使用法、手引きなどを見ても、みな右利き用にできている。本を読んで編み物をおぼえようとする女の子も、カードの手品をおぼえようとする男の子も、もしも左利きだったら、やっかいである。本に左と書いてあるのは右、右と書いてあるのは左というように、いちいち翻訳して読まなければならないのだ。右利き世界における左利きの艱難辛苦《かんなんしんく》については、ジェイムス・T・デケイの著書『左利きの本』(*Left-Handed Book*, Evans, 1966)を参照されたい。

左利きの人にとっては、このようにいろいろ不便なことがあるが、このことは、その人の性格に対して、どの程度まで影響を及ぼしているだろうか。これはなかなかの問題であって、専門家の間にも一致した意見はない。以前には、吃音ということと、左利きということとを関連させて考えることが、大勢を占めていたことがある。そのころには、大人の

図31「何たる偶然！　私も左利きなんだ。」（©ザ・ニューヨーカー・マガジン社、1975年。）

神経過敏症も、左利きと関連があるとして考えるのが普通になっていた。フローレンス・ベッカー・レノンの『ルイス・キャロルの一生』（*The Life of Lewis Carroll*）に書いてあるのも、それの著しい例である。右利きのキャロルが、生まれつきは実は左利きだったのだという資料上の証拠はない。しかし、キャロルが一生を通じて吃音がちであったこと、またその荒唐なユーモアが、逆論理の技法をよく使っていることなどから考えて、キャロルは、生まれつきは左利きであったにちがいないと、レノンは書いているのである。レノンによれば、「もしも彼が左利きであったとすれば、自分自身を少し逆転してみせることによって、それに復讐したのだ。……左利きの人の役目は、そういう鏡をもつことだ。左利きに生まれついたということは、その人を頑固ものにする場合もあり、また、つむじ曲がりにする場合もあるだろうが、キャロルの場合は、どちらかといえば、後者の傾向であった」。

今日の心理学者でそう考えている人はほとんどいないが、左利きの人は、頑固ものか、つむじ曲がりかになる傾向があるということが、昔はかなり広く信じられていたのである。この古い説は、十九世紀の犯罪学者、とくに、イタリアの精神医学者で犯罪にもくわしいチュザーレ・ロンブロソの報告によって、その頂点に達した観がある。ロンブロソによると、世の中の普通の人と囚人とをくらべてみると、囚人のほうが、左利きの割合が多いというのである。ロンブロソは厚い本を書いて、その中で、左利きというのは、生まれつき犯罪に走りやすいということの一つの目安になると力説している。

ロンブロソの説は、科学に似て非なるものだというのが、今日では一般の意見である。しかし、一つの環境現象としてこれを見るならば、犯罪と左利きとの相関には、少しは真理があるかもしれない。十九世紀、両親が子供の左利きを承知してやらなかったころは、親は子供をぶってまでも、右手を使わせるようにしていた。だから、親と子供との間には、不愉快な争いが、いろいろおこっただろう。そういう争いが原因となって人を犯罪に走らせるということも、十分にありうる。現代の犯罪学者のなかにもこのような考えに賛成する人がいる。そしてその人たちによると、こんなことがある。左利きの犯罪者に面接して聞いてみると、左手を使ったので親からひどく罰せられた、という苦い経験をもっている者が多いというのである。しかし、犯罪者は、自分の罪を生まれつきのせいにするような話にのってくる傾向がある、ということも考えられる。こういうことの統計は、まだ少しもはっきりしていない。犯罪と左利きとの相関は、たとえあるとしても、まだ十分研究されていないといわざるをえない。

左利きのほうが、わずかではあるにしてもたしかに右利きよりも有利だ、という職業もいくつかある。そのような職業では、左利きの割合が高いだろう。たとえば野球である。左利きのピッチャーは、右利きのバッターに強く（訳注1）、左利きのバッター（たとえば、ベーブ・ルース）は、右利きのピッチャーに強いといわれている。左利きのバッターは、本塁の右側に立って打つのだから、一塁まで走る距離がたしかに短い。また左利きの一塁手は、右手でタマを受けるという利点をもっているから、少し一塁ベースよりに立っても、内野の守備を固めることができる。同じ理由で、メジャー・リーグの三塁手はほとんど決まって右利きである。数少ない例外の一人に、シカゴ・ホワイトソックスのマイク・スクワイヤーズがいた。彼は一九八三年から一九八四年までの間、一四試合で三塁手を務めた。他の多くのスポーツ、たとえばテニスやボクシング、とくにフェンシングでは、左利きは右利きより有利である。

ギャンブルの第一人者ジョン・スカーンはその著『スカーンのギャンブル術』（*Scarne's Complete Guide to Gambling*, Simon & Schuster, 1961）の中で、プロのトランプの配り手には、左利きが多いといっている。その理由はよくわからないが、こんなことではなかろうか。札の配り手がお客をごまかすのにふつう使う方法は、いちばん上のカードのしるしを二つこっそり盗み見ることにちがいない。そして、その結果によっていちばん上のカードを配るか、それともそれを手元に残して、二番目のカードを配るかを決めるというずるをするのである。トランプ札のしるしは非対称（左上と右下）についている。左利きの親元は、札を右手にもって、左手で配ることになるが、これは、右利きの場合よりも、盗み見するのに都合がよい。

野球やトランプゲームのような職業に左利きが多いというのは、いいかえれば、ある種の職業では、左利きでも不利はないということである。強い左利きの子供にとっては左手で字を書いたり、絵を描いたりするのが実に苦手である。書き終わったところを見直すのもむずかしいし、指で紙をよごさないようにするのもむずかしい。インクで書くときはなおさらのことである。中国や日本では、字は上から下に書くが、行は右から左へ進むのである。左利きの子供は、字を書いたり、絵を描いたりするのが多いようなことは喜ばない。それよりも、音楽だとか、スポーツだとか、左利きでもかまわないような、あるいは、左利きということがもてはやされさえするようなものが、好きなのである。いろいろな職業について、どのくらいの割合で左利きがあるのかという正確な統計は、残念ながらない。芸術家・建築家などでは、左利きの割合はどのくらいだろうか。ヴァイオリンの演奏家ではどうだろうか。ヴァイオリンは、弓を右手にもってひくようにできている。しかし、左利きでも、まあだいたい同じようにひける。プロの手品師は、しだいに両手が利くようになっていくのだろうか。魔術師はどうだろうか。くわしい統計があれば、おもしろいと思う。

チャーリー・チャップリンはヴァイオリンをひいたが、左利きだったので、左用の特別あつらえのものを使っていたという。コリッシュ・ストリング・クワルテットの故ルドルフ・コリッシュは、若いころ左手の指の関節を失ってから左手用のヴァイオリンをひいていた。ヴァイオリンを左利き用に直すには、ベースバー（力木）とサウンドポスト（響柱）を移しかえなければならない。外側には、ブリッジ（こま）と指板を対掌的に取りつけ、弦の張り方は低音用から高音用に順序を逆転させなければならない。

世の中の習慣をみると、これにもやはり、右利きが多いということが、いろいろなことに反映している。握手のとき、手をあげて忠誠を誓うとき、あいさつのとき、役目について宣誓するとき、宗教上の儀式のときなど、すべてそうである。左利きも、もちろん、それに従わなければならないのだ。交通ではどうだろう。歩道を歩くにしても、階段を昇り降りするにしても、右側通行だ。ただしこれは、回転ドアが時計と反対回りなのと同様で、とくに、右利きにとって都合よくなっているというわけではない。むしろ、ただ慣習の問題だと思う。

自動車の交通規則はどうかというと、ほとんど全世界で右側通行である。イギリス、インド、オーストラリア、日本などが主な例外で左側通行であるが、それらの国では、規則変更にせまられている。輸入車は、右側通行用に左ハンドルになっているから、旅行者は、もとのくせが直らなくて、事故をおこしてばかりいる。観光客の事故率がとくに高かったスウェーデンでは、大陸ヨーロッパでは最後に左側通行から右側通行に切りかえた。この大がかりな変更が行なわれたのは、一九六七年九月三日の日曜日であった。四年もの長い時間と莫大な費用をかけて、行なわれたのであった。この日、マルモの左翼系の新聞は、この日を祝して「右翼」版を発刊した。なんと、右から左に読むように印刷したのであった。

ウラジーミル・ナボコフの小説『ロリータ』[訳注2]（*Lolita*）の最後で、ハンバート・ハンバートがハイウエーをひとり運転しているところがある。彼は人道上のすべての法則を無視してしまったから、交通法規も無視しようと決意して、道路の左側に乗り移ってしまう。気分は良好で、「横隔膜が溶けてしまうような、感覚のぼやっとした心地よさである。道路の反対側をわざと走ることほど、基本的物理の法則を無視することに近い行為はほかにないだろうと考えると、この心地よさがいや増しになる。ある意味では、非常に精神的な渇望であった。ゆっくりと、夢を見るように、時速二〇マイルは超えないで、私は不思議な鏡の側を運転し続けた」とある。

たぶん、この交通の右側通行原則が根底にあって、多くのスポーツでフィールドをまわる方向が反時計回りなのだろう。少なくともアメリカではそのようである。カー・レーシング、競馬、自転車レース、ドッグ・レース、ローラー・ダービー、スケートリンク、トラック競技、などなど、みなそうである。野球も、反時計回りに塁をまわるし、カーニバルの回転木馬やその他の乗り物も、反時計回りである。特派員のスコット・モリスがいったように、「時計以外はすべて、反時計回りにまわっているよう」なのである。しかも、その時計の腕にしても、文字盤の内面からみれば、誰かがいったように、反時計回りにまわっているのだ、といえるかもしれない。

道路の右側を運転したり、歩いたりする習慣のおかげで、ものが左から右に過ぎていくことに慣れているのだ、ということがあるだろうか。車では、どちらを見るかによって、景色はどっち方向にも移っていく。けれども、歩道や窓から道をながめると、交通の流れは（もし道路が両面通行ならば）左から右に流れることになる。このことから、もし馬がトラックを反対向きに走ったり、メリーゴーラウンドの景色が反対にまわったりしたら、違和感をもつのだといえるだろうか。そういえば、メリーゴーラウンドの馬に乗るのに、右手でポールをつかんで乗るほうが乗りやすいような気がする。これが右利き世界での回転方向を説明するヒントであるのかもしれない。実際、回転木馬はどの文化においても、反時計回りなのだろうか。（レイ・ブラッドベリの、『何かが道をやってくる』[訳注3]（*Something Wicked This Way Comes*）という小説では、回転木馬が逆転すると、乗っている人は過去にもどってしまう。これより昔の短編、「黒い観覧車」（The Black Ferris）でも、観覧車が同じような力をもっている。）イギリスでは、車は左側通行であるが、競馬はやはり反時計回りに走る。ローマ時代の戦車は、シルクス・マキシムス（ローマの大競技場）をどちら向きに走ったのだろうか。世界規模で、このことに関する正確な統計がとれたら、何か参考になるかもしれないと思う。

古代の碑文には、左から右へ読むものもあれば、右から左へ読むものもある。奇妙なのは「牛のジグザグ」(boustrophedon) というので、これは、一行は左から右、次の行は右から左というように、代わる代わるに書くのである。だから、それを読むのには、目が蛇行しながら、上から下へおりてくるのである。左から右へ、つまり非対称に読んだり書いたりするというのは、今日では、西洋諸国すべてのやり方になっている。右利きの人に、鏡にうつっているような形に、右から左へ字を書いてみろといっても、それはとてもむずかしい。しかし、強い左利きの人にとっては、わけないことのようである。レオナルド・ダ・ヴィンチが左利きだったのは有名な話だが、鏡にうつっているような字を書くのが上手で、普通の字を書くのと大差なかった。ダ・ヴィンチは、この鏡像体の字で帳面にメモを書いていた。他人に見られても、わかりにくくするためということもあったろう。

さて、こんなことをやってみてほしい。鉛筆で自分の名前を右から左へ横書きサインをするのであるが、それは、鏡にうつしてみたときにちゃんとした向きに見えるように書いてほしいのである。どちらの手を使うほうがやさしいだろうか。また、黒板があったら、両手にチョークをもって、右手では左から右へ、左手では右から左へ、同時に自分のサインをしてみたまえ。両手を使うと、左手だけで書くよりもずっとやさしいことがわかるだろう。サインを逆向きに書くのに、もう一つ、うまい方法がある。それは、ひたいに紙をはって、いつも使うほうの手で頭の左から右へ書いていくのである。紙をはがしてみると、サインは当然逆向きになっている。

もう一つ、おもしろい実験がある。化粧台の鏡の前の板の上に紙をおき、そのさらに手前に本を重ねておく。本は高く重ねて、紙はその後ろにかくれて、こちらからは直接には見えないようにし、鏡にうつったものだけが見えるようにするのである。紙にはあらかじめ渦巻きか星印のような、簡単な幾何学図形を書いておく。そうしておいて、鏡にうつっている図形を見ながら、鉛筆でその輪郭をなぞってみたまえ。むずかしいのにびっくりするだろう。理由は明瞭で、あなたは、眼や脳に映ずる外界の像に従って手を動かすようにならされてきたからである。その像が、鏡の反射で逆になっていると、これまでの反応とはさかさまの信号を手に送ろうとしても、あなたの脳はなかなかいうことをきかない。

われわれの衣服というものは、すべて、人間のつくりが左右対称にできているということに合うようになっている。もっとも、それから妙なはずれ方をしているものもある。また、たいていの人が右利きだということからくるはずれもある。たとえば、右利きの人が、花りをみても、ボタンの穴があいているのは、必ず左側である。これは、男の上着のえなどをさすのに便利だからだろう。女の人が、えりピンをさすのは左のほうがいいというのも、たぶん同じわけだろう。指輪をはめるのも、ふつうは左手である。こうすれば、握手をするのにも、台所の用をするのにも、じゃまにならない。小銭入れの小さなポケットは、男の上着の右ポケットの内側についている。これも、右手で出しやすいからである。アメリカでは、ネクタイのしま模様は、右の耳のほうから左の腰にかけて斜めになっているが、イギリスでは、しまの向きが反対になっている（図32参照）。

西洋諸国の慣習で奇妙なのは、男物と女物とで、えりの重ね方がちがうということである。男物では左側が上で、ボタンは右側、ボタン穴は左側である。女物はこの逆である。ダブルのレインコートには、左右両方にボタンとボタン穴とがついているのがある。こうすれば、男でも女でも着られるからである。ボタンのかけ方は、男が着ればもちろん左が上、女が着れば右が上である。誰がつくったのか、ウエストミンスター大聖堂の詩人のコーナーにあるベン・ジョンソン（イギリスの詩人）のメダリオン（円形の肖像画）には、つい笑いを誘うような

図32　いろいろの国籍のネクタイ（©ザ・ニューヨーカー・マガジン社、1983年5月9日号）。

書いている。

まちがいがある。コートのボタンが反対向きにとまっているのである。無名の詩人がこう

　おお、めずらしやベン・ジョンソン、
　　なんたる裏切り者になったことか！
　貴公はそんな人ではなかったのに
　　石に刻まれてしまうまでは。
　でも、貴公の魂まで悩ませないで
　　時代が変わればボタンのかけ方も変わる。

　一九六三年に放送されたテレビ番組のペリー・メイソン殺人探偵物語で、解決の糸口になったのは、まさにこの男と女のボタンのかけ方のちがいからであった。犯人は、被害者のポケット目がけてピストルで撃ち殺し、そのあとでレインコートのボタンをまたかけ直したのである。ベッテ・デイヴィス（ペリー・メイソンが病気になったので、その代理になった婦人弁護士）が、事件を解決したのは、そのボタンのかけ方が、女式であったのに気がついたからである。それで、このベッテ・デイヴィスは、それまでの第一容疑者の男の無罪を確信するに至ったのである。

練習問題7　ベッテ・デイヴィスの推理には、どのような欠点があるか。

私の幼なじみの友人、ロバート・マーレイが、彼の自宅に招かれていた婦人客に仕掛けたいたずらのことを書かずにはいられない。客が帰ったあとマーレイの細君が、客が白いヤギ革の手袋の片方を忘れていったのに気がついた。マーレイは、マンハッタンの洋装店をさんざんに探しまわったあげくに、やっと、まったく同じような白い手袋を見つけた。婦人が忘れていった片方の手袋を送らずに、新しく買ってきた手袋のうち、忘れていったほうではなく、反対のほうの手袋を送ったのであった。婦人の反応はどうであったか知らないが、それ以後、その婦人からマーレイに連絡がくることはなかった。

物体や生物のマクロの構造に関する左右の問題は、これで終わりにする。次の章では、顕微鏡的、およびそれ以下のところに話を進めていこうと思う。そのようなミクロのレベルにも、左右の非対称はいたるところにある。このことは、マクロの世界と同様なのである。

(訳注1) 日本ではむしろ、左手投げのピッチャーは左打ちバッターに強いと考えられているようである。

(訳注2) 邦訳書『ロリータ』大久保康雄訳、新潮社、一九八〇年。

(訳注3) 邦訳書『何かが道をやってくる』大久保康雄訳、創元推理文庫、一九六四年。

11　結晶

われわれは、まず、宇宙という自然界でいちばん大きなものから始めて、それから、だんだん小さなものへと話を進め、対称、非対称のことについて調べてきた。前章と前々章とでは、植物や動物の全体としての対称性を取り扱った。さてここでは、さらに小さな構造に目を向けてみよう。それは、生物たると非生物たるとを問わず、すべての物質を構成するさまざまの小単位のことである。

話の本筋に入る前に、この小単位とは何かということを、はっきりさせておこう。まずいちばん小さいところから始めていけば、次のようになる。

1　素粒子　今日の標準モデルでは、粒子はすべて次の三タイプのいずれかに属する。

レプトン　点のような、大きさをもたない粒子。現在知られているレプトンは、電子、ミューオン、タウオンと、これらの三種類とおのおの組んでいるニュートリノの六種類である。

ハドロン　クォークとよばれるより小さな点状の粒子からなると考えられている粒子。何百というハドロンがこれまでに発見されている。電子といっしょに普通の物質を形成するという意味でもっとも重要なものは陽子と中性子である。

ボソン　これらは「交換」粒子であり、「運搬」粒子であり、あるいは、「メッセンジャー」粒子であり、「ゲージ」粒子である。よび方は異なるが、これらは四つの力を運ぶはたらきをもっている。光子によって運ばれる電磁力、中間ベクトルボソンによって運ばれる弱い力、グルーオンによって運ばれる強い力、それに、まだ検出されてはいない重力子によって運ばれる重力である。一九七〇年代後半になって、電磁力と弱い力とは、現在でいうところの電弱力によって統合された。電弱理論は、ヒッグス粒子とよばれる重いボソンの存在を予言しているが、まだ検出されてはいない。

2　原子　単体物質をこまかに分割していったとき、もとの物質の性質を失わない最小単位が原子である。原子の中心には原子核があって、それには、少なくとも陽子一個が含まれている。たいていの場合、原子核は、陽子いくつかと中性子いくつかとが組み合わさったものである。原子核のまわりには、電子がいくつかあって、「殻」をつくっている。水素原子はいちばん簡単で、その原子核は陽子一つでそのまわりを電子一つがまわっている。自然にある原子のなかでいちばん複雑なのはウランであって、電子が九二もまわっている。これよりももっと高い原子番号をもった（複雑な）元素が一二以上、実験室ではつくられている。ハーニウムは、一九七〇年に発見された、電子の数がもっとも多い（一〇五個）元素である。[訳注1]

陽子は正の電荷、電子は負の電荷をもっている。中性子は、その名前が示すとおり、電気的に中性である。一つの原子の中にある陽子の数と電子の数とは同数なのが普通で、正負の電荷が打ち消しあって、原子全体としては電気的に中性になっている。原子の外殻から電子一つがぬけると、全体としては正電気を帯びる。また、余分の電子が外殻にくっつくと、全体として、負電気を帯びる。このように、原子が帯電したものをイオンという。

3　分子　化学物質をこまかに分割していったとき、はじめの物質の性質を失わない最小単位が分子である。その物質を構成する原子が一種類だけであるとき、これを元素という。ヘリウムやネオンなどの希ガスのように、その分子は、原子一つだけという場合もある。しかし普通の場合には、一つの分子は、二つ以上の原子からできている。たとえば、水素分子は、水素原子二つから、酸素分子は酸素原子二つからできている。

種類のちがう原子がいくつか集まって一つの分子をつくっている場合には、これを化合物という。水は化合物であって、その分子は、水素原子二つと酸素原子一つとが、化学結合によって結びついているのである。化合物の分子をつくる原子の数は、二つとか三つとかいう少ないものから、複雑なタンパク質の分子のように、何万というものまである。

4　結晶の単位　固体の物質で分子が幾何学的にきちんとした並び方をしているとき、これを結晶という。その決まった並び方というのが、その物質全体を通じて繰り返し模様になっている。ちょうど、壁紙や床のリノリウムの模様が二次元的に繰り返しになっているのと同じことである。壁紙を見れば、模様の繰り返しの単位がわかる。これと同じように、結晶の三次元模様を調べれば、どれが繰り返しの分子配列であるかがわかる。

小さいところから物質構造の話をはじめて、ここまできた。もちろん、鉱物や岩石というようなもっと大きいものについて述べることもできる。鉱物というのは、自然界にある固体の元素単位、あるいは化合物であって、生物現象によって生じたものではない。鉱物が幾何学的構造を示すとすれば、それはその中の分子配列による結晶構造なのである。岩石というのは、一種類もしくは何種類かの鉱物がただまざっているものにすぎない。もちろん、岩石にしても、堆積岩の水平層のように、一種の模様をなしていることもある。しかし、そのような模様には、われわれが問題にしてきていたような対称関係は入ってこない。

さて、素粒子、原子、分子、結晶という四つの代表的レベルについて急いでひととおり述べてきたが、それがすんだから、ここで鏡像対称のことにもどろう。まず結晶構造からはじめて、章を追ってだんだんと原子以下の素粒子に話を進めていくことにしよう。

結晶構造をもっているのは、固体だけである。気体では分子と分子との間の距離が大きいから、各分子は互いに影響しあうことなく、勝手に動きまわる。気体の分子の位置については、幾何学的規則のようなものは何もない。液体となると、分子と分子との間の距離は、気体の場合よりも小さいが、しかしそれでも、分子は自由に動きまわっていて、規則正しい配列にはならない。これに対して、固体では分子がしっかりくっつきあって、堅い安定な構造となっているのである。(固体をつくっている原子は、実際には、たえず振動しているが、原子間にはたらく電磁力が強いので、その平均位置は常に一定である。われわれの目的からいえば、原子は静止していると考えて差し支えない。)ほとんどすべての場合に分子は行儀よく並んでいる。これが固体の結晶構造なのである。

水について考えてみよう。それが気体(水蒸気)である場合も、液体である場合も、分子はまったく不規則の状態にある。しかし、水が凍って固体になると、分子はちゃんと行儀よく並ぶ。雪の結晶は、万華鏡の模様のように、美しい六角対称をもっているが、これには、氷の分子の結晶構造が直接の基本になっている。この基本があるので、氷は、家庭冷蔵庫のものから北極の大氷山にいたるまで、みな結晶構造をもっているのである。

固体は、ほとんどすべて、みな結晶構造をもっている。しかし、ガラスは著しい例外である。ガラスは、ある液体を急に冷やしてつくったものであって、その分子が、行儀よく並ぶひまもないうちに、きっちりくっつきあってしまったのである。アラン・ホルデン、フィリス・シンガー共著の『結晶とその成長』(*Crystals and Crystal Growing*, Anchor, 1960)という廉価版のいい本がある。この中に、「固体であろうとなかろうと、ガラスは結晶質ではない。カットグラスの果物鉢は、売り子は〝クリスタル〟というが、物理屋にとっては、クリスタル(結晶)ではない。水晶の大きな結晶から玉をみがきだして、将来を占うという〝クリスタル占い〟は、いまでは安いガラス球を使っている。分子が行儀よく並んでいないガラスで見ても、行儀よく並んでいる水晶玉で見たときと同じように、将来がやはりちゃんと見通せるとでもいうのだろうか」と書いてある。

結晶質でない固体を、非晶質物質という。これを液状固体という化学者もある。液体と同じように、結晶質でないからである。木炭、タール、あるいは、ある種のプラスチックなどが、その手近な例である。これらの物質は、液体と同じように「流動」する。もっとも、その流動の速さはきわめてゆっくりである。ガラスでさえ、数百年もおいておけば、流動して形が崩れる。

結晶質物質が、そういう性質を現わすのは幾何学的な模様がもとになっているからであって、これをその物質の格子という。これは、原子が並んでいるものであることもあり、分子が並んでいるものであることもある。たとえば、二酸化炭素であるが、これは普通に

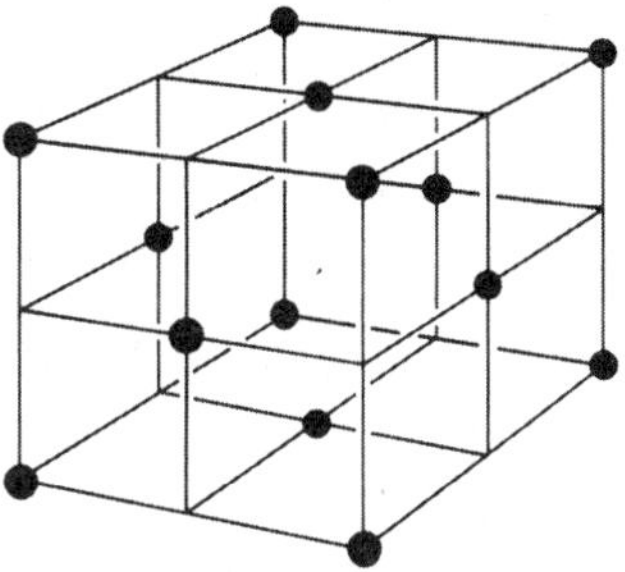

図33　ドライアイスの面心立方格子。単位は二酸化炭素の分子である。

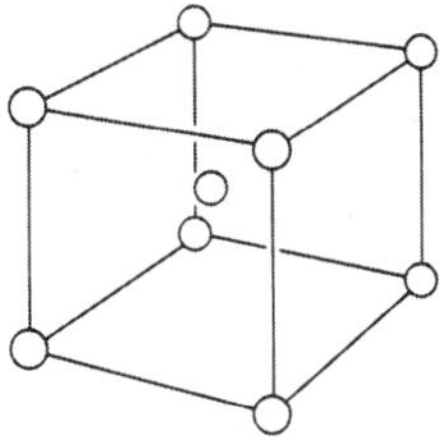

図34　金属ナトリウムの体心立方格子。単位はナトリウム原子である。

は気体で、大気の成分の一つである。その温度が下がって凍ると、ドライアイスになる。（ドライというのは、普通の氷とちがって、とけて液体になることがなく、直接に気体にもどるからである。）ドライアイスでは、二酸化炭素の分子は、図33のように、立方格子をつくっている。立方格子というのは、大きなビルディングの鉄骨のような構造で、あらゆる格子のなかで、いちばん簡単なものである。各立方体の面の上に分子があるので、この種の格子を面心立方格子という。

立方格子には、図34のような、体心立方格子というもう一つの種類がある（立方体の中心に粒子があることに注意）。図に示したのは、金属ナトリウムの結晶で、格子点にあるのは、ナトリウム原子である。

塩化ナトリウム、すなわち食塩も、原子が立方格子に並んでいる（図35）。しかし、その原子という

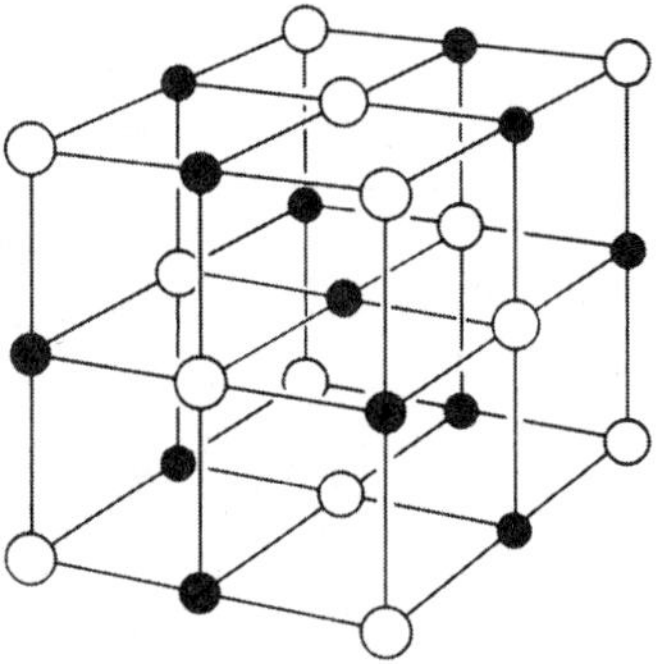

図35　食塩の立方格子。ナトリウムイオン（黒）と塩素イオン（白）とが交互に並んでいる。

のは、実はイオンになっている。ナトリウムは、その外殻に電子を一個しかもっていない。また塩素は外殻に電子七個をもっていて、八個になる余裕がある。いわば、電子が一個入ってこられる空隙がある。ナトリウムと塩素の原子がいっしょになると、ナトリウムにあったひとりぼっちの電子が塩素の空隙に入り込んで、強くて安定な塩化ナトリウムの分子をつくるのである。だから、この格子にある原子は、一個の電子を失ったものと、一個の電子を得たもの、すなわち、正か負に帯電したものである。前に述べたように、これはイオンである。すなわち、この結晶の単位はイオンなのである。

結晶格子がどんなものであるかということは、その物質の外形に大きな影響を及ぼしている。食塩の場合でいうと、立方格子のいろいろな面が、劈開《へきかい》しやすい面になっている。食塩を虫めがね（顕微鏡ならもちろんなおよい）で調べると、一粒一粒が小さな立方体になっていることがわかる。しかしそれは図に示した基本立方体が現われているのではない。

基本立方体は、最高の倍率の顕微鏡で見ても、とうてい見えはしない。見ているのは、食塩の格子が立方性であるために、立方構造をもっている食塩の微小結晶なのである。

格子構造は顕微鏡以下のものなのだから、そのような観測できない構造は、物理学者がただ頭の中で考えたものにすぎない――こう思ったら、それはまちがいである。昔はそうだったのであるが、今では、小さくて可視光ではとても見えないような構造でも、それを実際に「見る」方法はたくさんある。一九一二年に、ドイツの物理学者マックス・フォン・ラウエは、X線を使って、格子構造を観測する方法を開発した。さらに近年になって、結晶に電子やイオンや中性子をぶつけてみて、もっとくわしいことがわかるようになった。一九五七年のサイエンティフィック・アメリカン誌の表紙には、タングステンの結晶格子の一つ一つの原子配列を示す素晴らしいカラー写真がのっている。この写真は電界イオン顕微鏡という新しい装置でとったものであって、格子がおよそ二〇〇万倍に拡大されている。このような構造はもはや単なる数学的推測ではない。比較的簡単な直接的な方法によって、観測にかかるところまできているのである。

以上、ドライアイス、ナトリウム、食塩など、三つの立方格子について述べたが、それらは鏡像と重なるという意味で対称である。これらの三つの格子は、さらに他の形式の対称ももっている。それは結晶学者によって研究されている。たとえば、いろいろな回転対称性をもっている。つまり、ある軸のまわりにあるまわし方で結晶を回転させると、その

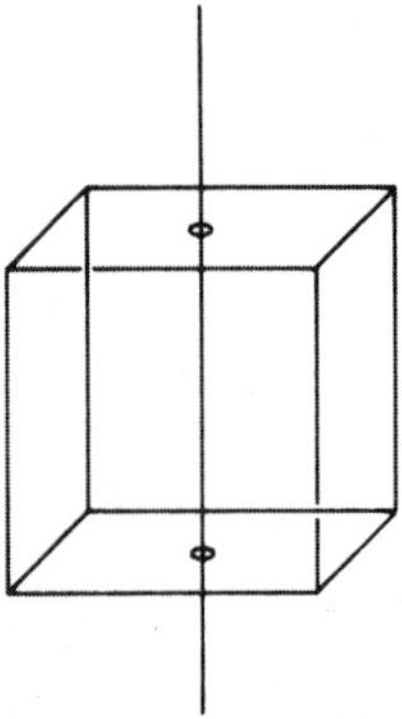

図36　立方体の四回対称軸3本のうちの1本。

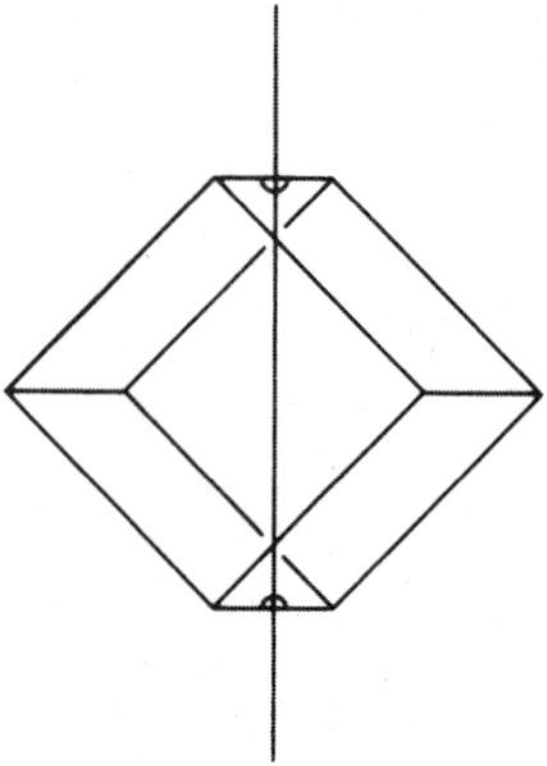

図37　立方体の二回対称軸6本のうちの1本。

格子が回転前とまったく同じになるのである。たとえば、図36のように、立方体の中心を通る軸を考えて、そのまわりに回転させると、すっかり形が同じになる位置が四つある。そのような軸を、四回対称軸という。立方体にはそのような四回対称軸が三本ある。

　立方体の中心を通る軸が、図37のようになっているとすると、回転によってすっかり同じ形になる位置は二つである。そのような軸を二回対称軸という。立方体には、そのような軸は六本ある。

　結晶がもつのは、二回対称軸、三回対称軸、四回対称軸、六回対称軸などであって、五回対称軸というのはありえない。床のタイルをはるのには、三角形、四角形、六角形を使う。しかし、五角形ではろうとすると、うまくいかない。三次元の結晶に五角形が決して現われないのも、同じ理屈である。しかし、生物界では、五角形はざらにある。花では、桜草のように、たいていの花は五角対称だし、動物でも、ヒトデなどは五角対称である。しかし五角形の結晶は決してない。幾何学の原則に従って、結晶質物質の基本格子は、五回対称軸をもちえないのである。

右に述べたように、立方体は、二回対称軸も四回対称軸ももっている。また六回対称軸はもっていない。では三回対称軸はどうか。立方体には、三回対称軸が四本あるというと、頭をかかえこんでしまう人が実に多い。

練習問題8　立方体には、三回対称軸が四本ある。すなわち、立方体をある軸のまわりにまわしたとき、どこからどこまでも同じになるようなことが三回あるような軸が四本ある。そのような軸はどこか。

このような回転対称はすべて操作可能という。その理由は簡単明瞭で、重ねあわせるという操作が実際に可能だからである。これに対して反射対称は操作不能という。それは、現実の固体について、反射対称どうしを重ねあわすという操作は不可能だからである。前にも述べたように、平面上にある二次元的な物体は、これをもちあげてまわしさえすれば、鏡像と同じものとすることができる。しかしこうするためには、二次元的な物体を三次元空間にもち込まなければならない。三次元的な物体でも、もしもそれを高次の空間にもち込んで「まわす」方法がありさえすれば、その鏡像と同じものにすることができるはずである。しかし、現実の物体についてそんなことはできない。だから結晶学者は反射対称のことを、操作不能というのである。操作不能な対称性は、反射対称のほかにもまだあるが、これまでの話で十分だから、それには深入りしない。結晶の対称の問題は、こみ入っていて、いくらでも話のタネがあるので、それについて書いた本は実にたくさんある。しかし、ここではもっとくわしいところに立ち入るという気持ちを抑えなければならない。この本の目的は対称性一般を論ずることではない。いまここで結晶を取り扱うのは、その反射対称に関してだけなのである。すなわち、結晶には対称面があるかどうか、いいかえれば、鏡像と重ねあわせることができるかどうか、ということなのである。

　大多数の鉱物は、大きくて不規則な形をしているかたまりであって、それに結晶構造が内蔵されているということは、外からはなかなかわからない。しかし、たとえばダイヤモンドは、ありがたい例外である。これは、結晶炭素の一つである。ダイヤモンドは、ふつう単結晶であって、実に規則正しい形をしている。それの基本になる格子は、立方形であるが、それによって結晶形には、さまざまなものがありうる。いちばんよくあるのは、図38の左に示した形であって、幾何学で正八面体といわれるものである。八つの面はそれぞれ正三角形である。このように、平面多角形で囲まれている立体を多面体という。各面を

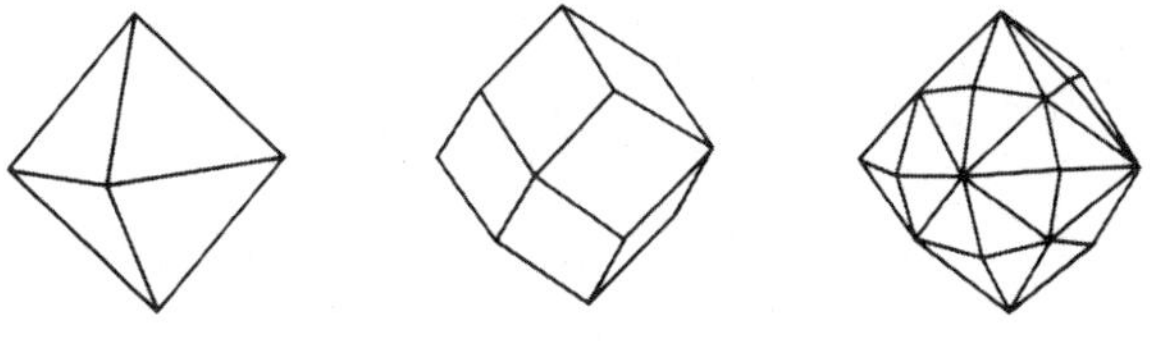

図38　ダイヤモンドの自然結晶の形三つ。正八面体、斜方十二面体、六軸八面体。

机の面に密着させることができるような多面体を凸多面体という。また、凸多面体を囲む各面が、みな合同の正多角形で辺の長さも角の大きさも全部等しい場合には、これを正多面体という。

正多面体は、次の五種類に限る。すなわち、正四面体、正六面体（立方体）、正八面体、正十二面体、正二十面体である。正多面体のことを、プラトン立体ということがある。プラトンがこれについておもしろいことをいっているからである。正多面体は、自然界において、思わぬところに顔を出している。たとえば、近ごろ発見されたところによると、ある種のウイルスは、正四面体、正十二面体、正二十面体のような形をしている。

ダイヤモンドの結晶は、正八面体のほか、斜方十二面体（図38中）、六軸八面体（図38右）を示すこともある。この三つはみな対称形である。すなわち、対称面も対称軸もたくさんあって、それは基本になる結晶格子構造によるのである。ダイヤモンドというのは、炭素が非常に大きい圧力を受けたときにとる格子構造である。つまり、この構造では、炭素の各原子が、もうこれ以上は近くなれないというくらい、ギッシリつまっている。自然物のな

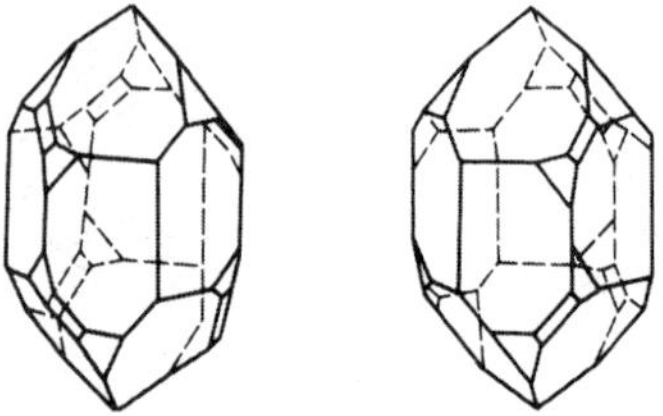

図40　左向き水晶と右向き水晶の結晶。

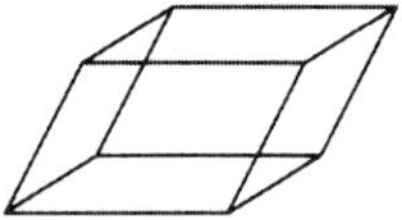

図39　菱面体。

かで、ダイヤモンドがいちばん硬いというのは、まさにこのためなのである。格子に少しゆとりができると、ダイヤモンドは石墨《せきぼく》（鉛筆の芯など）になる。格子が完全にバラバラになれば、炭や煤《すす》になる。煙突の内側につく煤と、女の子の手に輝くダイヤモンドとのちがいは、炭素原子の並び方のちがいにすぎない。

結晶の形でいちばん簡単なのは立方体だが、図39の菱面体もこれに劣らず、簡単である。面が六つあるが、みな菱形で合同である。だから、この立体のどの辺の長さもみな等しい。菱面体というのは、ちょうど立方体を、相対する二つの隅でおしつぶしたような形である。方解石（炭酸カルシウム）の大きな結晶は、この菱面体の形をしていることが多い。硝酸ナトリウムもそうである。この菱面体の形をはっきり頭に描いて、それが対称的であるかないか、考えてほしい。

練習問題9　立体模型を作らないで、菱面体にどんな対称面があるか考えてみよ。もしあるというならば、図形は対称的で、鏡像と重なることになる。

自然界に産出する結晶を見ると、その格子構造が鏡像対称になっているものもあれば、なっていないものもある。水晶は、もっとも普通の鉱物だが、その格子は非対称で、その鏡像と重ね合わすことはできない。水晶は、二酸化ケイ素、すなわちシリカである。その格子は、ケイ素原子と、二倍の数の酸素原子とが、らせん構造をなしている。このらせんには右巻きと左巻きとがあるので、水晶の左右像は二種類あることになる。自然に産出するときには、その外形は実にいろいろであって、その格子構造が非対称的であることは、ほとんどわからない。しかし、たまには、図40に示したような、非対称結晶がある。図には、そのような結晶が示してある。この二つは、互いに鏡像になっている。

光が光線となって進んでいくときには、その光線を含むあらゆる方向の面内で振動している。ところが、光線が、たとえば方解石のような結晶を通過するとき、その結晶構造によって、振動がそのうちのある面内のものだけしか許されないということがある。このように、一つの面内だけで振動している光を偏光という。さてこの偏光を透明な水晶の結晶に通すと、水晶の格子が非対称なので、それによって、この偏光面が時計の針の向き、あるいは、それとさかさまの向きにはっきりまわる。この現象によって、いろいろな結晶格子の左右対称関係が簡単にわかる。辰砂《しんしゃ》(硫化水銀)は、水銀を含む赤っぽい鉱石であるが、偏光面をまわすはたらきは、水晶よりも著しい。その結晶格子は非対称で、水銀原子

図41　辰砂のらせん型格子。水銀原子（黒）と硫黄原子（白）とが交互に並んでいる。

と硫黄原子とが交互に並んだらせんの鎖であって、図41のように、右回りのものもあり、左回りのものもある。

話を進めて、第三段、すなわち、分子のところまでくると、こんな問題がおこってくる。分子を独立した一つの単位として考えたとき、それがつくる結晶格子ということを離れて、それ自身として構造は対称であろうか、ということである。もしもそうであるならば、自然にせよ、実験室内にせよ、その分子が形成されるときには、みな同じ性質をもち、できる化合物の性質はみな同じであろう。ところが、分子のなかに、その構造が非対称的なものがあったとすれば、同じ化合物でも、二種類のまったくちがった形態のものがあるはずだ。一方の種類では、「右向き分子」だけを含み、他方では「左向き分子」だけを含む。この二種類の物質は、すべての点で同じであるけれども、一方の分子が、他方の分子の鏡像であるということだけがちがうことになる。

そういう分子があるのである。こういうのを立体異性体という。それが発見されるに至った劇的な物語を、次の章で述べよう。

（訳注1） 一九九二年現在、原子番号一〇九までの原子の原子核が人工的につくられている。しかし元素名はまだつけられていない。

12　いろいろな分子

分子には左向きのものと右向きのものがある。この発見物語は、十九世紀はじめのフランスにさかのぼる。ジャン・バプティスト・ビオーはフランスの物理学者、化学者で、世界的に令名のあった人だが、水晶の一つの結晶に偏光を通すと、その偏光面の方向がどちらかにまわるということを発見していた。このようなはたらきをもっている物質を、旋光性物質（光学活性体）というのである。前の章で述べたように、自然産の水晶の大きな結晶を見ると、非対称の形をしているものがある。ビオーがすぐに明らかにしたように、もしもある一つの結晶が偏光面を時計の針の向きにまわすのならば、その鏡像にあたる逆向きの結晶は、偏光面をまわす向きがさかさまなのである。それだけでなく、ビオーはさらに、水晶の結晶が何かに溶けているとすると、その溶液は偏光面をまわすはたらきはもっていないということも見いだした。つまり、旋光性がないのである。このことはどう説明したらよいだろうか。それはきわめて簡単である。水晶が旋光性をもっているというのは、その分子自身の内部に非対称性があるからではなくて、分子が集まって結晶をつくるときに、分子がつくる何らかのより大きな構造が非対称だからである、と考えればよい。この、何らかのより大きな構造というのは、水晶の結晶の非対称格子であることは、いうまでもない。

ビオーの発見は、まだほかにもある。しかし、それはなかなか理解しにくいものであった。彼の発見というのは、こういうことである。たとえば砂糖だとか、酒石酸だとかいうような、生物から得られる有機化合物にも、旋光性があるということなのである！　なぜここに！印をつけるのか。溶液の中では分子がバラバラになっているから、偏光面を回転させるはたらきのあるような結晶格子は存在するはずがないからである。だからこのような溶液の旋光性というものは、個々の分子自身の内部に何らかの非対称性があって、それが原因となっているにちがいない。ビオーは、このことを証明する手段はもっていなかったけれども、こう考えるのは妥当だと思った。

ルイ・パスツゥールはフランスの若い化学者であったが、有機物の旋光性に関するビオーの研究、またそれについて彼が推測したことを知って、それに非常に興味をひかれていた。パスツゥールは、その後、医学に対する貢献によって、世界的に有名になった人であるが、その当時はまだ二十歳を越えたばかりで、これから世に出るという若者であった。

酒石酸という酸がある。これはブドウその他の果物に含まれている化合物であって、ある決まった旋光性をもっている。パスツゥールはこのことは知っていた。そればかりではなく、もう一つブドウ酸という別種の酒石酸があって、これは旋光性をもっていないこともわかっていた。これら二つの酸は、その化学的性質はすべて同じであるが、ただ一つちがうところがある。そのことは、当時の化学者にもすでに知られていた。そのちがいというのは、偏光面をまわすか、まわさないかということである。酒石酸は偏光面をまわすが、ブドウ酸はまわさない。ここに不思議がある！　二つの物質が、他の点ではすべて同じでありながら、光を通すことについてだけちがうというのは、いったいどういうことなのだろうか。パスツゥールが、それに対して考えられる答えはただ一つであった。その答えというのは、ビオーの推論は正しい、というのである。すなわち、分子自身の構造に、何か左と右のちがいがあるに相違ない。

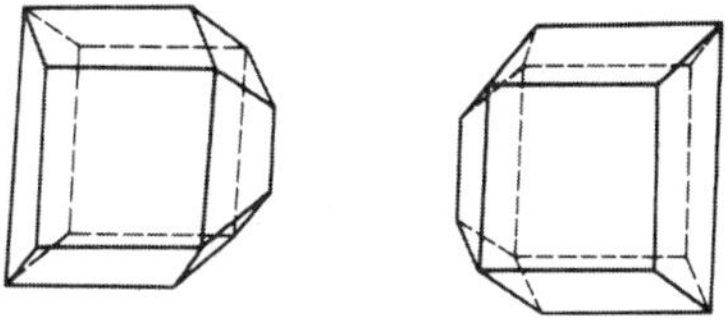

図 42　逆向きの酒石酸結晶。

そこでパスツゥールは、この仮定から出発して研究を進めた。そして、酒石酸とブドウ酸の結晶の形について、徹底的に調べはじめたのである。酒石酸の結晶を顕微鏡でよく見ると、その形は非対称的であることがわかった。それればかりでなく、その結晶はみな同じように非対称的である。つまり、向きがみな同じなのである。ところが、ブドウ酸の結晶を見ると、左向きのものと、右向きのものとが、同じだけまざっている。半分は酒石酸の結晶と同じだが、あとの半分はそれの左右像なのである（図42）。

パスツゥールが次に何をしたかは、たやすく想像できるだろう。顕微鏡で見ながら、小さな道具を使って、一方の向きの結晶と、他方の向きの結晶とを、一つ一つよりわけたのである。これには注意もいるし、忍耐もいる。こうして分離した一方の結晶の溶液を作ってみると、その化学的性質はブドウからとれる酒石酸（すなわちブドウ酸）とすべての点で同じであった。しかし偏光面をまわす向きは、自然産の酒石酸と同じであった。もう一方の結晶の溶液を作ってみると、それには旋光性があったが、重大な差があった。偏光面をまわす向きが、反対だったのである。

「パスツゥールは感動のあまり、実験室から飛び出し、化学の助手の一人に会うやいなや、彼を抱いて『大発見だ……うれしくて身体のふるえが止まらない。もう一遍、偏光計をのぞくことさえできない』と叫んだ」と、ルネ・デュボス著の『パスツゥールと近代科学』（*Pasteur and Modern Science*, Anchor, 1960）に書いてある。パスツゥールの大発見を評価するにあたっては、その実験室は小さくて貧弱なものであって、彼は二年間もそこで研究していたということを忘れてはならない。このことはデュボスも書いているが、まったくそのとおりである。薬品はすべて自分で作らねばならず、装置もすべて自分で組み立てなければならなかった。「外からの協力もなかった。あったのは、ただ、先生や友人のはげましと、目標に対する信念のみだった」と、デュボスは書いている。

ある種の分子には非対称性があるにちがいないとビオーが推測していたことは、パスツゥールのこの発見によって、はっきり確かめられたことになる。若いパスツゥールがこの発見をしたということを知って、老ビオーは彼を呼びにやった。そして、この酒石酸とブドウ酸について彼がこれまでやった実験を自分の目の前でもう一遍繰り返してくれるように頼んだ。まちがいがないようにするために、ビオーは自分の手持ちのブドウ酸を使わせることにした。溶液をすっかり蒸発させて結晶が得られると、パスツゥールは小さな結晶を右向きのものと左向きのものに分けたが、ビオーはその肩ごしにこれを見守っていた。ビオーは、自分で二つの溶液をつくり、自分の偏光計を見て、それぞれ光をどのようにまわすかを調べるといいはった。まずはじめに「おもしろいほうの溶液」を選んだ。後にパスツゥールは、これを、それまで知られていなかった「新」型の酒石酸を生ずる溶液、と書いている。

デュボスの本からの引用であるが、その当時のことについてパスツゥールはこう述べている。「メーターの目盛りを読みとるまでもなく、強い左旋性があることがビオーにはっきりわかった。ビオーは、明らかに感動した。私の手をとって『君、私は学問が大好きだ。このことで私の胸はドキドキする』といった」。

これはパスツゥールの最初の偉大な実験、分子にも左右対掌の鏡像がありうるということを確立した実験であった。

　十年後、パスツゥールはさらにこの方面の第二の大発見をした。それは、ある種の植物かびをブドウ酸の溶液の中で培養すると、その溶液が旋光性を帯びるようになるということである。いろいろ実験してみてわかったのだが、このかびは、左右両向きの二種の分子のうち、一方の分子だけを破壊して、その鏡像にあたる逆向きの分子には、何の影響も及ぼさないのである。植物かびの有機物に何らかの非対称性があって、そのために、かびは酒石酸の分子のうち、一方のものにだけ作用するのである。前の実験ではパスツゥールは自分の手で、二種類の分子を顕微鏡的に分離したのだったが、ここにもう一つの新しい分離方法が見いだされたわけである。

「非対称的な生命体は、酒石酸の二つの型のうち自分の栄養の目的にあうほうのものを選択する。その型というのは、自分自身の非対称性にある意味で適合するほうである。そして、もう一方のほうの全部、あるいは大部分には影響を及ぼさない。普通の酸化剤などのような対称的な化学物質、あるいは熱のような対称的なエネルギーがもつことのできない性能をこの非対称な微生物はもっているのである。つまり、左右像を識別する性能である。左右像について選択能力を示すのは、このような非対称的な動因に限る」と、パスツゥールは書いている。

　デュボスがその名著に明らかに述べているとおり、パスツゥールは、これらの実験の意味するところについて、実に深い考察をめぐらしていた。生物界の有機体には、大部分、旋光性があり、これに対して、非生物界の物質の溶液には、まったく旋光性はない。そこでパスツゥールの結論は、非対称的な分子化合物をつくるのは生物だけであって、「その向きはみな同じである」というのである。実験室内でそのような物質をつくり出す方法二つを、パスツゥールはすでに見いだしていた。しかし、両方とも、生物を使うのである。一つは、かびを使う方法、もう一つはパスツゥール自身を使う方法である。自分を使うというのは、二つの型の結晶を顕微鏡的に分離することによって、それを構成していた分子を分離するということである。

パスツゥールは、一種類だけの非対称分子によってできている非対称物質は、生物組織内に限って存在すると考えるようになった。そしてこの考えは正しかったのである。パスツゥールによれば、これは「現在のところ無生物物質の化学と生物物質の化学との間に、はっきり引くことのできる唯一の境界線」である。

パスツゥールはさらに続ける。「無生物的な対称的な力が、対称的な原子なり分子なりにはたらいて、そこに非対称性が生じるはずはない。左向きのものと右向きのものとが半分ずつ同時に生じるということは、同一の分子の内部で実際にそれぞれが結合していようと、あるいは別々の分子に入っていようと、それはブドウ酸の左成分と右成分と同じように、いずれにせよ全体としては対称なものを作るということにほかならないからである。

どちらにしろ、全体として対称になるということは、旋光性がないということによってわかる」。

パスツゥールは、一八五一年に友人に興奮した手紙を送り（デュボスによる）、その中でこう書いている。「ぼくはいま、まさに神秘の扉の前にいる。神秘のベールは、しだいしだいに薄くなりつつある。夜、ねるのがもったいない」。最後のくだりからわかるように、パスツゥールは、夜になって仕事が中断するのに耐えられなかった。またすぐ実験室へもどりたくて、うずうずしていたのである。

どのような幾何学的な非対称性があって、一方の分子とその鏡像にあたる他方の分子との間に差を生ずるのであろうか。このことをはっきりさせる手だてをパスツゥールはもっていなかったけれども、そのような非対称性があることについては、確信をもっていた。彼はこう書いている。「一種の酒石酸の分子構造は非対称的である。しかし一方、逆向きの対称性をもっているということだけがちがっているだけで、あとの性質は完全に同じなのである。右向きの酸の原子が右向きのらせんに並んでいるのだろうか。それとも、いびつな四面体の角々に並んでいるのだろうか。あるいはまた、何か特有の非対称配列をしているのだろうか。これらの疑問に対して答えることはできない。しかしとにかく、原子の配列に非対称性があって、その鏡像とは重ならないということは、疑う余地はない。逆向きの酸の原子が、これと反対の非対称配列をしていることも確かである。」

一八六〇年代には、有機化合物の光学的非対称性は、四面体の炭素によるものではないか、ということを何人かの化学者が提唱した。けれども、この考えが、体系的な理論として組み上げられたのは一八七四年になってのことであった。このとき、ビオーはすでに没し、パスツゥールは五十二歳だった。科学史ではしばしばこういうことがあるが、正しい理論が二人の手によって同時に、しかも独立に考え出されたのである。いまの場合でいうと、一人は若いフランス人ジョセフ・アキール・ル・ベル、一人は若いオランダ人ジャコブス・ヘンリカス・ファントホフだった。炭素化合物の分子の中では、炭素原子は正四面体の中心に位置している。そして、他の原子はその正四面体の四つの角々にあって、それと化学結合しているというのが、二人の考えである。一つの炭素原子のいちばん外側の殻には、電子が八個入りうる余地があるのだが、現実には四個しか入っていない。だから、いわば差し引き四個の空隙があって、別の四個の原子の外側の殻にある電子がはまり込めるのである。その別の四個の原子がみなちがう種類のものであるとすると、こうしてできる四面体の構造は非対称的であって、その鏡像とは重ならない。ル・ベルとファントホフはこのように考えたのである。

『知識人のための科学案内』(*Intelligent Man's Guide to Science*, Basic Books, 1960)という本があるが、その第二巻に炭素原子の章がある。著者のアイザック・アシモフは、その章で、四面体炭素化合物の模型を簡単につくる方法を述べている。マシュマロで、中心にある炭素元子を代表させる。そのマシュマロにつまようじを四本さし、その先にそれぞれ黒いオリーブをつける。そして図43のように四面体構造をつくる。黒いオリーブ四個は、炭素とは別の原子だが、みな同じ元素である。たとえば、黒オリーブがそれぞれ水素原子であるとすれば、できたものは、メタンの模型である。メタンの化学式はCH_4である。つまり、四個の水素原子が化学結合によって、一個の炭素原子に結びついて、メタンの分子一個をつくっているのである。前にも述べたとおり、炭素原子の外側の殻には、まだ四個の電子を入れる余裕がある。一方、水素原子は電子一個をもっている。だから、四個の水素原子は、一個の炭素原子にうまく結びつくのである。水素と炭素とが結びついた化合物を炭化水素という。メタン分子は、炭化水素分子の中で、いちばん簡単なものである。今でもそうであるが、パスツゥールの時代には、四個のH（水素原子）と一個のC（炭素原子）を結ぶ化学結合を短い直線で表わすことになっていた。

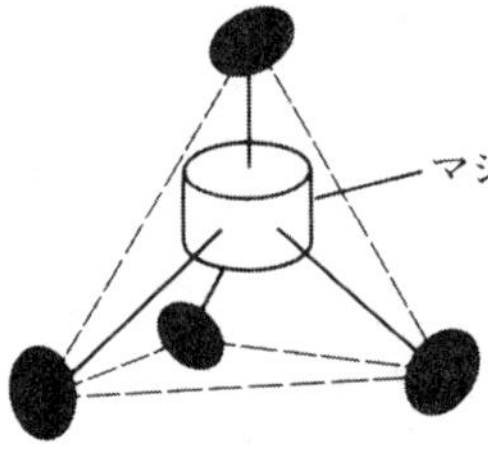

図43　メタン分子の模型。

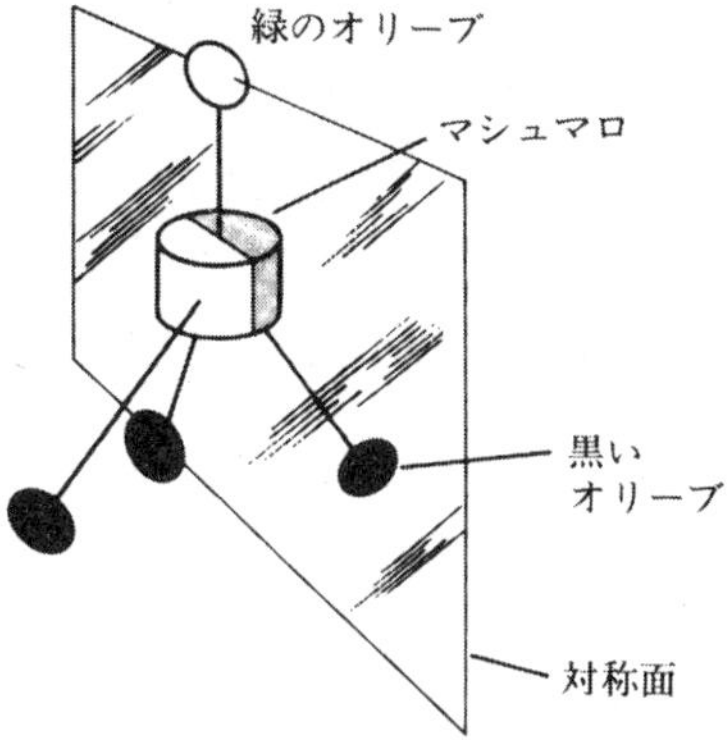

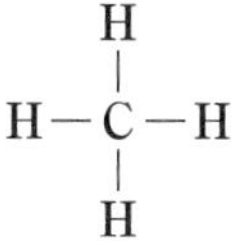

図 44　木精分子の模型。対称面 3 つのうちの 1 つを示す。

この図はもちろん平面的である。しかしル・ベルとファントホフはこう考えた。この構造が三次元空間で安定なものであるとしてみよう。そうだとしたらどんな構造になるだろうか。前章で述べたプラトンの五つの立体のうちの、いちばん簡単な正四面体がまず頭に浮かぶ。四つの水素原子の間の距離は、みな等しくなるからである。炭素原子（マシュマロ）はその中央にあって、おのおのの水素原子からの距離は同じである。このような分子は、明らかに対称的であって、対称面がいくつもあり、またその鏡像と重なる。

さて、黒いオリーブは四個あるが、そのうちの一個をとって緑のオリーブにかえてみる。こうしてできた構造は対称的だろうか。しかり、対称面はまだ三つある。その対称面というのは、緑のオリーブの中心を通る。図44に示したのは、そのうちの一つである。この構造は、鏡像と重なる。メタノール（すなわちメチルアルコール、木精）は、アルコールの中でいちばん簡単なものであるが、このような構造をもつ例である。その化学式はCH_3OHであって、これを次のように書く。

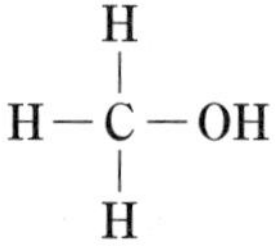

黒いオリーブをもう一つとって、こんどはチェリーにかえる。構造の対称性は失われただろうか。ちょっと考えると、対称性はなくなったように思われるが、もう少しよく考えると、対称性は失われていないことがわかる。この構造はまだ対称的である。

練習問題10　図45の構造のどこに対称面がひけて、鏡像と重なるようになるか。

このような構造をもっているのは、エチルアルコール（酒精）であって、その化学式はC_2H_5OHである。図45を見ればわかるように、炭素原子は二個の水素と結びついている。その二個の水素原子はもちろん同一である。あと二つの結合は、CH_3とOHという原子群であって、この二つは同一物ではない。

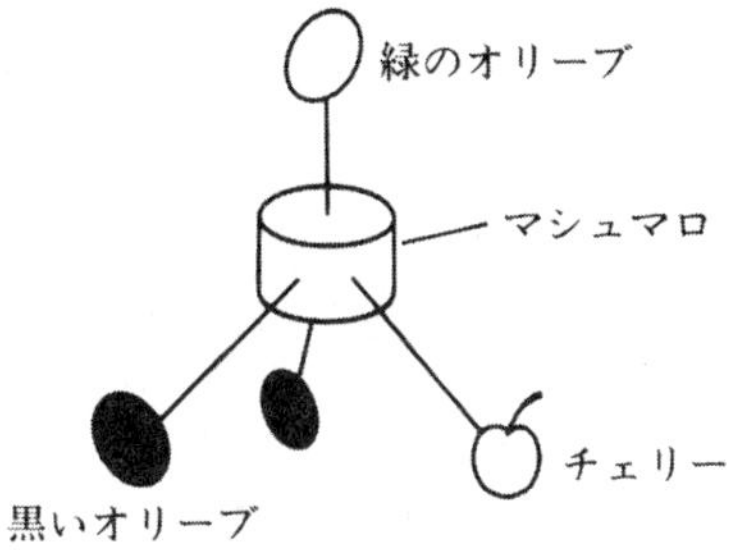

図45　エチルアルコール分子の模型。これは対称的か。

$$
\begin{array}{ccccc}
 & & H & & \\
 & & | & & \\
CH_3 & - & C & - & OH \\
 & & | & & \\
 & & H & &
\end{array}
$$

そこで、中央の炭素原子に結びつく原子、または原子群のうち、少なくとも二つが同一である場合には、

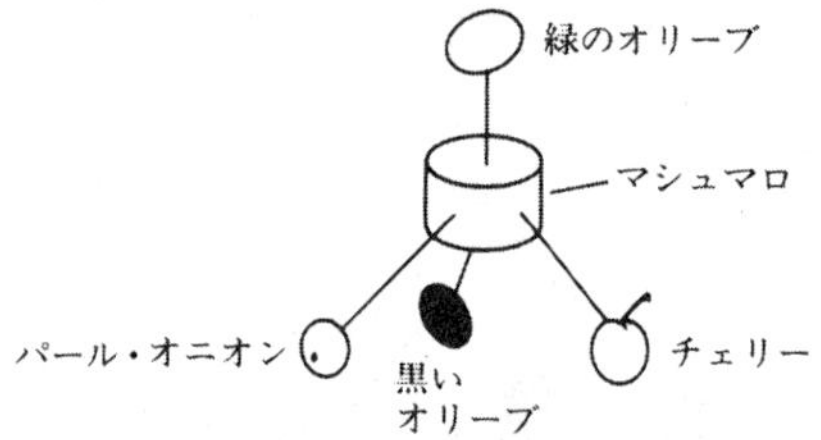

図 46　非対称的な炭素原子の模型。

この分子は対称的であるといえる。しかし、残っている黒のオリーブのうちの一つをパール・オニオン（訳注1）にかえてみる。そうすると、対称性はなくなってしまう（図46）。対称面は一つもない。この構造を三次元空間でどんなにまわしてみても、鏡像と重ねることはできない。

　このような分子構造の例は、アミルアルコールの一種で、次のように書くことができる。

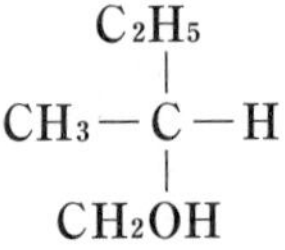

　これを見ればわかるように、中央の炭素原子に結合している四つのものは、みなちがったものである。そういう場合に、この炭素原子は非対称的であるという。もちろん炭素原子そのものが非対称的なのではない。他の四つの原子または原子群と結合して、非対称的な三次元空間構造をつくるという意味で非対称的だというのである。そのような非対称炭

素原子を少なくとも一つ含んでいるような分子は、非対称であるのが普通である。しかし、例外もある。それは、その非対称炭素原子の非対称性が逆向きである場合であって、ちょうどわれわれの左の耳と右の耳のように、左右が補いあっている。たとえば、酒石酸のうちの第四種のメゾ酒石酸がそれである。

図47を見ると、このメゾ酒石酸が、他の三種の酒石酸とどういう点でちがっているかがよくわかる。右向きの酒石酸では、その一分子のなかに、非対称炭素原子が二つあって、両方とも右向きである。左向きの酒石酸の分子には、非対称炭素原子が二つあって、両方とも左向きである。ラセミ酒石酸（すなわちブドウ酸）は、右向きの分子と左向きの分子とが半分ずつまざっている。こういうとき、外部的に相補っているという。光を一方にまわす分子の数と、逆方向にまわす分子の数とが等しいから、これは全体としては旋光性はない。メゾ酒石酸も旋光性はない。しかし、その理由はいささかちがう。メゾ酒石酸の分子は、一つ一つの中に右向きの炭素原子と左向きの原子があるのである。このような分子は、内部的に相補っているという。これはわれわれの耳それ自身は非対称であるのに、われわれの頭には対称面が一つあるのと同じことである。

以上のことをまとめると、次のとおりである。一つの分子が、その内部に非対称な原子をいくつかもっている場合に、全体としては対称的であるということがある。また、一つの分子が、その内部に非対称な原子を一つももっていないという場合にも、全体としては

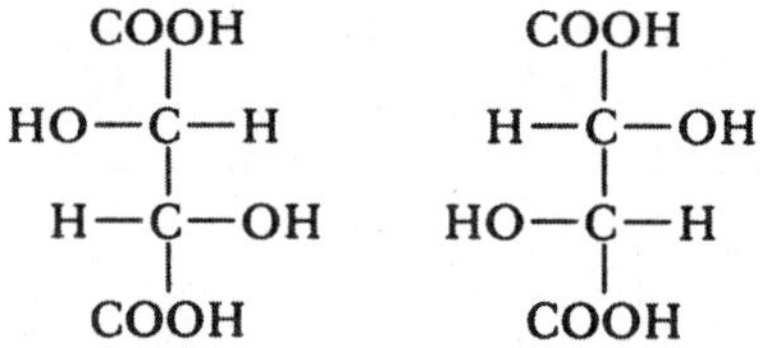

```
        COOH              COOH
         |                 |
HO—C—H            H—C—OH
         |                 |
  H—C—OH          HO—C—H
         |                 |
        COOH              COOH
```

左向き酒石酸すなわち　　右向き酒石酸すなわち
l-酒石酸　　　　　　　*d*-酒石酸

```
              COOH
               |
        H—C—OH
- - - - - - - - - - - -
        H—C—OH
               |
              COOH
```

メゾ酒石酸
……は対称面を示す

```
        COOH              COOH
         |                 |
HO—C—H            H—C—OH
         |                 |
  H—C—OH          HO—C—H
         |                 |
        COOH              COOH
```

ラセミ酒石酸
左向きの分子と右向きの分子
とが等量にまざっている

図47　4種の酒石酸。

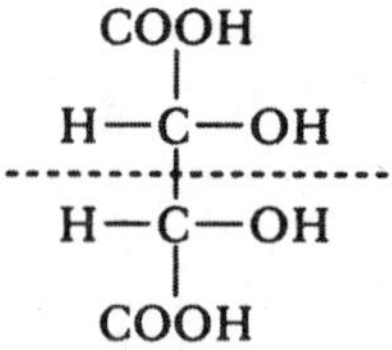

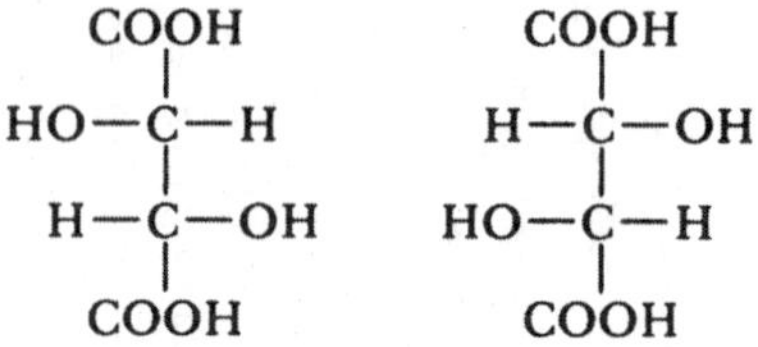

非対称的であるということもある。非対称な分子からできている化合物は、すべて、右向きのものと左向きのものとがある。また、左向きの分子と右向きの分子とがまざっているラセミ体もある。また、まれにはこれらの分子が結合してメゾ型異性体となっていることもある。

非対称分子は、左向きにも、右向きにもなる。どちらか一方の向きの分子からできている化合物は、その電磁場が非対称なので、偏光面を一方向にまわす。同じ分子ではあるが逆向きの分子からできている化合物は、偏光面をまわす角度は同じであるが、その向きは逆である。偏光面が時計の針と同じ向きに（光と観測者の間に物質があるとき）まわるなら、これを右旋性（dextrorotary）という。もしも時計の針と逆向きにまわるなら、これを左旋性（levorotatory）という。（dexter というのはラテン語で右、laevus というのはラテン語で左という意味である。）旋光性の物質が左向きであるか、右向きであるかは、その名前の前に dextro とか levo とかをつけて表わす。あるいは簡単に *d* か *l* をつける。だから右旋性の酒石酸は dextro 酒石酸、あるいは *d* 酒石酸で、左旋性酒石酸は levo 酒石酸、あるいは *l* 酒石酸である。

ファントホフとル・ベルとが、物質の旋光性を説明するために、独立に非対称四面体構造を考えついたわけだが、その当時はこの考えを信用しないでばかにする学者が多かった。実際、ファントホフの仲間の一人は、これは「あわれむべき空想論」だと片づけた。二十三歳のファントホフが、一八七五年、分子における原子の並び方について書いた小さな本の中で提唱した四面体モデルを受け入れるということは、当時の化学者にとって、容易なことではなかった。高名ではあったが気性の激しかったドイツの化学者、ヘルマン・コルベが、自分が編集していた化学雑誌の中でその本を激しく非難した。

最近私は、多くの教授に基本的な化学知識と、すぐれた一般教養の教育的特性が欠けていることが、最近における化学研究の衰退の原因である、と指摘した。この哀れな状況の結果、一見博識で深甚な、けれども実際にはつまらない浅薄な自然科学という雑草がはびこることとなった。五十年前に精密な自然科学によって抹消されたこの種の解きあかしは、えせ科学者たちによって、人類の誤謬《ごびゅう》というごみの山の中から再びもち出されてきたのである。まるで、ぼろぼろに疲れはてた売春婦のように、けばけばしく着飾って、ごてごての厚化粧でごまかしながら、本来いるべきところでない格式のある社会に潜り込んできたのである。もし私の心配が大げさであるという人がいるならば、最近のファントホフ氏が書いた本、『空間における原子の並び方』（*The Arrangement of Atoms in Space*）をぜひ読んでほしい。もし最後まで辛抱できるならばの話ではあるが……。子供じみたばかばかしさでいっぱいの本である。この若輩者は、ユトレヒトのカウ・カレッジに勤めていたが、まともな化学的研究にはまったく関心もセンスもなかった。彼は、カウ（牝牛）・カレッジから借り出した翼のはえた馬（ペガサス）にまたがり、パルナソスの山にのぼるときに、宇宙における原子の並び方を見たのだ、と宣言したいだけなのである。正気の科学者の世界では、このような幻想を受け入れる余地はないのである。

無批判的、反知性的傾向は、今日の特徴であるが、獣医学校のほとんど無名の化学者が、化学のもっとも基礎的な、しかも絶対に解明されないかもしれないほどの問題について解決を宣言することは、ほんとうの科学者たちを驚かせるだけの、独善と傲《ごう》慢《まん》以外の何物でもないのである。（原注1）

しかし、やがてこの説は正しいという証拠が、後から後からでてくるようになった。今日では、生体にみられる炭素化合物はほとんど全部、その中に非対称な炭素原子があり、その意味で基本的に非対称的であることが知られている。このことに対し、化学者や物理学者は、「カイラリティ」（訳注2）という用語を好んで使う。この用語は、ケルビン卿が、ギリシャ語の「手」ということばからつくった造語である。一九〇一年に、ファントホフ（図48参照）は、ノーベル化学賞の第一回受賞者となった。もっとも、受賞したのは立体化学以外の分野での貢献に対してであった。

しかし、そのような化合物の内部に、完全な小四面体があるのだと考えてはいけない。

図48　最初のノーベル化学賞受賞者、ジャコブス・ヘンリカス・ファントホフ（1852〜1911）。

この四面体モデルというのは、いわば近似的なものである。それは数学的方程式によってのみ正確に記述できる、近代の化学理論の化学結合の構造の図式的な表示にすぎないのである。カイラル（chiral）とアカイラル（achiral）（われわれの用語では、鏡像非対称と鏡像対称）は、純粋幾何学や、あるいは、厳密に定義された構造をもっている分子や結晶を扱うときにのみあてはまる鋭い形容詞である、ということを認識することが重要である。それが自然に見つかる物質であるか、実験室でつくられたかにかかわらず、いろいろな分子が組み合わさるにつれて、だんだんにその形容の程度があいまいになってくる。「より多いとか、より少ない」というスペクトル上の統計的解釈として理解されなければならなくなる。この点については、カート・マスロウとポール・ビッカートの「カイラリティについての認識論的考察」（An Epistemological Note on Chirality）（イスラエル・ジャーナル・オブ・ケミストリイ誌、第一五六巻、一九七六〜七七年、一〜六ページ）を参照してほしい。しかし、われわれの目的にとっては、このような細かな区別はいらない。非対称炭素原子の、そのおもしろいところ、意味するところについては、次章に述べることにする。

（原注1） この文章は、アーヴィング・クロッツのおもしろくて示唆に富んだ本、『ダイヤモンド商人と羽毛商人——科学の話』（*Diamond Dealers and Feather Merchants: Tales of the Sciences*, Birkhaüser, 1986）〔邦訳は『幻の大発見——科学者たちはなぜ間違ったか』四釜慶治訳、朝日新聞社、一九八九年〕から引用した。ファントホフの写真も同書から転載した。非対称物質によって、偏光が転換される理由について、現代の物理学者たちがどう説明しているかに関しては、ジョン・アップルキストのりっぱな論文「光学活性——ビオーの遺産」（Optical Activity: Biot's Bequest）（アメリカン・サイエンティスト誌、一九八七年一—二月号、五九〜六八ページ）を見よ。

〔訳注1〕 小指大のタマネギで、ギブスンと呼ばれるカクテルをつくる際に使われる。オリーブやチェリーもカクテルにはおなじみの果物である。

〔訳注2〕 カイラリティを中国語の術語では「手征」と訳している。征は「まっすぐ伸びる」の意。日本語の定訳はない。かりに巻き性とか旋回性とかをあてておく。

13　炭素

生体内で行なわれている化学現象を研究しているのが、生化学者である。生化学者によると、不活発な低級なものは例外であるとしても、生物の組織にはそれぞれ決まったはたらきがある。そして、そういういろいろの組織が何万と集まって生物のからだができているのである。たとえば眼を考えてみよう。眼といえば、人間にたくさんある器官の一つにすぎないけれども、その複雑さはどうだろう。眼の各部分がちゃんとしたはたらきをするためには、それぞれ特有のものが、人体で作り出されてこなければならない。すなわち、水晶体、水晶体の形を変化させる筋肉、瞳孔を開いたり閉じたりする筋肉、虹彩、角膜の層、眼球を満たしている液、網膜、脈絡膜、鞏膜《きょうまく》、視神経、血管、などなど。そして、これらの各部分が、すべて、その役目をちゃんと果たすためには、そのなかに複雑きわまる物質が含まれていなければならない。

地球に住む生物にとっては、そのような特殊な組織が何億と必要なのである。炭素という元素は、他の元素にくらべて、無限といってもいいくらい、多くの種類の化合物をつくる。そしてそれぞれが、きわめて固有な性質をもっている。炭素がなかったならば、進化によってこのような組織が生じたかどうかもわからない。これまで知られている炭素化合物の数は、その他の化合物全体をあわせたものの二倍以上にのぼる。顕微鏡でも見えないウイルスから、大きな象にいたるまで、すべて地球上の生物の組織は、炭素を含む物質から成り立っている。生化学者のなかには、生命というものは、炭素化合物の複雑な性質の一つである、とさえいう人もある。

このように、炭素という元素には、実にいろいろなはたらきがあり、また実にいろいろな結びつきをするのだが、それはいったい、なぜなのだろうか。それは、炭素が強力な「継ぎ手」だからである。炭素原子の外側の殻には、電子がまだ四個入れる余裕があるから、他の炭素原子と結びついて、無限に長い鎖になれるのである。その鎖の継ぎ目には、それぞれ炭素原子があるのだが、そこにはまだ二カ所の空隙があって、他の原子、あるいは原子群が結びついて、ちょうど腕輪のかざりのようなものになる。この鎖というものには、両端が一本の糸の両端のようになっている簡単なものもある。また、道路が分かれるように、叉《また》になって、その先端がいくつもあるものもある。あるいは、両端がくっついて、輪になっているものもある。その輪なり鎖なりが、同じ一つの分子に結びつくこともある。炭素原子は、何百万というやいろいろな結びつき方をするが、図49に示したのは、そのうちの簡単なものの例である。線は化学結合を表わしている。そこは、他の原子や原子群が結びつきうるところである。化学ではこれを側鎖といっている。

二つの分子があって、それに含まれている原子の種類もすっかり同じであるが、その結びつき方がちがうとき、これを異性体という。いまタマが原子を表わしているとして、同じ元素の原子は同じ色だとする。そして、いろいろな色のタマがバネで結びついていて、分子を作っていると考えてみよう。そして、いまここに二つの分子があって、その同じ色のタマの数は同じだが、結びつき方がちがうとしてみよう。結びつき方がちがうので、この二つの異性体は、比重も、沸点も、その他いろいろな性質についても同じではない。

その簡単な例をあげてみよう。炭素原子四個と水素原子一〇個とが、ちがう結びつき方をしているものがある。図50の左のようになっていれば、こ

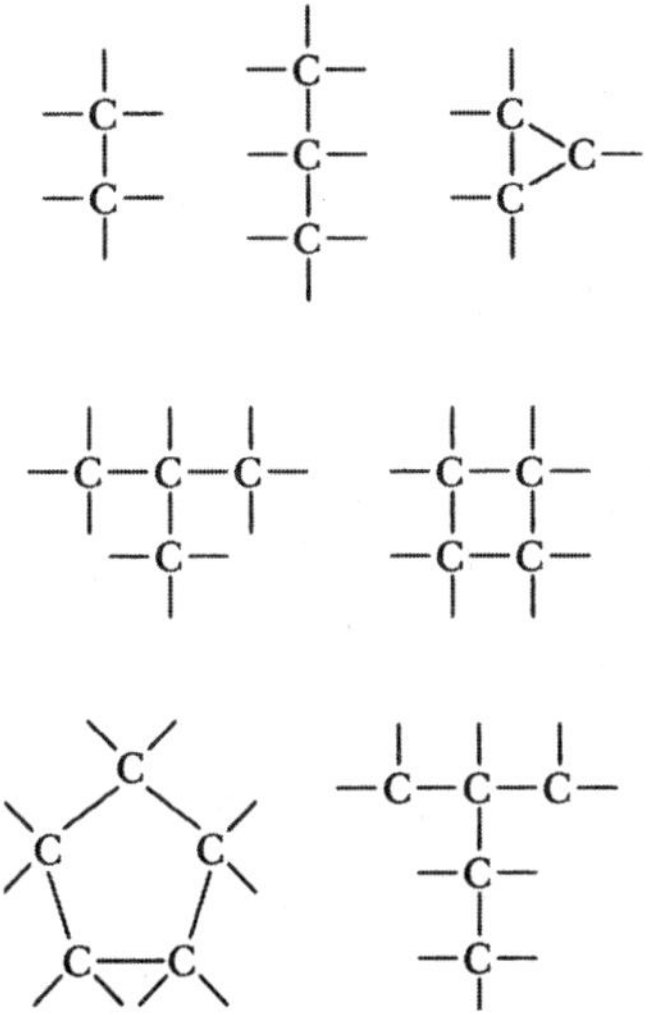

図 49　炭素原子の簡単な結合方式のいろいろ。

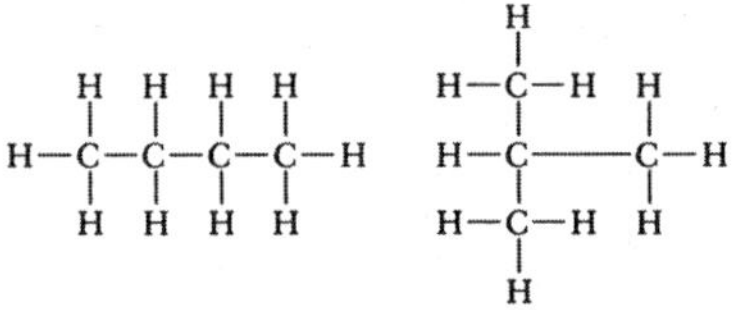

図50　ブタン（左）もイソブタン（右）も同じ原子からできているが、結合の仕方がちがう。

れはブタンで、同じ図の右のようになっていれば、イソブタンである。

二つの分子があって、それをつくっている原子の数も種類も同じであるばかりでなく、結びつき方も同じであるとしたとき、それでもなおこの二つが「ちがうものだ」ということがありうるかというと、ありうるのである。そのわけは、前章に述べておいた。それは、一方が他方の鏡像になっている場合である。このような異性体を立体異性体というのである。（立体というのは、その構造が三次元的になっていることを意味している。炭素化合物が四面体になっていることは、前に述べた。）ある一つの分子が全体として非対称だとすると、その鏡像にあたるものが必ず存在する。また、一つの分子に部分的に非対称なところがあって、それが互いに鏡像になっていることもある。たとえば、一つの炭素化合物があって、その中に非対称の炭素原子が五個含まれているとしよう。そうして、各炭素原子に、左向きのものと右向きのものがあるとしよう。そうすると、立体異性体は実にたくさんできる。巨大炭素分子に、何百万という異性体があり、そのうちの何万というものが立体異性体になっている、ということは珍しいことではない。この立体異性ということは、専門的な複雑な問題である。しかし、われわれは次の一つのことだけを知っていればよい。それは、非対称的構造をもっている分子には、すべて立体異性体があって、他のすべての点は同じであるが、左右の向きだけがちがう、ということである。

自然界において、非対称化合物があって、それが生物現象によって生じたものでない場合には、必ずラセミ体として現われる。ラセミ体というのは、左向きの分子と右向きの分子とが等量にまざっているものである。この理由を説明するのは簡単である。自然界に存在する力——重力であれ、慣性力であれ——は、左右どちらかを区別するということはない。化合物ができつつあるときには、左向きの分子と、右向きの分子とが同数だけ生じるということは、もっぱら確率法則の結果である。実験室で異性体を合成するときに、何か非対称的なはたらきが外から加わらないかぎり、できるものはラセミ体であって、全体としては対称的で、偏光面をまわさないものである。

いま、あなたの前に箱があって、その中にRの字の形をしたビスケットが何千も入っているとしよう。みな三次元空間の立体であって、平面の紙に印刷したものではないから、そのRには、対称面が一つある。さて、そのR形のビスケットを、机の上にザァーとあけて、平らにする。そして上から赤いペンキを吹きつける。すると、ビスケットの片側が赤くなって、非対称になる。左側が上になっているのと、右側が上になっているのとは、ほぼ同数であるから、左側が赤いのと、右側が赤いのとは、ほぼ同数である。その結果、左向きのビスケットと右向きのビスケットとが等量にまざった混合物になる。自然であれ、実験室内であれ、立体異性体ができるときには、これに似たことがおこるのである。外からの作用は対称的であって、一方の向きのものを、他の向きのものよりも優遇するということはない。

ある立体異性体のうちの、一方の向きのものだけを作りたい、というときには、その方法はいろいろある。パスツゥールが、酒石酸のラセミ混合物を、どうやって左向きの結晶と右向きの結晶とに分けたかということは、前に述べた。この場合には、パスツゥール自身の左右感覚がもとになっていたわけである。左向きのRビスケットと右向きのRビスケットとがまざっている「ラセミ」混合物についても、これと同じことができる。Rビスケットを一つ一つ見ていけばよい。箱を二つ用意して、Rの左側が赤ければ、一方の箱に入れる。右側が赤ければ、もう一方の箱に入れる。片方の向きの立体異性体をつくるのに、パスツゥールは、バクテリアやかびのような生体の非対称な習性を利用して、一方向きだけの立体異性体をつくる方法も見いだしている。もしも、右向きのビスケットだけを食べるような生物が見つかれば、同じことができるはずだ。そして、結果は左向きのものだけが残るということになる。

一方向きの立体異性体をつくるのに、もう一つ方法がある。これもパスツゥールが見いだしたものであって、あらかじめできている一方向きのもの、あるいは生物から取り出した一方向きのものを利用するのである。いまここにAというラセミ混合物があって、それをBという、たとえば右向きの化合物と結合させたとする。こうしてできる結合体は、二種類あるわけだが、この二つは互いに左右像にはなっていない。なぜかといえば、一つは右と右との組み合わせであるのに対して、他方は右と左との組み合わせだからである。この二つは左右像でないのだから、たとえば溶解度というような化学的性質に差があり、それによって一方だけを取り除き、他方を残すということができる。Bを取り除けば、片方のAだけが残る。

ビスケットでいえば、ざっとこんなことになるだろうか。机の上に小さな穴をたくさんあけ、その上にRビスケットの左右まざったものをバラまくのである。その穴というのは、ビスケットと形も大きさも同じで、上から見るとRの形になっているとする。ビスケットがみな、赤い面を上にして並んだとすると、半分はRビスケットで、あとの半分はЯビスケットである。そこで、表と裏がさかさまにならないように気をつけて机の面でこれをかきまわすと、Rビスケットだけが穴から落ちる。そして、机の上に残っているものの中には、Яビスケットが大部分になる。ここで左右のかたよりが生じたというのは、かきまわしたという操作によるのではなくて、机の表面のようすが非対称だからである。この机というのが、非対称な化合物にあたる。化学反応においては、そういうものが、左右両方のまざったラセミ混合物に非対称性をいわば染めつけるのである。こうして生じた非対称の化合物は、今度は他のラセミ混合物にその非対称性を染めつける。こうして、非対称の分子の数がしだいにふえていく。このことを理解しておくのは大切なことである。というのは、地球の歴史のはじめにあった、わずかばかりの非対称化合物が、今日生きている生命体のほとんどすべての分子に、一方の向きを染めつけることができたのも、おそらくこのような経過によると思われるからである。このことについては後に述べる。

これまでのことをまとめると、次のようになる。化学者自身の左右の感覚であろうと、あるいは実験操作ではたらく物質、力、また生物であろうと、一方向きの立体異性体をつくるためには、どの方法でもともかく何らかの左右非対称性が入っていなければならない。

生体にある炭素化合物は、ほとんどすべて一方向きの立体異性体であって、偏光面を右か左かにまわす。生物が死ぬと、そのアミノ酸のある分子がゆっくりと、しかしほぼ一定した速度で、「ひっくり返り」（向きをかえ）はじめる。何百万年もの後、これらはやがて、左向き、右向きの分子がほぼ同数あるようなラセミ状態になるのである。一九七〇年、有機化学者のジェフリー・ベーダは、このラセミ化の過程を利用して、放射性炭素一四の残量に基づくよりもより正確に、古代の物質の年代を確定することを試みた。ラセミ化の速度は湿度と温度に影響されるから、この方法にはかなりの誤差の範囲がでてしまう。けれども、この方法は炭素法では測れないような、ずうっと大昔のものにも応用することができる、という利点をもっている。

砂糖は甘い炭水化物であるが、これは、身近にある光学活性体である。たいていの砂糖は右向きである。たとえば、普通の砂糖、すなわちショ糖は、偏光を右にまわす。ブドウ糖も同様である。ブドウ糖は右向きなので、右旋糖ということもある。しかし一方、果糖は偏光を逆向きにまわすので、左旋糖ということもある。果糖とブドウ糖との分子のなかにある原子はすっかり同じであるが、その結びつき方がちがうので、果糖のほうがブドウ糖よりも甘い。一九八一年、ギルバート・レヴィンというバイオスフェリックス社の創業社長が、左旋糖（左向きの砂糖）製造工程の特許をとり、食品医薬品局の認可が得られ、製造コストが抑えられれば販売を開始するつもりである、という発表を行なった。左旋糖は普通の砂糖とまったく同じ味であるが、右向きの代謝過程では消化されないので、太らず、糖尿病にも影響せず、また、微生物も食べることができないのでいつまでも新鮮であり、さらに、同様の理由から虫歯の原因にもならない。

炭素の立体異性体のなかで、いちばん複雑でいちばん種類が多いのは、タンパク質である。地上の生物は、すべて何らかのタンパク質をもっている。人間のからだには、およそ十万種のタンパク質がある。人間の一つの細胞をとってみても、その中には千種類もの酵素（いろいろな生化学反応に必要な触媒）があって、その酵素はすべてタンパク質である。ホルモン（成長と活動に対する調節をする）も、たいていはタンパク質である。骨、血、筋肉、腱《けん》、皮膚、毛、爪、どれをとってみても、その中に何らかのタンパク質をもっていないものはない。生化学者によれば炭素のこの万能のはたらきがなければ、生命というものはありえない。このことは前に述べておいた。さらに、タンパク質の万能のはたらきがなければ生命というものはないと考えている生化学者もいる。

タンパク質の分子に含まれている原子は、炭素、水素、酸素、窒素、それと必ずというわけではないが、たいていの場合には、硫黄原子も含まれている。タンパク質の分子は、すべての分子のなかで、いちばん大きく、いちばん複雑である。比較的簡単なものでも、原子の数は千くらいもある。巨大タンパク質分子となると、原子の数は数十万にもなり、超巨大分子となると、百万以上になる。分子は、それぞれアミノ酸というはっきりした小単位があって、それが鎖のつながりのように結びついているのである。巨大分子は、それ自身が分子である単位からできているので、ポリマー（重合体）ということもある。

アミノ酸は、約二〇種類あるが、ただ一つ（グリシン）を除いて、みな右か左かの非対称性をもっている。実験室でアミノ酸を合成すると、左右がまざったラセミ混合物になってしまう。しかし、生体のアミノ酸は、ごく少数の例外を除けば、みな左向きである。左向きといっても、平面偏光を反時計回りにまわすという意味では必ずしもない。アミノ酸についている側鎖も、偏光をまわすことに影響を及ぼすのである。生体のアミノ酸では、炭素原子のまわりに他の原子が並んでいる並び方が左回りなのである。そして、その側鎖（炭素原子に結びついている他の原子の鎖）の構造によっては、平面偏光を時計回りにま

図51　ポリペプチド鎖の模型。その骨格のらせん構造を示す。

わすのもある。

アミノ酸がすべて左向きだということのほかに、すべて自然のタンパク質分子にはらせん状の「骨組み」があるという事実がある。この骨組みをポリペプチド鎖ということもあるが、これは、実はアミノ酸がつくっている基本鎖なのである。アミノ酸はすべて、その端の一方はアミンで他端は酸である。この両端がいっしょになると、アミンの端から水素原子が一つ、酸の端から水素原子一つと酸素原子一つが出て、水の分子がとり去られる。そして残りの両端が電気力によってつながるのであるが、これをペプチド結合という。アミノ酸は左向きだから、タンパク質分子の骨組みを左向きにさせる。これは、ちょうど、階段の一つ一つが非対称で右向きか左向きかになっていると、それを積み重ねた階段全体が、同じ向きの非対称になるのと同じことである。その結果、骨格が図51に示したようならせんになる。このようならせんをα（アルファ）らせんという。このような構造を最初に発見して名前をつけたのは、カリフォルニア工科大学のライナス・ポーリングとロバート・B・コリイである。このような先駆的な仕事が行なわれたのは、一九五〇年代のことであるが、その後、たくさんのタンパク質にこのαらせんが発見され、今では、ほとんどすべての生化学者は、これは巨大タンパク質分子の特性であると信じている。

このαらせんは右巻きというべきだろうか、左巻きというべきであろうか。どちらの端からでも、このようならせんを見れば、これはあなたのほうに向かって左に、反時計回りにねじれている。だからこれを左巻きのらせんといってもいいだろう。そして、つる植物のらせんなど、自然のらせんを形容するのに、左らせんとよんだ生化学者もいる。（7章では、つるまき植物について左右のことばの使い方が混乱していることにふれておいた。）しかし一方、これは普通の木ねじの巻き方と同じで、右巻きということが多い。さらに、水晶や辰砂などの結晶では、このようならせんは偏光を右、すなわち時計回りにまわすのである。こんなわけで、生化学者はこれを右巻きのαらせんといっている。しかし、実のところ、左向きのアミノ酸が、タンパク質分子を右巻きのらせんにするといったのでは、話は混乱する。しかしこれはみな、ことば使いのつまらぬことであって、混乱の原因は容易にたどることができる。大切なことは、生物にあるほとんど全部のタンパク質は、右巻きのコルク栓抜きと同じ右巻きのらせん骨格をもっていると信じられているということである。

からだのいろいろなところでは、このαらせんが原因となって、繊維状の組織も同じ右巻きにねじれて、「らせんのらせん」といわれるものになる。たとえばコラーゲン（膠原《こうげん》質）がそうだ。これは腱などに見られるところによると、その分子には、αらせんが三つあり、それがよれあって右巻きの三重らせんになっている。そのような三重らせんが一〇個集まって、さらに大きならせんになっている。このらせんのらせんは次々に大きくなっていって、ついにはらせん状の繊維が普通の顕微鏡でも見えるくらいになる。右巻きのらせんのらせんの例は、まだある。毛、羊毛、角の繊維もそうだし、バクテリアの鞭毛《べんもう》（バクテリアが液体中を進むとき使う鞭《むち》のような付属器官）もそれである。右巻きのらせんは、核酸や炭素化合物の構造の中にも見られる。このことは、次章で述べよう。核酸というのは、タンパク質よりもさらに生命にとって本質的なものである。

タンパク質の種類を一つ一つ数えたら、その数はほとんど無限である。ちょうど二六のアルファベットでできる単語の数が無限だということと同じである。これは、一つの単語の中の文字の数はいくつでもよく、また、それを単語と名づけるとしたときの話である。タンパク質分子の骨格が何千というアミノ酸群の単位部分を含み、そのおのおのの群単位が二〇種類の一つだということを考えれば、何種類のタンパク質ができるか、ちょっと想像がつかない。もちろん、この無限ともいうべき種類があるということから、タンパク質が、動物のような複雑な機械《マシーン》を進化によって作りあげるため、有効な物質となったのである。動物とは、何千という固有の組織が、何千という固有のはたらきをする機械である。

生命体内でタンパク分子がどのように作用するかを理解しようとするためには、アミノ酸がどうつながって鎖になっているかを知るだけでは十分ではない。それが三次元においてどのような形態になっているのか、すなわち、化学者のいい方では、どう「折りたたまれているのか」を知らなくてはならない。タンパク分子の折れ方はたいへんに複雑至極である。さらに悪いことに、タンパクの分子は、安定していないのである。タンパク分子は振動状態にあるので、状況が変わるとすみやかに立体構造が変わってしまうのである。DNAやRNA（この互いに密接な関係をもつ分子については、次の章でくわしく考察する）のようなきつく巻きあった二重らせんですら、反対のカイラリティ（巻き型）に一瞬にして反転してしまうことができるのである。

有機化合物の右向きのものと左向きのものとは、その向きのちがいを除けば、化学的性質はまったく同じである。比重も同じ、融ける温度も同じ、凝固する温度も同じである。同じ物質なのだし、また、これにはたらく外力（電磁力や重力など）には、右向き、左向きということはないのだから、これは当然のことである。しかしこれらの物質の非対称性は、外のいろいろなことに現われてくる。まず偏光面をまわす。結晶になれば、どちらかの向きになる。またこの物質を動物に飲ませるか、血液に注射するかすると、それぞれ特有の反応を生じるのである。生物のからだは、主として、非対称な化合物からなっているのだから、それを摂取した動物が向きの異なる二つの立体異性体に対してちがった反応を示すのは、当然である。ルイス・キャロルの『鏡の国のアリス』の中に出てくる「白い王子」は、歌をうたうが、その中に次のようなところがある。

何かのはずみで指をにかわにつっこんだら
また、右足を左の靴におしこんだら

最後の一行は、非対称化合物が反応するときの事情に似ている。あなたの片方の足を同じ向きの靴に入れるのはわけないが、逆向きの靴におしこむのはむずかしい。立体異性体のうち、向きのちがうものが、味にもにおいにもたいへんちがいがあるのは、これと同じ理由である。味覚や嗅覚のもとになる神経末端は、非対称な物質からできている。そして左向きまたは右向きの物質がやってくると、反応のしかたがちがう。

鼻がどうやってにおいを検出するのかについては、いくつかの理論がある。立体化学の理論では、分子の振動のエネルギー・レベルではなく、総体的形態が、そのにおいを決定する。(ジョン・アモーレ、ジェイムズ・ジョンストン・ジュニア、マーティン・ルビンによる「においの立体化学的理論」(The Stereochemical Theory of Odor)(サイエンティフィック・アメリカン誌、一九六四年二月号)を参照。)この見解は、向き以外はすべて同じであるような物質は、通常異なったにおいがする、という事実によって裏づけられている。たとえば、右旋カルボン（right-carvone）は、スペアミントの香りがするし、左旋カルボン（left-carvone）は、キャラウエイの香りがする。最近、オレンジとレモンの香りのちがいは、リモネンという物質の右向き、左向きのちがいによるものであることが発見された。

非対称物質を飲み込むか、注射で血管に入れてやると、それは、身体をつくっている非対称物質と接触する。立体異性体のうちの一方の向きのものは消化され、からだに取り込まれるが、逆向きのものは、さっさと排泄されてしまうという事実がある。また、両方ともからだに取り込まれるが、消化の速さがちがうということもある。

さらにまた、両方ともからだに取り込まれるが、ちがう反応をおこすということもある。たとえば、たばこは左向きのニコチンを含んでいる。これは、アルカロイドに属する非対称炭素化合物である。（この意味で、巻きたばこは左向きだといってよい。）左向きのニコチンは、植物のタバコに含まれている。しかし、右向きニコチンもある。しかし、これは植物のタバコには入っていない。この右向きのニコチンは合成できるが、左向きのニコチンにくらべてずっと害が少ない。左向きのヒオスシアミンは、眼の瞳孔を開かせるはたらきが強い。これに対して、右向きのヒオスシアミンは弱いはたらきしかもっていない。左向きのアドレナリンは血管を収縮させるはたらきをもっているが、右向きのものにくらべると一二倍も強い。ビタミンCの鏡像は、からだにはほとんど何のはたらきもしない。甲状腺ホルモンのチロキシンは、心臓疾患患者に与えて、血液の中のコレステロールの量を減らすのに使われる。（コレステロールは、脂肪の一種で動脈をふさいで心臓発作をおこす原因になると考えられている。）チロキシンは、非対称アミノ酸である。自然のチロキシンをとると、からだの反応がはやくなり、神経過敏になったり、体重が減ったりすることがよくある。合成チロキシンは自然のチロキシンの鏡像になっていて、コレステロールを減らすのに同じ効果があるが、望ましくない副作用はないといわれている。

　生物に含まれている非対称炭素化合物は何百万とあるが、そのほとんどすべてのものは、二つの鏡像のうちの一方なのである。（両方の型があることもあるが、同一種の生物に、両方の型が別々に含まれていることは決してない。）化学者は立体異性体を合成することもできるが、生物に自然に含まれているものの鏡像になっているものは、ほんのわずかしかない。有機物は、その左右像のうちの一方の型でしか得られないのが普通であるから、人間（あるいは他の生物）が逆向きのほうの型のものにどのような反応をするか、ほとんどわかっていない。

　鏡の国のアリスが、鏡をぬけて、その後ろにある奇妙な国へ入ろうとするとき、猫にこういっている。「タマチャン、鏡の国へ住んでみたいかい。ミルクがあるかしら。鏡の国のミルクは、おいしくないかもしれないわ……」。これは、実に深遠な質問なのだが、ルイス・キャロルはそこまでは気がついていなかったと思う。牛乳の八五パーセントまでは水であって、水の分子は対称で鏡にうつしても同じである。しかし、ミルクの中には、脂肪、乳糖、各種のタンパク質などの非対称炭素化合物がいろいろ入っている。これらの混合物をわれわれはミルクと名づけるのであるが、その鏡像にあたるものを、猫や子供が飲んだらどうなるか、誰も知らない。だから鏡の国のミルクが飲んでおいしいか、おいしくないか、わからないのである。たぶん、おいしくないというほうが当たっている。しかし、鏡の中の猫が飲めば、おいしくて栄養があるのではなかろうか。それは、ほんものの猫がほんもののミルクを飲んだのと同じではなかろうか。

W・H・オーデンは、アリスの本の大の愛読者であるが、その詩『不安の時代』（*The Age of Anxiety*）の中で、同じような問いを出している。右利きのアイルランド人がニューヨークでバーへ入って、鏡にうつっている自分の姿をみつめて、こういっているのである。

相棒さん、相棒さん
あなたが左の手でもっている酒は
どんな味かね

酒にはエチルアルコールが入っている。前の章で述べたとおり、この分子は対称である。

ミルクの中の水と同じように、このアルコールは鏡にうつしても同じである。しかし、酒にも、エステルという炭素化合物が入っていて、これが風味を生ずるのである。そして、たいていのエステルは非対称的である。鏡にうつる酒はどんな風味をもっているか、誰にもわからない。しかし、普通の酒とは風味がちがうと考えたらよいだろう。もちろん、鏡の中のアイルランド人が味わえば、話は別である。

生物を除いて考えると、自然界の化合物は原子の結びつきが対称であるか、あるいは右向きのものと左向きのものが同数だけあるか、どちらかである。生物の内部では話はさかさまである。われわれのからだは、非対称炭素でいっぱいである。そして、たいていは、左向きになっている。金の分子とその結晶構造を鏡にうつしてみても、同じものである。しかし、ミルク一杯を鏡にうつしてみれば、同じものではない。ミルクや酒の中に入っているあるものの分子構造は、鏡像とは重ならない。人間もそうである。人間のアミノ酸を鏡にうつせば、左向きのものが右向きになる。そのタンパク質のαらせんを鏡にうつせば、右巻きのものが左巻きになる。からだに含まれている水の分子は別だが、鏡にうつして逆向きにならないものは、ほとんどない。アリスのいうように「さかさま」なのである。

14　生きている分子

数学の世界では、いろいろな数学的実体についてあるところではっきりと線を引いて、それらの実体をはっきりと二つのグループに分類することが可能である。幾何学図形は、鏡像に重ねることができるか、あるいはできないかのどちらかである。対称性をもっていないものは、右向きであるか、そうでなければ左向きである。整数はみな、奇数でなければ偶数である。奇数なのか偶数なのかわからないような整数は存在しない。けれども、量子論でいう原子以下のレベルの世界は別として、世の中では、このようにものをきれいに二分して二つのグループに分類できるような線はなく、常にあいまいなものである。タールは固体だろうか、それとも液体だろうか。シャルトルーズ（酒の一種）の色は黄色なのだろうか、それとも緑色なのだろうか。いろいろな物理的属性はほとんどが連続的である。一つの属性から次の属性へ次々に目に見えないほどわずかなちがいで移り変わっていくスペクトルになっている。どこで二分しようと、その分割のために引いた線にごく近いところにあるものについて、それが、その線のどちら側に属するのかということは、通常のことばでは正確に表わすことができない。

生命という属性も、このような連続体の一つである。

このことを証明するのはごく簡単である。たとえばウイルスは、現在知られている範囲でもっとも小さな生き物である。つまり「食べ」(まわりから物を吸収すること)、成長し、そして自分とまったく同じ形を再生産するもののうちの最小のものだということである。ウイルスはバクテリアよりもさらに小さく、実際、バクテリアがウイルスに感染することさえある。ウイルスは上質な磁器製の濾過器《ろか》も通過してしまう。ピンの頭にさえ何百万というウイルスをのせることができる。ウイルスは光の波長よりも小さいので通常の光学顕微鏡ではその姿を見ることができない。けれども、生化学者は、X線やいろいろな粒子を当ててみて、そのときできる像からその構造を推定することができる。

水晶も「成長」するといえなくはないが、その成長のしかたはどちらかというと取るに足らないものである。水晶を、水晶と似た化合物を含んだ溶液に入れると、その水晶の表面に化合物が沈殿してくる。沈殿が多くなればなるほど、水晶は大きく成長する。けれども、ウイルスは他のすべての生物と同じように、もっと驚異的な成長のしかたをするのである。ウイルスはまわりからいろいろな元素を摂取して、それらを使って、これまで周囲にはなかった化合物を作り出す。それからこの化合物を組み合わせて複合物質を作り、自分とまったく同じ形態を作り上げる。ウイルスが他の組織に感染したり、ときには他の生物の命を奪ったりするのもまさにこのはたらきによっている。宿った組織の細胞を侵し、そこの機構を乗っ取って、いわば新しい機構にしてしまうのである。ウイルスに感染すると、その細胞はいつもそこで作り出していたものが生産できなくなり、かわりに、侵入したウイルスが増殖するのに必要な物質が生産されるようになる。

ウイルスは自分と同じ形を複製するという作業をするときに、まったく生き物のような活動をする。けれども、このウイルスも、いったん生きた組織から外へ出すと、結晶してしまうのである。これらのウイルスは、結晶すると正多面体、あるいはそれに近い形をとることが多い。四面体であったり、二十面体であったり、十二面体であったり、斜方十二面体であったり、いろいろである。結晶ウイルスには活動力はまったくなく、生物としての兆候はまったく見られない。このような結晶は、まるで石英か何かの標本のようで、まったく「死んでいる」ように見える。けれども、いったん、そのウイルスに感染しやすい植物や動物の組織内に入ると、とたんに活動を開始するのである。

タバコの木につく「モザイク病」ウイルスというのがある。単純なウイルスであるが、これは、人間が最初に発見したウイルスであり、また、もっともよく研究されているものの一つでもある。このウイルスの結晶を電子顕微鏡で見ると、結晶がいくつもの小さな棒状になっている。最近になって、この棒の一つ一つが二千以上のタンパク質分子でできており、右巻きのらせん構造になっていることがわかった。また、それぞれの分子が一五〇以上のアミノ酸からできていることもわかっている。棒状の中心部には端から端まで中空の芯が走っており、タンパク質分子はそのまわりをコイル状に巻いている。この棒状の組織にはもう一つ、核酸とよばれる炭素化合物があって、これが一条の繊維になって右巻きにコイルを作り、タンパク質のらせん構造の中に埋まっている。（以前は、この核酸の繊維が芯の中にあると考えられていた。）

核酸はタンパク質ではない。けれどもタンパク質と同じく重合体である。つまり、小さな分子がいくつも鎖状に結合して大きな分子を構成し、それが複合体をなしているのである。核酸の構成要素はヌクレオチドとよばれ、炭素、酸素、窒素、水素、リンなどの原子からできている。ところが、タンパク質の構成単位であるアミノ酸では、その種類が二十いくつあるのに対し、核酸の構成単位であるヌクレオチドはたった四種類である。アミノ酸と同様、この四種類のヌクレオチドが何千と集まり、ほとんど無限に近いほどいろいろな結びつき方をして、何十億のちがった核酸分子を構成することができる。アミノ酸と同様、ヌクレオチドも対称的なものはなく、すべてが左向きである。このために、タンパク質の骨格と同様、核酸の骨格が右巻きのらせんをしているのである。

（たぶん、この法則には多少の限定をつけなければならないであろう。最近、カイラリティ（巻き性）に重要な意味をもっている、あるＤＮＡ分子が発見された。たとえば、ＤＮ

Aには、反対巻きにらせんを巻いている変則的な部分がある。この「左巻きのDNA」は、最初、試験管の中で発見された。一九八七年には、生体細胞において、このような変則部分を確定する方法が発見された。鏡像反転したDNAの役割はよくわかっていない。突然変異のきっかけをつくる手助けをしているのかもしれない。また、とくに、バクテリアやウイルスにおいては、DNAが環状になることもある。この輪が結び目をつくり、他の輪と結びつくこともある。けれども、非対称の結び目や結びつきのカイラリティが、生命体の成長や行動に影響を及ぼすかどうかは、まだわかっていない。）

核酸には二つの種類がある。一つはDNA（デオキシリボ核酸）で、もう一つはRNA（リボ核酸）である。どのウイルスの構造を見ても、タンパク質の殻があって、その中に一つか、あるいはいくつかのRNAのコイルが包み込まれている。タバコモザイクウイルス(訳注1)にはRNAのコイルが一本だけある。DNAだけしかもっていないウイルスもあり、RNAとDNAと両方もっているものもある。タンパク質ではなく、この核酸が、ウイルスの宿主《ホスト》を死に至らしめるのだということは、ほぼ疑いの余地がない。バクテリアがウイルスに感染するときには、まずウイルスのタンパク質の部分がバクテリアの細胞の外側にはりつく。そのタンパク質はそのまま細胞の外壁にとどまり、核酸のコイルが細胞壁を破って中へ入り、細胞の複製機構に対して、新しい命令を出しはじめる。まもなく、細胞は自分の複製《コピー》ではなく、ウイルスの複製を作りはじめる。こうしてタンパク質の細胞も内部の

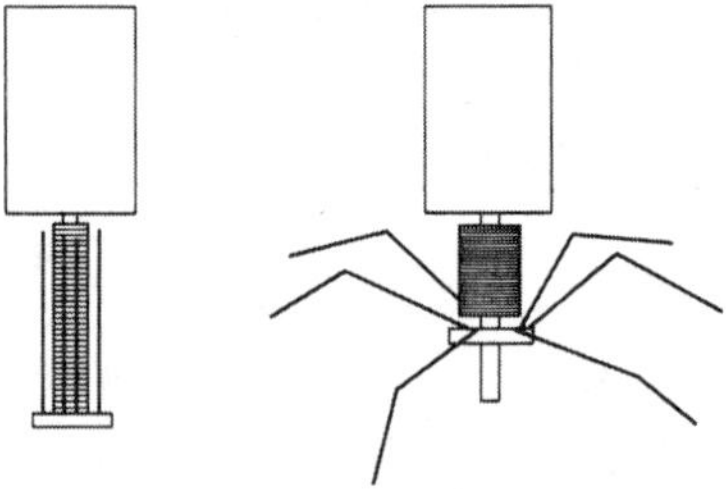

図52　T-2バクテリオファージの模型。左は、DNA発射前、右は、発射後（R. W. ホルンの「ウイルスの構造」、サイエンティフィック・アメリカン誌、1963年1月号の挿画から書き直したもの）。

核酸コイルも完全に備えた侵略者ウイルスは、何百となく増殖し、次々に他の細胞を侵していくのである。

タンパク質のらせん構造もそうであったが、核酸も右巻きのより大きならせん構造をつくることが多い。一九六二年、エール大学の生化学者が「コイル状コイル状コイル」になった核酸を含んだウイルスについて記述したことがある。そのウイルスはT-2バクテリオファージとよばれるものである。（バクテリオファージとはバクテリアだけに感染をおこすウイルスのことである。）このウイルスの頭は両錐六角柱とよばれる形をしている（図52）。この頭にはタンパク質のしっぽがついている。頭の中には、しっぽのほうまで伸びることが可能なＤＮＡが一分子あって、これが、三段階のらせん形をなしている。一番目のらせんはＤＮＡ分子の骨格にあたるものである。これは二番目のらせんを作り、それが今度は、ウイルスの角柱の頭にピタッとはまっているスプール（筒）に巻きついている。このウイルスは、しっぽのほうで感染をおこそうとする宿主の

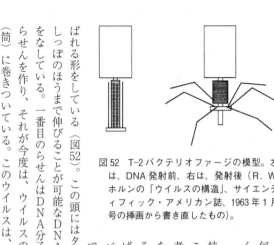

細胞にくっつくのである。このときウイルスはしっぽで相手の細胞膜に小さな穴をあける。すると、おそらくはしっぽが収縮してＤＮＡの片端が押されて穴に入る。今度は頭のスプールが時計方向に回転し、それにつれてＤＮＡが細胞の中へ入り込んでいき、例のわるさを始める、という具合なのであろう。

　核酸はウイルスだけがもっているのではない。ＤＮＡという形で、アメーバのような単細胞生物から人体の細胞にいたるまで、すべての生体細胞の核の中に存在する。定義しにくい遺伝子――生命体の遺伝情報の暗号を運ぶ超微「粒子」――は、以前に考えられていたような、何か実在する「もの」ではまったくない。遺伝子というのは、ＤＮＡ分子の二重らせんの上のある区域なのである。人間の細胞には染色体とよばれる棒状の構造が必ず四六個ある。さらにこの一つ一つに、右巻きのＤＮＡらせんが二本からみ合った対《つい》が少なくとも一組は含まれている。それぞれのコイル上で、四種類のヌクレオチド塩基がどう並んでいるか、その正確な順序が遺伝コードであり、その細胞が何をすべきかが規定されているのである。（四種類の塩基はすなわち、アデニン、チミン、グアニン、シトシンで、それぞれＡ、Ｔ、Ｇ、Ｃという文字で表わされる。）それぞれのアミノ酸はすべて三文字の組み合わせで規定されている。選ぶ文字が四つあるから、その中の三つの文字を組み合わせると六四とおりの組み合わせができる。これによって、すべてのアミノ酸（二〇種類）を表わすには十分すぎるほどであり、あるタンパク質を作るのにアミノ酸がどういう順で並べばよいか「綴りを示す」ことができる。「遺伝子」というのはこの暗号情報の一区画のことである。情報はＤＮＡのらせん上に、端から端まで乗っているのである。

情報にどのように句読点を打つか、つまり、一つの「遺伝子」が、どこから始まってどこで終わるかを見定めるという問題は、残念ながら（この本の書かれた時点では）まだ十分には解けていない。ある場合には、たとえばウイルスのＤＮＡ暗号は、二つ、あるいは三つの情報が重なりあって埋まっていることがある、ということが最近わかってきた。たとえば、三つ組の遺伝暗号の最初の文字から読みはじめると、最初の情報が得られる。次に、二番目、三番目の文字から読みはじめると、おのおの、もう二つの情報が得られる、という具合である。PIRATE の文字を使って英語の単語で粗っぽくこのまねをすると、次のようになる。最初の文字から始めて、二番目、三番目の文字から読むと、おのおの、PIRATE（海賊）、IRATE（怒った）、RATE（割合）という三つの単語が得られる。

人体の細胞にはすべて四六個の染色体があって、おのおの、ＤＮＡのらせんが含まれている。（精子、卵子の細胞は例外で、染色体の数は半分である。）したがって、おのおのの細胞は、からだ全体の設計図をもっているのである。誰かが指摘したように、ある女性の眼が青くなるという情報は、彼女の足の小指の細胞全部にも含まれているのである。どうも自然は、からだの各細胞に特定の役割を担わせるための情報を個別にもたせて相互に連絡するという複雑なシステムをつくるより、最初から各細胞に、からだの成長に必要なすべての情報を組み込んでおいたほうが容易である、ということに気がついたらしいのである。もし、人体のある一個の細胞の中のＤＮＡの二重らせんを取り出して、端と端をつないで直線に並べたとすると、約九〇センチメートルほどのリボンになるといわれている。人体には、約六〇兆個の細胞があるから、一人の人が、五〇〇億キロメートルものＤＮＡリボンをもっていることになる。

たった四種類の記号の繰り返しを九〇センチメートルの長さのリボンに乗せるだけで、いったい、人間ほど複雑な生き物の成長をつかさどるだけの情報を十分伝えることが可能なものだろうか。それが可能なのである。九〇センチメートルのリボンに乗った、たった四種類の塩基による暗号だけでも、それぞれちがった人間の構造から成長、再生にいたるまでの完全な青写真を作るのに十分すぎるほどの情報を伝達することができる。これが可能であるということには、一分の疑いもはさむ余地はない。

このＤＮＡのらせん構造を発見した三人の生物学者に対して、ノーベル賞が与えられたのは一九六二年であった。一人は現在ハーヴァード大学にいるジェイムズ・デューイ・ワトソンであり、他の二人はそれぞれ、フランシス・ハリー・コンプトン・クリックと、モーリス・ヒュー・フレデリック・ウィルキンスというイギリス人である。このＤＮＡ構造の発見は、人類史上重大であるという点では、おそらく核物理学におけるもろもろの発見よりも大きいであろう。たった二十年前までは遺伝のしくみはまったく神秘に包まれ、とてつもなく複雑なものであると考えられていた。今では、突如としてそのしくみが比較的単純であるかのごとくにさえ見えるのである。遺伝情報を解読する仕事は急速に進歩して、その結果、進化がついに畏敬すべき能力によって生命をつくり、進化の方向を統御する確実さをもつことがわかった。もし、暗号について、十分な理解が得られれば、合成によって生命を創造したり、ガンやその他の病気から人間を解放したりすることができるようになるだろう。また、脳がどのようにして記憶を貯蔵するのか、ということも解明することができるであろう。DNAのらせん構造の発見によってひきおこされた生物学上の革命は、実にたいへんな驚異であった。ソビエトの政治家たちでさえ、とうとう彼らのお気に入りのトロフィム・ルイセンコ（ロシアの生物学者。近代遺伝学は西側陣営のブルジョワの気ちがいじみたこじつけであると決めつけた人）が、これまで西側の遺伝学者にいわれてきたように、実は変人なのではないか、と考え始めざるをえなかったほどである。

植物や動物の核酸分子は、細胞の中の固定した一部分である。一方、ウイルスの核酸分子はある種の自由な、いわばあちこちと動きまわることのできる遺伝子のかたまりであるといえる。どの細胞にもくっついておらず、したがって複製に必要な物質を含んでいる細胞があれば、それを利用していつでも自分と同じものを複製することができる。われわれはタバコモザイクウイルスを「生きている」というべきであろうか。ほとんどの生化学者は「生きている」というであろう。それは、タバコモザイクウイルスが、生物と非生物とを区別するための二つの基本的特性を両方備えているからである。二つの特性とはすなわち自己複製ができることと、突然変異することである。（突然変異とは単に、原形と細部で差があるような複製《コピー》ができることである。この差異は、突然変異の個体からの複製全部に受け継がれていく。）計算によると、細胞の中にある核酸が多少の変化を生じて突然変異するのは、典型的なものでは、約四〇〇万個の正しい複製に対して一個であるといわれる。不思議なのは、突然変異がおこることではなく、むしろ、これほどまれにしか突然変異がおこらないという事実である。今では、生化学者の多くが、ちゅうちょせずに、タバコモザイクウイルスの桿状体の中にあるＲＮＡのらせんは、それ自体で「生きている」といっている。彼らがそういう理由は、自分の複製を作ったり、突然変異する能力があるのは、タンパク質の殻ではなくて、ＲＮＡ分子だからである。

　われわれが、ＤＮＡとかＲＮＡが「生物」であるか「非生物」であるかを論ずる際に、認識しなければならないことがある。それは、このような議論では、われわれは往々にして基本的には意味論的な問題にひっかかってしまう、ということである。核酸分子のレベルにおいては、生物ということば自体がすでに十分でないのである。青だの緑だのということばは、通常の会話ではとても具合のよいことばである。けれども、いったん、青緑という色にそのことばをあてはめようとすると、そのことばの効用は失われてしまう。植物、動物ということばも便利なものである。けれども、いったん、植物、動物両方の特性を兼ね備えた生命体を考える段になると、これらのことばは役に立たなくなる。鳥類、爬虫類というのも便利な分類法ではある。けれどもこの分類に従えば始祖鳥はどちらに属することになるのであろうか。この脊椎動物は今では絶滅してしまっているが、爬虫類と鳥類との中間に属するので、いったい、始祖鳥が空飛ぶ爬虫類なのか、それとも爬行性の鳥類なのかを論ずるのは時間の浪費というものである。

生物か非生物かということもこれと同じことである。たとえ、われわれが今ここで、生命とは自らを複製し、突然変異する能力のことである、と定義したとしても、このことばでいいつくせない、あいまいな環境が存在する。将来、自分の周囲から部品を取ってきて自分と同じものを複製したり、突然変異をおこしたりすることのできるコンピューターができないという理由はどこにもない。ハンガリーの大数学者ジョン・フォン・ノイマンは、かつて、そのような機械は理論的にどうしたら作ることができるか、という有名な論文を発表したことがある。さて、このような機械は「生きている」ということができるだろうか。

もう一つ考えなければならない問題がある。それは、働き蜂のように、子を生めない、すなわち自分を複製できない生命体もある、ということである。それでも、働き蜂は明らかに生きている。また、ついには、生化学者が、近い将来、炭素分子を合成して、何か核酸のような、不完全ではあっても、または一部分ではあっても、自己を複製することのできるものを作ることができるようになるかもしれない、という可能性を考えてみよう。たとえ自己複製の能力と突然変異の能力があったとしても、そしてこれら二つが生命の基本的規準であるとしても、それでもなおこの生命という概念は曖昧模糊としたものだ、ということが、諸君にもおわかりいただけるだろう。宇宙探査が進んで、太陽系の地球以外の惑星や衛星のことがわかるようになったとして、はたしてそこには生物がいるだろうか。火星探査からもちかえった土には何ら生命の徴候も見られなかった。タイタンとトリトンは、おのおの土星と海王星の大きな衛星であるが、この二つの衛星には大気があり、生命を支えることができるかもしれない。あまり取りざたはされないが。宇宙探査によって、生命とよぶべきかどうかわからないような何かが見つかる可能性もなきにしもあらずである。

前に述べたことの繰り返しになるが、ただ事実だけをいえば、ウイルスも、いろいろの複雑な構造の連続したスペクトル上にある、ということである。スペクトルを逆もどりすると徐々に生き物ではない、結晶の世界へ、さらには「死んだ」状態の有機分子の世界へと溶け込んでいく。このスペクトルを前へ進めば、しだいに単細胞の植物や動物の生命の世界になる。ウイルスは、いってみれば、緑とよぶことも青とよぶこともできる青緑色の物体のようなものである。あいまいな領域にあるものなのである。生物であって生物でない、とでもいうべきもので、われわれの使っているまずしい言語は、このような存在をはっきり分類するためには十分ではないのである。

核酸のことを、生きているというか否というかにかかわらず、一つのはっきりした事実がある。それは、われわれはついに、生命とよんでいる現象のもっとも中核をなすものを分離することができた、ということである。パスツゥールは、かつて、左右の非対称こそが生命現象の謎を解くカギである、ということを雄弁に述べ、書物にした。このことにつき、当時、彼と同じ仲間であった学者たちの多くが考えた以上に彼は正しかったわけである。地球上の生体細胞の中心には、すべて例外なく核酸の右巻きのコイルが必ずある。ケンブリッジ大学のクリック博士は、自分の家に「黄金のらせん」という名前をつけた。この非対称構造こそが生命の謎を解く合いカギなのである。複雑な機構にまで成長すること、自分の複製を作ること、複製の際、ときどき無作為的に誤謬をするという興味深いプロセスを経て進化をすること。生物がこのようなことを行なうために必要な情報はすべて、この非対称構造がもっているのである。クリックは「核酸」(Nucleic Acids)という論文(サイエンティフィック・アメリカン誌、一九五七年七月号)の中で次のように述べている。「もし、タンパク質が生命にとって第一に不可欠の物質であるならば、核酸はその青写真に相当する。つまり、『生命の秘密』とでもいうべきものが書かれた分子というわけである」と。

論点がすでに、他の惑星の生物が炭素化合物から離れて生存しうるか、というところに移ってしまったようである。もちろん、誰とて知るよしもないことではある。けれども、ほとんどの生化学者が考えているのは次のようなことである。つまり、自分を複製したり、突然変異したりするということは非常に複雑で、炭素化合物のように莫大な連なりと可変性がなくては果たしえないであろうということである。自分と同じものや他の元素といろいろに結びついて、たくさんのちがった化合物をつくるという点では、ケイ素が炭素にいちばん近いといえる。けれども鎖が比較的短く、炭化水素（水素を含む炭素化合物）とくらべると安定性も十分ではない。この安定性こそは、この地球上では生命にとって不可欠の条件である。ホウ素もときおり、非炭素系生命体の基盤として取り上げられることのある元素であるが、その物性から、ケイ素よりはずっとその可能性が低い。

生物は自分をとりまいている環境から、直接に化合物を摂取するが、その多くが左右対称の分子構造をもっている。けれども生体内で合成される炭素化合物はすべて対称ではなく、右向きか左向きかのどちらかである。この事実はあまり言及されることはないが、われわれの知っている生命という現象の中でもっとも注目すべき特色なのである。植物を例にとってみよう。植物は、たとえば水や二酸化炭素のような対称構造をもった無機化合物を摂取して、デンプンや糖のように左右対称でない物質を作る。われわれは前章で、生き物が、どれほど非対称炭素分子とか、タンパク質や核酸の非対称ならせん形で複雑にできているかを学んだ。非対称分子には必ず鏡像の立体異性体が存在するのだから、かりに突如としてこの地球上の生物がすべて鏡像に変換したとしても、全体でこれまでと同じようにうまく機能しないはずはない。もちろん、たとえば人間だけというように、全体ではなく一つだけに左右の転換がおこったとすれば、たぶんその人は生き延びることができないであろう。なぜなら、その人のからだの中には何万という非対称化合物があるが、それらがおそらく、周囲から得ることのできる非対称構造の食料を消化するのに適した向きになっていないだろうからである。けれども、地上にあるすべての生物の分子構造が左右入れかわっていれば、つまり、もしすべての生物の立体異性体がそれぞれの鏡像になっていたとすれば、生命の営みは全体としてこれまでと同じように続けられていくことであろう。

　生命現象の始まりにおいては、どうやって左右が決定されたのであろうか。いろいろな有機化合物が現在のような形になったのは、いかなる理由によるものなのであろうか。なぜ他の一方をとらなかったのであろう。タンパク質や核酸の構成単位が左巻きであるのはなぜだろうか。これらの質問に対する答えが何であるか、誰も知らない。なぜならば、この地球上でどのようにして生命が発生したかがわからないからである。次の章では、この魅力に富んだ問題について、現在の段階で科学がどこまで解きあかしているのかを紹介することにしよう。

（訳注1） tobacco mosaic virus（略称はTMV）。タバコモザイク病などの病原体。モザイク病はタバコやトマトなどの植物の葉にモザイク症状が現われ、成長が悪くなり、しばしば葉に奇形が生じる古くからよく知られた病気の一つ。

生物の遺伝物質は一般にDNAなのだが、この自然の摂理からはみ出ている例外がウイルス群の中にあり、RNAを遺伝子とするものがいる。このタバコモザイクウイルスもその一例であり、タンパク質の外被の中には一本鎖のRNA一分子しかもたない。

15 生命の起源

この地球上ではどんなところでも、いたるところに生命が息づいている。その大きさといい、形といい、色といい、音といい、そしてまたにおいといい、驚くほどに生命の種類が豊富である。いったい、これらの生命はどのようにして始まったのであろうか。これらの生命はすべて、炭素を含んだ分子一つから進化してきたのだろうか。それとも、それぞれ別々に形成されたいくつかの分子から進化したのだろうか。そのような分子は今でも地球上でどんどん形成されているのだろうか。これらの問いに答えることのできる人は誰もいない。とはいうものの、近ごろになって生物学をはじめ化学、物理学、地質学の各分野における研究が進んだ結果、はじめて十分といえる情報が集まり、生命の起源が何であるかについて、まじめな推測ができるようになった。

今日では、生化学者も地質学者もほとんどが、地球上の生命は約数十億年前に始まったと考えている。つまり原始時代の海中に何か核酸に似て、炭素を含んでいて自分を複製することのできるような分子がたぶん一つあるいはそれ以上、タンパク質に似た物質といっしょに現われた。これが生命の始まりだというのである。このような分子が現われるためには、何か超自然的な力を借りなければならないということはない、と彼らは信じている。物理学の諸法則と数学でいう確率の法則に従って十分に説明のつくことなのである。

宗教を深く信じている一部の人びとにとって、このような考え方をすることには大きな抵抗を感じるものである。アメリカでも、いまだに進化論を信じない人が何百万人といる。プロテスタントの一派でファンダメンタリスト（訳注1）とよばれる人たちである。このようなファンダメンタリストの人びとは、六千年から一万年ほど前、神がいろいろと、とほうもない神通力を行使した際、すべての生命が創造されたのだ、というふうに信じている。カトリックであるとプロテスタントであるとを問わず、他の何百万という敬虔なキリスト教信者たちは、一応進化論を受け入れるが、おそらく何十億年か昔、地球の歴史上のどこかの時点で、神の特別な創造のみわざが、最初の生きた分子（あるいは複数の分子）を地上に現わしたのだ、と信じている。

私自身、神がことを選びたまう力に何らかの制限を加えるということは、真に不信心な、あるいは神を冒瀆《ぼうとく》することでさえある、との感を禁じえない。もし、数学や物理学の諸法則に従って運動する粒子や波の世界が神の創造によるものであるならば、これらの諸法則を使って地球の表面を生命でおおいつくすことが神にできないという理由があるだろうか。

神の創造力が不完全で、その創造が環境に対してうまく適応するようにたえず調整していなければならないようなものであるとしたら、そのような神は、私には比較的程度の低い神のように思えるし、とても神として尊敬するに足りない代物である。奇跡的な創造への信仰、すなわちもろもろの自然法則が、神の特別な行為によって一時的に停止されたと信ずる、という意味での奇跡は、私にいわせれば「神のみわざの迷信」でしかない。いってみれば、神が定期的に自分の支配する宇宙に手を伸ばして、いろいろといじくりまわすのだという信仰である。十九世紀において、キリスト教信者が進化論を受け入れることをあれほど困難にした理由は、まさにこの迷信があったことによる。とはいえ、進化論を支持する科学的実証が多くあげられるにつれて、神学の世界にも夜明けが訪れ、多くの神学者が進化論を受け入れられない理由がない、と考えるようになった。進化は神が生命の新しい形態を創造する、そのための一便法にすぎないのである。

今日では、どんなに信仰の深い生化学者でも地質学者でも、進化論が基本的には確かな理論である、ということに異論をもつ人はほとんど皆無である。細部にわたっての意見の相違はあるにちがいないが、進化論の大きな骨組み自体についてのそれは皆無である。生物は自分の複製を作るが、それはほとんどいつも（ただし必ず例外なくというわけではない）、原形の完全な複製である。ごくまれに、ある種の放射線（たとえば太陽からの紫外線とか、宇宙線、あるいは地上にある放射性物質の放射線など）が核酸のらせんに当たり、原子の並び方をほんのちょっぴり変えてしまうことがある。すると遺伝暗号が変わってしまう。こうして原形とは無作為的に少しだけ異なった複製が作られる。通常、この変化はその生物に何らかの形で有害であることが多い。この場合、突然変異した個体とその子孫が生存競争に勝ち残る可能性は少なく、したがってその害が永く受け継がれるという可能性も少ない。逆に、変異が有益である場合には、突然変異体とその子孫は、生存競争に勝ち残る可能性が、通常よりも高くなる。このようにして、長い年月の間に、「自然淘汰」による変化が徐々に進められる。新しい「種」の誕生である。進化とは単に偶然（無作為的な突然変異）が自然の法則とうまくかみ合ってはたらくということによって、よりよく生存に適した生命形態が創造されていく過程のことなのである。

もし、この自然と偶然との結合が、神が新種をつくり出す手段であるならば、同じように自然と偶然とを組み合わせることが、神が最初の「生きている」分子をつくり出す方法であったとはいえないだろうか。このように考えても生命が味気なくなったり、神秘性を失うようなことはちっともないのである。そればかりか、かつて、ローレン・アイズリイが彼の著書『限りなき旅』（*The Immense Journey*, Random House, 1957）の結びでみごとにいい表わしたように、このことはかえって、素粒子をよりすばらしく、不可思議なものにさえしてくれるのである。彼はこのように書いている。「もし、『生のない』物質が、鳴きつづけるコオロギだの、歌う鳥だの、瞑想にふける人間だのというもののいるこの世界をつくり上げているのだとしたら、熱心な唯物論者にも明白であるにちがいないことが一つある。それは、唯物論者の話している物質は、恐ろしいとまではいかないまでも驚くべき力をもっているではないか。ハーディがいったように、『偉大な神が、その顔にかぶる多くの仮面の一つ』かもしれないということである。」

ここで読者諸君といっしょに、あの荒涼とした原始の時代へ想像の旅をすることにしよう。三、四十億年前の、地表にも海中にも、何も生き物の存在しなかった時代である。いったい、どのようにして史上最初の「生きた」分子が発生したのだろうか。神が腕を伸ばして指先で（比喩としての話であるが）、炭素、酸素、窒素、水素、硫黄の原子をいくつかずついっしょに継ぎ合わせていった。それで自分を複製できるような巨大な重合体がつくられた、というのであろうか。そのようなことがなかった、と断言してしまうことはできない。けれども、神の概念を傷つけずにしかも、もう少し威厳のある説明を試みることも、われわれにはできるのである。

生きている分子の胞子（胚種）か何かが、宇宙のどこかほかのところから地上に降ってきて、地球が生息に適した環境であったのでそこで繁殖した、という説がある。この説は多くの科学者の支持を得た。スウェーデンの著名な化学者であるスバンテ・アーレニウスはこの説を支持して本を一冊書いている。『揺籃の世界』（*Worlds in the Making*）という本で（英語訳版が一九〇八年に出版されている）、彼は、高度に冷凍状態になった胞子が、星の発する放射線に乗って宇宙から送られてきて地上の生命の起源となったのだ、と論じている。

これと似た考えで、生命の胞子が隕石によって運ばれてきた、という説がある。この考えは、炭素を多く含んだ隕石のうち、ある種類の構成についての研究がなされた結果、最近再び見直されてきている。一九六一年、アメリカ人の科学者グループによって、アメリカ自然博物館所有の隕石からとった標本中に、地上の生物に見られるのとよく似たアミノ酸をいくつか発見した、という報告があった。また、同年、先の報告に少し遅れて、別のアメリカ人科学者グループが、やはり隕石の中に、単純な植物の化石ではないかと思われる微粒子を発見したと報告したが、これを受け入れているものは誰もいない。また、隕石から、生きている微生物を抽出したと発表した科学者もいるが、これは地球の大気中で不純物が混入したのだろう、というのが専門家の一致した意見である。隕石の中にかつての生物の化石が含まれている可能性がある、ということは生化学者も認めるところである。けれども、隕石の中であれ、胞子自体が自由に飛んでくるのであれ、宇宙を飛んでくる間に受ける放射線の影響は免れえないから、生物がそのまま生きて地球に到達するという可能性については強い疑問を残している。

けれども、われわれが知っているように、生命に不可欠な、かなり複雑な炭素化合物が地球外における化学反応によってすでに形成されている、ということは疑いの余地がない。

一九六九年九月二十八日の朝、オーストラリアのマーチソンという町の上空で、隕石が爆発した。炭素質のコンドライト（球粒隕石）という、炭素化合物を多く含んだ隕石である。スリランカの生化学者、シリル・ポナンペルマの率いる科学者のグループが、後に、この隕石のかけらからいろいろなアミノ酸を発表した。それ以来、他の隕石からも、アミノ酸が見つかっている。

一九七八年、NASAの科学者が、北極の氷の上で見つかった炭素質のコンドライトに、メタンが含まれていることを発表した。これが、われわれの太陽系の外においてもメタンが存在するという、はじめての証拠となった。

一九六九年以前にも、隕石にアミノ酸があることが報告されていた。けれども、当時のおおかたの意見としては、それは汚染によるものである、というものであった。ポナンペルマは、「アミノ酸を見つけようと思えば、ビーカーに指紋をちょっとつけて、それで水を加えて振ればよい」といっている。けれども、マーチソン隕石の場合には、この可能性は抹消された。その主な理由は、発見されたアミノ酸が、左向き、右向き両方のものをほぼ同じ量ずつ含んでいたからであった。もし、アミノ酸が地球上に源を発するものであったならば、すべて左向きであったはずだからである。

隕石からアミノ酸が見つかったのと同じころ、同じように驚くべき発見が、電波天文学者によってなされていた。すなわち、星間宇宙空間に、一ダース以上もの種類の有機分子が存在するという、確かな証拠を得たのである。たとえば、射手座という星座の中には、何十億という数のアルコール分子が浮遊している。ホルムアルデヒド、シアン化水素、蟻酸も見つかっている。ほとんど宇宙のどこでも、複数な有機分子を創出することができる力がはたらいているかのようである。

十九世紀の終盤になって、生命は隕石か彗星《すいせい》によって地球外からやってきたのだという憶説が、この説を強く提唱したドイツのヘルマン・フォン・ヘルムホルツを中心に、かまびすしく論議された。近年になっては、胚種広布説《パンスペルミア》（アーレニウスがそうよんだ。「どこにも種がある」という意味）が、DNAで有名なフランシス・クリックと天文学者のフレッド・ホイルによって復活された。クリックは、その著書『生命——その起源と本質』(訳注2)（*Life Itself: Its Origin and Nature*, Simon & Schuster, 1981）の中で、生命が地球上で偶然発生するという確率は、あまりにも低くてとても信憑性がない、といっている。さらに、彼は、われわれのレベルをはるかに越えた異星人が、地球の海が生命の進化に適していることを発見して、微生物を乗せたロケットを地球に送ってきたのだ、と真剣に説いたのであった。このプロセスを、彼は、「指令胚種広布説《パンスペルミア》」(原注1)とよんだ。この考えは、SFの世界でも時代遅れである。高度な知的生物が銀河をあちこちと旅をして、生命をはぐくめる惑星に「種をまいて」まわるという筋は、これまでにたくさんある。コーネル大学の宇宙物理学者トマス・ゴールドは、かつて、地球上の生命は、何十億年も昔にこの星にやってきた宇宙人が残したごみの中の微生物から発生したのだ、と提唱したことがあった。

　クリックと同じような見方については、ホイルと彼の仲間であるチャンドラ・ウィックラマシンジが、その著書『宇宙からやってきた進化』(訳注3)(*Evolution from Space*, Simon & Schuster, 1982)の中で弁護している。彼らは、高度な知的生命体が、星間ガスの中における絶え間ない微生物の創生を指揮しており、こうして銀河に漂っている微生物が彗星によって地球に運ばれてくるのだ、と信じていた。彼らによれば、このようなことは今でも続いているという。地球はたえず有機微生物のシャワーを浴びており、それがわれわれの生命体と相互作用をし、そこから極端な突然変異が生み出される。これが進化の「ジャンプ」をひきおこしている原因となるのである。最後の大きなジャンプは獣から人間への変化であった。二人の科学者は、自然淘汰によって「モーツァルトや、シェイクスピア、カール・フリードリッヒ・ガウス(訳注4)などの出現」が説明されるということは、絶対にありえないと主張した。

　今では、胚種広布説《パンスペルミア》を真にうける科学者はあまりいない。微生物が、外部空間の寒気に耐えられないとか、彗星が太陽に接近する際の熱や、隕石が地球の大気圏に突入するときに、表面が熱くなることに耐えられないなどというのが理由ではない。生命は、旅行中に浴びせられるであろう宇宙の強烈な放射線に耐えられるものではない、という理由からである。けれども、炭化水素が外部空間に存在するという証拠が集まってくるにつれて、科学者は、このような非生命分子の存在が、地球上における生命の起源に不可欠であったかもしれない、という見方をより好感をもって受け入れるようになってきている。このような分子は、彗星や隕石によってもたらされたかもしれないし、あるいは、地球が星間宇宙塵《じん》の中を通り抜ける際に、地球に到来したのかもしれない。地球の海に落ちて、そこで、生きた細胞へと成長するのに適した環境を見つけたのであろう。

物理学者のフリーマン・ダイソンは、胚種広布説《パンスペルミア》にはあまり感銘を受けてはいないが、地球の大洋に発生した生命は二つの起源をもっている、という説を提唱した。核酸の分子はタンパク分子とは別個に発達し、後でいっしょになって最初の生命体ができたのだ、というのである。ダイソンは、『生命の起源』[訳注5]（*Origins of Life*, 1986）と、『あらゆる方向へ無限に』[訳注6]（*Infinite in All Directions*, 1988）（二冊とも Cambridge University Press から出版）の中に、その説を詳細に記している。

一九六〇年代後期に、グラスゴー大学の生化学者、A・G・ケアンズ＝スミスは、大胆で、物議をかもす説を発表した。彼によれば、最初の生きた細胞ですら、地球の原始のスープからできるには複雑すぎる、と確信していた。スープの中で作られたタンパク分子では、「程度が低すぎ」て、近代のコンピューターに対して、算盤をもち出すようなものだ、というのである。スープが岩石を通って濾《こ》される過程で、ケイ酸塩の粘土が形成されるとき、タンパク分子が、ケアンズ＝スミスのいうところの「結晶性遺伝子」が粘土の表面に生成するのを助長する触媒としての役目を果たした。これらの、生きてはいない、二次元の遺伝子が、後に、粘土から分離して、三次元の生きた細胞になった。ケアンズ＝スミスはこの説を、『遺伝的乗っ取り——生命の鉱物起源説』[訳注7]（*Genetic Takeover and the Mineral Origin of Life*, Cambridge University Press, 1982）と、『生命の起源を解く七つの鍵』[訳注8]（*Seven Clues to the Origin of Life*, Cambridge University Press, 1985）で、擁護している。彼の一般向きの論文、「最初の生命体」[訳注9]（The First Organisms）（サイエンティフィック・アメリカン誌、一九八五年六月号、九〇～一〇〇ページ）も参照されたい。22章（下巻）で、われわれは、非対称性の弱い力が、結晶性遺伝子が粘土から発達するのに関与していたかもしれない、という考えについて検討してみたいと思う。

　非生物から生物が絶え間なくつくり出されるという意味での生命の「自然発生」説は、アリストテレスの時代からパスツゥールの時代にいたるまで、いつの世にも多くの生物学者から強い支持を受け続けてきた。進化論が十分に受け入れられる前は、すべての種類の生物は、たとえばネズミでさえも湿地や泥沼、あるいは腐敗しかけた動物の組織から自然発生で生まれるものと、広く考えられていた。パスツゥールの時代にも、微生物は川などのよどみから自然発生する、と信じている化学者が大勢いたのである。パスツゥールは簡単な、しかも非常に明快な実験を行なって、はっきりとそのような考えが正しくないことを証明した。自然発生を証明したという生物学者たちは、単に注意不足のために、実験に使ったフラスコに空中の微生物が混入してしまった結果にすぎなかった。今日では、名の通った学者で、この地球上のどこかで、非生物から微生物が生まれるなどと考えている人は誰もいない。似たことがありうるとすれば、海面に原始的な半分生きている分子があって、それが次の瞬間、完全に生きている微生物に食べられてしまう、ということである。ところがこのことさえも、ほとんどありえないことである。

とはいえ、生化学者は、たぶん三十ないしは四十億年前、つまり、地球上の化学的、物理的諸条件が今のそれとは大きく異なっていたころ、無生物から生命が自然に発生したことが少なくとも一度はあっただろうと考えている。海水に塩分がなかったころは、きっとその海水は、アンモニアだの、二酸化炭素だのを大量に含んでいたことであろう。遊離した酸素はなかったはずであるから、オゾンの厚い層が地球のまわりに形成されることはなかったであろう。したがって、太陽から放射される強い紫外線から地球を保護する層は存在しなかったわけである。この紫外線は直接、原始時代の海面に注がれたから、海中の簡単な構造の炭化水素の分子を、より複雑な構造の鎖状分子に変えるような大きなエネルギーが与えられたかもしれない。他のエネルギー源としては、現在よりもはるかに大きなエネルギーがあったと思われる地球の中心とか、海面にもはたらいていたであろう雷放電、地球自体がもっていた放射性物質からの放射線、それに宇宙線からの放射線などがあげられる。このようなエネルギーと、巨大な海の渦やうねりとによって、長い年月、たぶん十億年以上にわたる月日を経るうち、何百万という異なった種類の炭素を含んだ分子が形成されていった、と考えるのもまったく的はずれのことでもないのである。

科学評論家とか一部の科学者は、自己を複製する力を備えた最初の一分子の出現、たぶん核酸であろうが、それが突然現われたということを、おおげさにいいすぎるきらいがある。何か進化という一大活劇を開始させた、いわば化学版の英雄「アダム」のように取扱うのである。誰もそうではなかったとはいいきれないが、そのような劇的な瞬間がなかったというほうがより現実的なのである。自己の複製はあくまでも程度の問題である。不完全ながらまた部分的に自分を複製することのできる有機分子がまず出現して、未熟な複製が急激に増殖したかもしれない。たとえ、われわれが、化石によって知ることのできる時代より前のできごとを詳細にわたって知ることができたとしても、特定の一年（あるいは十年間でもよい）をとって、「この時期に生命活動が始まったのだ」といいきることはできないかもしれない。構造も、連続的にだんだんに複雑さを増していって、その最終段階として、今日の生物に見られる核酸のような構造をもったものになったのかもしれないのである。

神のみわざについて非常に強い感情的な執着をおぼえるために、原始時代の海で、核酸のような複雑な構造をもったものが多くの有機分子の組み合わせでつくり出されたなどという考えに、強い困惑を感じた科学者がたくさんいた。そのような科学者でもっとも雄弁にそのことを語ってくれたのがスコットランド人の化学者でフランシス・ロバート・ヤップという、アバディーン大学の一教授であった。「立体化学と生気説」（Stereochemistry and Vitalism）という、広く議論の対象となった講演（ネイチャー誌、一八九八年九月八日号、四五二ページ以降）で、彼はパスツゥールの行なった立体異性体に関する研究についてみごとな要約を行ない、その後で最初の非対称分子の発生には超自然の力がはたらいたという議論を展開した。すべて対称に運行されている自然の力がいかに無作為的にはたらいても、一方向きの立体異性体が生ずるということはありえない、というのが彼の主張であった。

ヤップの説によれば、「生物が、それ自身の非対称な組織から、あるいは生物のつくり出す非対称な物質から、あるいは生物が非対称性についての知識をもっていてそれを使って、というのでなければ、そのような結果は生まれない」というのである。「非対称性からでなければ非対称構造が生ずることはない。……もし、これらの結論が私の考えるとおりに正しいとすれば、生物界に見られるどちらか一方の型の非対称構造の絶対起源というものは、生命の絶対起源そのものと同じほどに神秘に満ちたものだということになる。……どんなにいろいろな元素が時間をかけて衝突し、あるいは結合したとしても、見るからに活気に満ちた最初の有機化合物が生成されうることはないのである。偶然の入り込む余地はなく、機械的にことを説明しようとする試みはことごとく失敗に帰することになる。」

このヤップの論文はネイチャー誌の読者の間に少なからぬ物議をかもしたものである。多くの一流学者や関心の深い読者から抗議の手紙が寄せられ、ヤップ自身のおびただしい反駁《はんばく》とともに後続号に掲載された（原注2）。抗議の手紙の主の中には、ハーバード・スペンサー、カール・ピアソン、ジョージ・フィッツジェラルド（相対性理論におけるローレンツ－フィッツジェラルドの収縮を数学的に発展させた人）などがいた。

ヤップ教授の議論はピエール・アンドレ・ルコント・デュ・ノイによって彼の著書『人間の運命』（*Human Destiny*, 1947）という本の中で再現され、同じく彼がこれより後に著わした『理性への道』（*The Road to Reason*, 1949）という本の中で繰り返し論じられている。ルコント・デュ・ノイによれば、偶然によって複雑な、対称でない有機分子が生成されるチャンスというのはあまりにも少なすぎる。実質上、神のみわざがなければ何ごともおこりえなかったも同然なのである。この章で前に出てきた、ホイルとウィックラマシンジの著書で、ヤップとルコント・デュ・ノイが再び登場してくる。ホイルは、あらゆる著書、論文、講義において、上にいる絶対者が地球外空間において生命をつくったのだ、という立場を貫いている。なぜならば、アミノ酸が、無作為に組み合わされて、生命が偶発的に発生する確率は、約一〇の四万乗分の一、すなわち、一の後にゼロが四万個もついた数に一回だからである、というのである。ホイルはこれを、隕石がジャンク置き場に落ちて、スクラップからボーイング７４７（ジャンボジェット機）ができるとか、ルービック・キューブをでたらめにまわしているうちに解がみつかってしまうようなことにたとえている。（ホイルのこのエキセントリックな理論については、拙著、『秩序と驚異』（*Order and Surprise*, Prometheus, 1983）の「生命とルービック・キューブ」（Life and Rubik's Cube）の章を参照してほしい。）以前の類推《アナロジー》を引用すれば、あたかも一匹の猿がタイプライターをむやみにたたくのを見てシェイクスピアの戯曲が出てくるのを期待するがごときものだ、というわけである。イギリスの天文学者アーサー・スタンレー・エディントンは次のようなことをいっている。

頭のいいヒヒが一匹いた
彼はいつもバスーン（訳注10）を吹きながら
こういった。「たぶん何十億年かすれば
きっと調子が合うさ（原注3）」

エディントンのヒヒが調子を合わせられるかどうかは、はたして調子が合うとはどういうことなのか定義をしなければ予測することも困難になってしまう。チンパンジーが、キャンバスの上に絵具をこぼしたり、なすりつけているからといって、誰も「モナリザ」の複製ができるなどと期待はすまい。けれどももし、絵画ということばに、現代の抽象派の描いた絵も含まれるとすれば、適当な指示を与えられたチンパンジーが、絵を描かないでいることのほうが困難になる。複雑な有機分子が偶発的に発生する確率についても、同じような意味論的な問題がおこってくる。どの程度複雑ならば「複雑」なのだろうか。

一九五三年に、スタンレー・L・ミラーというアメリカ人の若い化学者（彼は当時若冠二十三歳であった）が、現にかなり複雑なアミノ酸をつくり出している。彼は恩師である著名な化学者、ハロルド・ユーリが提唱した理論を検証すべく、単純な技法を用いて実験を行なったのである。フラスコの中には、水とアンモニア、メタン、水素の混合体を入れた。これはユーリ教授の想像するところの原始時代の海と大気中にあった諸元素である。実験期間は一週間であった。エネルギー源として、電気を混合液中に通し続けた。一週間後にフラスコの底にたまった黒いどろどろの混合液を分析してみると、以前にはフラスコの中になかったいろいろな有機化合物が発見され、その中にアミノ酸も含まれていたのである。

アミノ酸の生成から、核酸はいうに及ばずタンパク質の生成まででさえ、かなりの隔たりがあることは事実である。けれどもアミノ酸が集まってタンパク質を構成するのであり、かつ、アミノ酸の構造はすでに対称的ではない。ヤップやルコント・デュ・ノイの確率計算でいけば、一週間という信じられないほどの短期間では、簡単なアミノ酸でさえ期待できなかったのである。この実験は生命の起源に関する理論の歴史上、画期的なできごとであった。(原注4) 以来、少しずつちがった混合液と異なったエネルギーを使って、多くの科学者がこの実験を繰り返している。

一九六三年、ポナンペルマと彼の助手グループは、これと同様にして、核酸の主な成分の一つを生成することに成功した。水素とアンモニア、メタン、水蒸気の混合体に高エネルギー電子を四五分間照射した。その結果、五つあるヌクレオチド塩基のうちの一つであるアデニンが生成されたのである。もっと最近では、フロリダ州立大学のシドニー・W・フォックスと原田馨の二人が、エネルギー源として熱（摂氏約千度）だけを用いて一三種の異なったアミノ酸を生成するのに成功している。一九六七年に、アーサー・コルンバーグは、スタンフォード大学の同僚たちと、活発で、感染力をもったウイルスの内核ＤＮＡを人工的につくり出した。これを生きた細胞に注入したところ、感染した細胞は、自然のウイルスと区別できないようなウイルスを生産しはじめた。一九六九年、アメリカの二つの研究チームが、それぞれ別個に、一九種類のアミノ酸からなる酵素、リボヌクレアーゼを合成している。これらの実験が行なわれてからは、偶然と自然の法則の組み合わせによって複雑な有機化合物ができることはない、という議論をする科学者は一人もいなくなってしまった。

ヤップとルコント・デュ・ノイはどこからまちがってしまったのだろうか。彼らの議論には次のような抜け穴があった。それは、地球上の原始の海に渦を巻きながら存在したいろいろな化合物には、単に偶然だけではなくそれ以外のものがより大きく作用した、ということである。つまり、物理学と化学の諸法則がはたらいていたのである。豆を袋からテーブルの上にこぼしたとしても、その豆が正六角形の対称形を形づくることはないかもしれない。けれども、われわれは、吹雪などで水分が凍りつくと、分子が正六角形の対称形が何百万とできることを知っている。理由はもちろん、電気的に引き合う力と反発し合う力とが分子の間ではたらいているので、このようなみごとなパターンを作ることがただ単に可能であるばかりでなく、十分に確実性のあることなのである。

　アイザック・アシモフはこのようにいっている。水素と酸素の原子をもってきて、どれも三つの原子からなるような分子を無作為に作ることにしてみよう。ただし、どんな組み合わせも可能であるとする。たとえばHHH, HHO, HOH, HOOなどという具合である。これらの混合体から無作為に一〇の分子を取り出してみる。一〇の分子全部がHHO、つまり水の分子である確率はどのくらいであろう。アシモフの計算に従っていくと約六〇〇〇万分の一になる。けれども、もしこの実験を実際に行なったとしても、実際には原子は無作為的に結合されるのではないことがわかっている。結合してできる分子はすべて水の分子である。なぜならば、水素と酸素が三つ結合するのには、化学的にこの方法以外では不可能だからである。ヤップとルコント・デュ・ノイは、自然の諸法則がはたらいているということを考慮に入れそこなったのである。アシモフがいったように、原子というのはベタベタしたアメ玉とちがって、箱の中でゆさぶればどのようにでもくっついてしまうというようなことはない。原子は、物理学の法則に従ってのみ結合するのである。

ここに明白な事実がある。それは、進化が始まる以前の時代に地球がおかれていた条件のもと、炭素化合物の液体中で電気の力が原子に対してどのようにはたらいたのか、ということについてわれわれが十分な知識をもっておらず、したがって、特定の組み合わせがおこる確率について、意味のある予測をすることができない、ということである。ある組み合わせはとうてい不可能かもしれないし、また別の組み合わせはとても確率の高いものであるかもしれない。ルコント・デュ・ノイは、原子が盲目的に組み合わせを作るという仮定のもとに、自己複製能力のある分子ができる確率を推定しようとしたところに誤りがあった。アシモフによれば、ルコント・デュ・ノイは「盲目的でなく偶然がはたらいた」としたならば、自己複製能力をもつ分子ができる可能性、いいかえれば、偶然が化学と物理学の諸法則といっしょにはたらいたとしたときの可能性を考えてみるべきであったのである。おそらくは、原始時代の海ではアミノ酸が生成されないほうが困難な状態だったであろう。また、いったんアミノ酸ができてしまえば、今度はより複雑な鎖状にならないほうが困難であったことであろう。もしそうであるならば、生命が宇宙のどこかで発生したとしても、それは化学的にはこの地球上のそれと同じである、すなわちＤＮＡとそこにのっかった遺伝情報が、地球上のそれと同じ役割を果たしている、ということも十分可能性のあることなのである。ポナンペルマは、今ではそう信じているのである。

ミラーが実験に使ったフラスコの中では、ほんの少量の化学物質があっただけであり、その中で非対称的なアミノ酸が無作為に形成されるのにたった一週間しか要しなかったということをわれわれは知っている。ましてや地球の海と大気というように大きな化学物質の混合体と、今日よりもさらにいっそう強いエネルギー源がいろいろとあって、十億年という時間をかけたのであるから、自己複製のできる分子が偶発的に生成されなかった、とは誰がいえるだろうか。おそらくは、そのような分子が何十億と生成されたことであろう。たぶん、はじめはアミノ酸が結合して何十億というちがった種類のタンパク質分子を形成したであろう。それからきっと、核酸、あるいはそれに似たものが少量のタンパク質にくっついて、そうして、適当なタンパク質さえ見つかれば、何か、かなりの正確さで自己を複製することができるものが存在するようになったのであろう。数千年、あるいは数百万年の間（これらの数字は単なる想像によるものである）、原始の海はこのような原始的な半生命体でいっぱいに満たされていたことであろう。進化の一大絵巻はこのようにして始まったのである。

（原注1）「指令胚種広布説」（directed panspermia）は、クリックとレスリー・オーゲルによってはじめて提唱された。「イカルス」（*Icarus*）という、カール・セーガンの編集になる雑誌に発表されたもので、ドナルド・ゴールドスミス編の『地球外生命への探求——読み物の本』（*The Quest for Extraterrestrial Life: A Book of Reading*, California University Science Books, 1980）に再録されている。

（原注2）これらの投書は今でもまったく時代遅れというものでは決してなく、一読に値するものである。以下に名前をあげたものは一八九八年のネイチャー誌に掲載されており、とくに興味深いものである。ゲオルギオ・エレラ、十月二十七日号六一六ページ、カール・ピアソン、九月二十二日号四九五ページ、ジョージ・F・フィッツジェラルド、クレメント・O・バルトラム、十月六日号五四五ページ、ハーバート・スペンサー、十月二十日号五九二ページ、ハーバート・スペンサー、カール・ピアソン、パーシー・F・フランクランド、十一月十日号二九ページ。これ以外の投書は十一月十七日号五三ページに掲載。ヤップの最終反駁は十二月一日号一〇一ページにある。

（原注3）エディントン、『科学の新しい小径』（*New Pathways in Science*, Cambridge University Press, 1935）の第三章より。この戯詩の出典は明らかでなく、おそらく彼自身の作になるものと考えられる。

（原注4）実験についてのミラー自身の論駁については、「想定しうる原始地球の条件下でのアミノ酸の生成」（A Production of Amino-Acids under Possible Primitive Earth Conditions）

（サイエンス誌、第一一七巻、一九五三年、五二八ページ以降）および、ミラーとレスリー・E・オーゲルの共著『地球における生命の始まり』（*The Origins of Life on Earth*, Prentice-Hall, 1974）を見よ。

（訳注1）「聖書」に書かれていることは正しいと考える人びと。生命の起源については、「旧約聖書」に書かれている「六日間創造説とエデンの園の物語」が正しく、すべての生命は神によって創造されたという立場をとり、創造論者ともいわれる。一九八〇年代に、ルイジアナ、アーカンソー、カリフォルニア州などで、進化論を学校で教えるのと同じ時間、創造論を教えるべきだという運動（イコール・タイム・ムーブメント）を展開。いくつかの州ではこれが裁判で争われた。

（訳注2）邦訳書『生命　この宇宙なるもの』中村桂子訳、思索社、一九八二年。

（訳注3）邦訳書『生命は宇宙からやってきた』餌取章男訳、光文社、一九八三年。

（訳注4）ドイツの天才的数学者（一七七七～一八五五年）。代数学の基本定理を証明し、その著『整数論研究』で整数論にはじめて完全な体系を与えた。また、天文学、測地学、電磁気学にも大きな業績を残した。

（訳注5）邦訳書『ダイソン――生命の起源』大島泰郎、他訳、共立出版、一九八九年。

（訳注6）邦訳書『多様化世界』鎮目恭夫訳、みすず書房、一九九〇年。

（訳注7）邦訳書『遺伝的乗っ取り――生命の鉱物起源説』野田春彦、川口啓明訳、紀伊國屋

書店、一九八八年。

（訳注8）邦訳書『生命の起源を解く七つの鍵』石川統訳、岩波書店、一九八七年。

（訳注9）邦訳は「生命起源の粘土鉱物説」、日経サイエンス、一九八五年八月号に所収。

（訳注10）バスーンは低音の木管楽器。

16 非対称性の起源

非生物の世界と生物の世界とのギャップを埋めるために、「盲目的でない偶然」——つまり偶然と自然の法則が組み合わさって作用する、という説が出されたとき、多くの善意ある神学者の恐れようはたいしたものであった。このようなことを知るのは、ある意味では愉快なことである。というのも、ほんとうは、生物と非生物との間のこのギャップを埋めようと考えるほうが、後の世におこってきた地上の生命の歴史をめぐるいろいろなギャップを埋めようと考えることよりも、はるかにやさしいからである。たとえば、生き物（植物）が太陽のエネルギーを使ってデンプンと脂肪、および動物の生命に必要な酸素を作ることができるためには、葉緑素の発見を待たなければならなかったし、単細胞動物は植物を食べるという近道を発見しなくてはならなかった。多細胞生物が老化し、細胞の協同体としての機能を停止することができるためには、死と性が発明されなければならなかった。動物は他の動物を食べることをおぼえねばならなかった。なかんずく、進化の結果、とても賢い種類の動物が出現してきた。彼らはとても頭がよく、たちまち地球をおおいつくし、進化の過程に終止符を打つにまで至った。地球の外から地球を観察している者がいたとしたら、彼にとっては、生命のないものから生命が生まれる最初の段階《ステップ》よりも、進化の段階のうちのあるもののほうが確率が低いように見えたかもしれない。

もし、パスツゥールがミラーのかの有名な実験について知ることができていたとしたら、どんなにか狂喜したことであろう。パスツゥールは、有神論者でありながら、生命が、単に地球上の化学物質とさまざまな力と偶然が組み合わさって始まったのだ、ということを確信していた。彼はまた、われわれもすでに学んだように、生体の有機化合物には旋光性がある、つまり、非対称構造を内蔵しており、偏光面を回転させることができる、ということに気がついていた。パスツゥールはまた、生体組織外では、非対称化合物は必ずラセミ状、つまり右向きと左向きの混ざった状態でのみ存在する、ということに深い印象を受けていた。生体の中にあってはじめて、有機化合物は純粋に右向きか左向きかのどちらかでいられるのである。

パスツゥールは、有機化合物がどうやって非対称な構造をもつに至ったか、もしそれが解明されさえすれば、生命の秘密に近づくことになる、と信じていた。彼の考えによれば、地球上の環境に何か対称でないものが存在して、非対称な力ができ、それが最初の生物に作用して対称でないひねりができた可能性が大きい、というのである。彼は生命について次のように書いている。「われわれの目にふれる形で示されている生命とは、宇宙が非対称的に機能しているという、その事実の結果である。……原始においては構造的にも外見上の形態の点においても、生物にはすべて、宇宙的な非対称性が機能しているのだ、と想像することさえできる。」

パスツゥールは、宇宙において、自然に存在する非対称のよい例が磁気であると信じていた。磁石の針を電線の上に置く。そしてその電線に、自分のほうから向こう側に電気が流れるようにする。すると磁石の針は電線に対して直角をなすように向きを変える。普通なら、磁針の北極が右にも左にも向くのに、このときには必ず、右のほうへ針が動く。19章で述べるように、これはただ非対称な現象であるように見えるだけなのである。けれどもパスツゥールの時代には磁気というものがよくわかっておらず、当時の科学者はみな、磁気は重力とか慣性力などの対称的な力とはちがって、基本的に非対称なのだと考えていた。パスツゥールはこの考えに従って夢のような実験をいくつか行なっている。たとえば、二つの強力な磁石の両極の間で結晶を成長させてみた。結晶の多くが、ある一方の向きになることを期待していたのである。彼の期待はむなしく裏切られた。磁気によって非対称な結晶や化合物を作ろうという試みは、完全に失敗に帰したのである。

パスツゥールはもう一つの可能性を考えていた。それは、太陽が空を東から西へ移動することが、いろいろな物質が非対称になるようにはたらきはしないか、ということだった。

地球には北と南という磁極が存在するから、この地球の磁力と太陽の動きとの組み合わせで、非対称性を作ることができるのではないかと考えたのである。パスツゥールは何枚かの鏡と時計の機械とを巧みに組み合わせて、太陽光が西から東へと移動するようなしかけを作ることに成功した。そしてパスツゥールは、このしかけの中で植物を栽培してみた。このようにして育てられた植物の中で、光学的に活性な物質が、普通とは逆方向に偏光を転換できるようにならないだろうかと考えたのである。この実験もまた、結果は失敗であった。

今日までのところ、一個あるいは複数の半生体分子がはじめてできたとき、どうして特定の向き方（カイラリティ）をもつに至ったのかは不明である。すでに見たように、生体内のアミノ酸はすべて一様に左巻きである。このことによって、タンパク質のらせん構造の巻き方が一様であることが十分に説明される。ヌクレオチドが自分の左巻きのひねりを核酸のコイルに伝えることについても同じことである。もし、自己複製のできる最初の分子がかりに何かの偶然で、右巻きではなく左巻きであったとしたら、そのときはもちろんその複製はすべて左巻きである。これでアミノ酸やヌクレオチドが一様に左巻きであることの説明がつく。非対称性からは非対称性が生まれる。最初の分子、つまり分子の「アダム」は自分と同じ巻き方のタンパク質とのみ結合する。当然その複製は何代にもわたってその同じ向きを受け継がせることになる。もし、自己複製能力をもった最初の分子の巻き方が逆であったとしたら、すべての生命は「反対巻き」になっていたであろう。

もう一つの可能性が考えられる。半分生物で、不完全ながら自己複製能力をもつ原始的な分子が何百万と、地球の原始時代の「熱いスープ」状の海に出現し、何か環境の中で非対称な特性がはたらき、これらすべて、あるいは大多数が左巻きのひねりをもつに至った、という考えである。パスツゥールの時代から、この線に沿った説がいろいろと試みられてきた。生命は北半球か南半球かのどちらかで発生し、コリオリの力が何らかの形ではたらいて必要なひねりができたのだ、という説がたてられた。この説によれば、もし生命が他の半球で発生していたら、現在のアミノ酸は左巻きでなく右巻きであっただろう。この説はあまり多くの人びとに受け入れられるには至らなかった。

よりまともな提案がある。楕円偏光（光が物質の表面で反射したときに得られる偏光）が地球の磁場といっしょにはたらいてひねりができたかもしれない、という説である。磁場の中で楕円偏光を使い、実験を行なったところ、一方の向きをもった化合物を合成することに成功した。地球の原始時代の海面で反射した光がこの種の偏光であった、ということは可能である。けれどもほとんどの生化学者は、この効果が地球初期の有機分子全体を左向きにしてしまうほど、強力だったとは信じていない。

一九三一年に、ロシアの科学者V・ヴェルナドスキーが驚くべき提案を出した。天文学者の中には、月がかつては地球の一部であったと信じている人たちがいる。ヴェルナドスキーはこの考えに沿って推論をたてた。月が地球から分離するときに何か巨大なねじれの力がはたらき、ちょうどそのころ生成しかけていた有機分子に左巻きのひねりを与えた、というわけである。

さらに別の説がジョセフ・ラッシュという物理学者によって唱えられた。彼は著書『生命の夜明け』（*The Dawn of Life*, Signet, 1962）の中で自説を次のように展開している。原始時代のスープ状の海の中には、おそらく、自己複製能力のある分子が右向きのものも左向きのものも、両方存在したであろう。どちらも、自分と同じ向き方をもった分子しか食料にすることができない。そこで左向きの分子に突然変異がおこって左向きの分子でも右向きの分子でも両方とも食料にすることができ、あまつさえ、右向きの競争相手さえ食料にすることもできるようになった。この突然変異した分子の子孫が増えるにつれ、その子孫は、自分と同じ向き方の分子しか食料にできない競争相手に対してずっと優位に立つことができた。必然的により融通のきく突然変異体の種だけが生き残ることになり、当然その左向きの性質が子孫に伝えられる。

このような突然変異がなくても、どちらか一方の向き方の分子がその鏡像にあたる分子と異系交配するという可能性はある。硬貨を一〇〇回投げ上げたとしよう。その結果、正確に五〇回だけ表が出て、残りの五〇回は必ず裏が出るということはほとんどおこりえないといってよい。同様にして、もし非対称な化合物が多数形成されたとして、右向きの分子の数と左向きの分子の数とが正確に等しくなるということもおこりにくいことである。そしてどちらの向き方が多かったとしても、その多いということのために競争に勝つ。たとえば、環境に急激な変化がおこって、右向き、左向きの両方とも、相当数の仲間を失ったとする。もともと数の多かったほうが生き残るチャンスが大きいのは当然である。

これらの説はいずれもほんとうに、仮説の域を脱しないものばかりである。この地球上の生命がどうやって一方の向き方を有するようになったかを知ることは誰にもできない。ただ数十億年前に何がおこったとしても、そのことは現在はおこっていないし、またおこらないというのが、おおかたの生物学者の信ずるところである。一つの理由は、すでにふれたように、海面で新しく半生命がつくられたとしても、それらはすぐさま微生物の餌食にされてしまうであろうからである。またもう一つの理由は、現在の海面の諸条件が地質時代の初期のそれとはまったく同じではないからである。植物によって地球の大気には酸素がいっぱい満ちている。これによって、太陽から放射される紫外線の多くがさえぎられてしまう。この紫外線の放射こそ、最初の有機分子の連鎖を生成するエネルギー源だったかもしれないのである。かくして何がおこっていたとしても、そのようなできごとはおそらく数十億年前におこらなくなってしまっていたはずである。

パスツゥールは、地球上の環境の中に何か基本的な非対称性があって、それは現在でも存在し続け、有機化合物に左向き、右向きのかたよりがあるのはこの非対称性によるものである、という考え方を支持していた。彼は何も見えない広大な暗闇の中を、最善を尽くして模索していたのである。非生物における対称と生物における非対称のみごとな対照が彼を魅了したのである。彼は鋭い直感で、まだどんな具合だかよくわかってはいないが、宇宙自身の核心に何か基本的な非対称性があるのだ、と確信していた。彼は「宇宙は非対称である」と明記している。彼は、磁気がこの普遍的な宇宙の巻き性《ハンデッドネス》を反映していると考えたところにまちがいがあった。そうはいうものの、後の章で述べるように、パスツゥールの直感が正しい――彼の時代には思いもよらなかったような形で――ということになるかもしれない、という可能性も残されているのである。とはいえ、われわれはまず、非対称性と四次元の問題について哲学的な考察を加えることが先決である。またコミュニケーションにまつわる頭の痛い問題にも同様の考察を加える必要がある。それによって、これから後の章で扱う物理学の問題を理解する手助けになるからである。

17 第四次元

エマヌエル・カントといえば、十八世紀ドイツの偉大な哲学者である。鏡の像に深い哲学的な意味があると考えたのは、このカントが最初である。対称的でない物体がいろいろとあって、それらには必ず自分の鏡像が存在する、ということはカントにとってはまったくわけのわからぬ、また不可思議なことであった。左右の非対称性についてカントが結論したいろいろな見解について考える前に、彼がこの問題にどのように接近していったか、そのときの気分を再現してみよう。

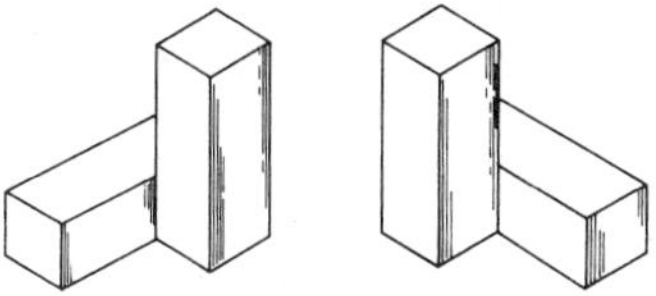

図53　左右像をなす多面体。

今、諸君の目の前のテーブルの上に、図53に示したように、互いに左右像になるような多面体があったとしよう。この一組の多面体は、あらゆる点についてまったく同様な幾何学的特性をもっている。一方の図形のある一辺に対応して、必ず等しい長さの一辺が他の図形のほうにもある。一方の図形のある角についていえば、必ずそれと等しい角が他の図形にも存在する。幾何学的特性で、片方がもっていて他方にはない、というものはない。ある意味では、これらの二つの図形はまったく同じ、つまり合同なのである。けれどもこれらの図形がまったく同じでないことは明らかである。

カントはこのことを、彼の有名な著書『プロレゴメナ』(訳注1)（*Prolegomena to All Future Metaphysics*）の第一三章で次のように述べている。「手や耳を鏡にうつすと、実物と像とは実によく似る。これ以上に似ているものがあるだろうか。そうかといって鏡にうつった片方の手を、自分のものと取りかえてもとの位置につけるというわけにはいかないのである。……」。

二つの物体がすべての特性についてまったく同様であり、しかもまぎれもなく異なっている。このことは、子供や未開の人びとがはじめて鏡を見ると何かうす気味悪いものに感じられるゆえんである。もちろん、鏡が気味悪く感じられる主な理由は、鏡の向こう側に見えるものが、こちら側にあるのと同様、あたかも実在しているかのように見えて、それでいて実はまったくの虚像なのだ、ということによるものである。小さな子供を当惑させたいと思ったら、夜、彼を暗い部屋の中の大きな鏡の前に立たせるとよい。そして懐中電灯をもたせるのである。鏡に向けて光を照らすと、光線は鏡の向こう側にあるように見える部屋にまっすぐに進んでいって、光を向けた対象物を照らし出す。部屋が二倍になって見えるだけでも気味が悪いのに、鏡の向こう側にあるものがすべて「反対向きになっている」ことに気がつくと、それがもっと気味悪く感じられる。同じ部屋であって、それでいて同じでないのである。

まさにカントがこのことを指摘したことによって、技術的な、かつ、もつれにもつれた議論が後をひくことになったのである。過去の数十年間というもの、カントは、バートランド・ラッセルとか他の科学的哲学者たちに心なくも物笑いのタネにされてしまった。一般の人びとは、カントは数学とか科学とかにはまるきりうとい、頭のボケた純粋哲学者、という印象すらもちかねなかった。ところが実は逆に、カントは、当時の数学にはよく通じており、科学的な訓練を十分に受けた人だったのである。彼はもともと物理学の講師として出発したのであり、彼の初期の著述はほとんどが科学の分野についての論文であった。アルフレッド・ノース・ホワイトヘッドのごとく、カントは数学や物理学の分野から始めて、生涯の後半に入ってはじめて、形而上学的理論の建設に手を染めたのである。彼の導き出した結論について、人がどのように考えるかは別として、ともかくも、彼が行なった近代科学の哲学への貢献の重要さは否定すべくもないのである。

カントがはじめて公にした論文は「活力測定考」(訳注2)(Thoughts on the True Estimation of Living Forces, 1747) で、彼がこの中で早くも n 次元の幾何学の存在を予知しているのは驚くべきことである。われわれの世界はなぜ三次元なのだろうか、というのが彼の発した問いであった。彼の結論は次のようである。このことと、重力のような力が、ある一点から、ちょうど球がふくらんでいくような形で空間中を移動することとが、何らかの形で結びついている。その結合の強さは距離の二乗に反比例する。もしかりに、神が、力が距離の三乗に反比例して変化するような世界をつくっていたとすれば、四次元の空間が必要になっていただろう。（カント自身はそこまでは述べていないが、同様にして、二次元空間の力はちょうど円が大きくなるような形で出ていくから、その変化は距離に反比例するはずである。）この宇宙観は、カントよりも一世紀前に、やはりドイツの偉大な哲学者であり、数学者であるゴットフリード・ウィルヘルム・フォン・ライプニッツが示したもので、カントはこの見方によっている。宇宙は物と切り離しては何の実体ももっていない。宇宙とは、物と物との関係の抽象的かつ数学的な記述にほかならない。数学者たちは、第四次元の概念に気づかないわけではなかったが、そのような考えはまったく価値のない、現実離れした憶測だとしてすぐに取り上げられなくなってしまった。非対称な立体も、より高次の空間で回転すれば左右の転換が（理論的には）行なえる、という事実には誰も考えが及ばなかった。メビウスの輪で有名なドイツの天文学者、オーギュスト・フェルディナンド・メビウスが一八二七年になってはじめて、このことを指摘した。したがって、カントがすでに一七四七年に「これら可能なかぎりの空間（三次元よりも高次の空間）のすべての種類についての科学は、限りある人知が幾何学の分野で企てることのできるもっとも高度な事業である」と書いているのは驚きに値する。彼は続けて次のように述べている。「もしかりに他の次元に拡大することが可能であるとすれば、神がそのような次元を実在のものにしているということは十分ありうる。なぜならば、神のみわざはその雄大さと多様さにおいて、不可能なことは何ひとつないからである。」けれども、そのような高次の空間は「われわれの世界の中にあるのではなく、まったく別の世界を形成しているにちがいない」のである。

カントが一七六八年に書いた「空間域の判別に関する第一基礎について」(On the First Ground of the Distinction of Regions in Space)という論文を見ると、彼の宇宙観がライプニッツのそれからニュートンのそれに変わったことがわかる。つまり、宇宙とは固定した絶対的なもの——十九世紀におけるいわゆる「エーテル」——であって、他の物質とは独立な、それ自体が実在なのである。そのような宇宙の存在を確立するために、カントは彼のことばでいう「不調和な片われ」——まったく等しい大きさ、等しい形で向きがちがうだけの立体図形、たとえば巻貝の貝殻、回旋植物、巻き毛、左右の手など——に注意を向けた。このような双子の物体が存在するということはニュートンの宇宙観が正しいことを意味するのだ、とカントは考えたのである。このことを証明するために、カントはとてつもない思考実験を試みた。以下はそのあらましである。

今、人間の片手以外、何も存在しない、まったく空な宇宙があったと仮定する。はたしてこの手は右手であるのか、それとも左手なのであろうか。左右像の間で、本質的な、測定できる形の差異がないのであるから、その手を右手とよぶか左手とよぶかについての基準がないことになる。もちろん、その手を自分が見ていると想像した場合には、すぐに右手か左手か決めることができる。けれども、そうすることは、自分自身を（自分の左右概念といっしょに）三次元空間の世界におくのと同じことになる。そうでなくて、宇宙にただ一つある手を考えるときは、他の一切の幾何学図形を頭においてはいけないのである。そうすれば、この手が右であるとか左であるとかいうことが、ちょうど、その手が大きいとか小さいとか、あるいは指が上を向いているとか下を向いているとかいうことが無意味であるのと同様、まったく意味をなさないのだ、ということがはっきりする。

今、例の手の近くに人間のからだが現われたとする。この人間のからだは両手がないことを除いては、完全な姿をしているものとする。腕が手首のところまではあるが、その先がないのである。もともと宇宙にあった例の手が両方の手首に合わないのは明らかである。片方の手首、たとえば左の手首にしか合わない。したがってこの手は左手である。われわれが直面した矛盾に気がついたであろうか。もし、あの手が、左の手首にうまく合うからということによって左手であることが証明されるのであれば、その手は、からだが現われる前から左手であったはずである。何か、その手を「左」であるとよぶための基準とか基礎とかが、たとえ一つの手だけしか宇宙に存在しなかったとしても、なければいけないは

図54　ジョニー・ハートの漫画に出てくる原始人が、右と左のちがいを説明しているところ（ジョニー・ハートとクリエイターズ・シンジケート社の許可による）。

ずである。カントはそのような基礎が何であるか説明することはできなかった。ただ、宇宙自体が何か絶対的な、客観的な構造——非対称な立体がどちらかを定義する方法を提供することのできるある種の三次元の格子をもっている、と仮定する以外には手はなかった。

*n*次元の幾何学に慣れている読者諸君にとっては、カントの思考実験でおこったことばの混乱を見抜くのにそう困難はないはずである。実際、カントの誤りをみごとに示すような記事が出たことがあった。一九六三年七月二十六日の各新聞にいっせいに載ったジョニー・ハートという人の漫画がそれである（図54参照）。B. C.というのがその漫画の題名であるが、その中で、一人の原始人が太鼓を発明する。彼はまず左手にもった棒で丸太をたたき、次に棒を右手にもちかえて丸太をたたく。そして、これを見ていた男に、どちらが右打ちでどちらが左打ちかという理由を説明するのである。

この漫画とカントの誤りとの関係を見てみよう。平面の世界に、平たい手がたった一つだけあったと考えてほしい。この手が対称的でないことは確かである。けれども、この平面上にほかに対称的でないものがなければ、それが左であるとか右であるとかいうことがまったく無意味である。われわれはこの平たい手を三次元空間の中で、表からも裏からも見ることができる。つまり一組の左右像のどちらとしてでも見ることができるのである。もし、ここに両手のない平面人を一人登場させて、彼に、自分の心臓のついている側を「左」と定義したとすると事情が変わってくる。しかしこのことで、例の手が平面人を登場させる前から「左」とか「右」とかでなければならない理由は一つもない。なぜならば、平面人を登場させる場合、われわれは彼を表向きにも、ひっくり返して裏向きにもしてやることができるからである。彼をある向きに置いてやれば手は左手になる。彼をひっくり返してやればその手は右手になる。心臓と反対側の手首に合うから「右」になるのである。

これは手がその向き方の方向を変えたからなのだろうか。あるいは、平面人の心臓が魔法を使ったか何かで、からだの一方から他方へ位置を変えたのだろうか。まったく、そのどちらでもない。手も平面人もまったく変化してはいない。ただ、この二者のお互いとの関係が二次元空間において変化しただけなのである。ただことばの問題なのである。ハンプティ・ダンプティ(訳注3)がいったように右とか左とかは、われわれがそれぞれ意味を与えるのであって、それ自体に意味があるのではない。宇宙にたった一つ存在する手を右とよぼうと左とよぼうと勝手である。平面人の左右についても同じことである。非対称でないものが二つ同じ空間に同時に存在して、そのどちらかに左とか右とかの呼称がつけられたときにはじめて、もう一方の呼称が任意でなくなるのである。

三次元空間においても同じことである。両手のないからだをもち出して、そのからだの心臓側を「左」とするという約束をしないうちは、そこにある手が右であるか左であるかが決まらないのである。もし、からだが四次元空間を使って「転換させられた」とすると、手の左右も自動的に変わる。手が一つしかないときにその手をまず「右」手とよんだとしよう。その後でからだが現われたとすると、そのからだの「右」手首は、定義によって例の右手がうまく合うほうの手首ということになる。ここで大切なことは最初のことばがまったく任意に選択されたということである。ハートの漫画に出てくる原始人が、片方の手にほくろがあるからそのほうを「左」とよぶことに決めたというのは、左右の決め方としてまったく正しかったのである。この漫画のおもしろさは、例の原始人の答え方にある。左手にほくろがあるから左打ちと右打ちとの区別がつくのだと答えるかわりに「ほくろのあるほうの手を『左』とよぶことに決めたから」と答えるべきだったのである。これは逆説でも何でもないのであって、ニュートンの絶対宇宙をもち出すまでもないことである。[原注1]

「不調和な片われとものそれ自体」(Incongruent Counterparts and Things in Themselves)(本書巻末の文献案内参照)という論文の中で、ジェイムス・ヴァン・クレーヴは簡単な例を引いてこのことを説明している。ボールが一つしかない宇宙を想像してほしい。そのボールは大きいだろうか、小さいのだろうか。もちろん、ボールはたとえばその分子よりは大きく、その体積は半球の体積よりは大きい。けれども、ボール自体についでは、このような質問は無意味である。では、この宇宙に(もとのボールより)大きいか、小さいボールをもちこんでみよう。二つのボールがあってはじめて、どちらが大きいか小さいかという区別が生まれるのである。

実際、固定した、ニュートンのエーテルをもってしても、宇宙自体が何らかの形で非対称になっていないかぎり、たった一つ存在する手の左右を決める手だてにはならないのである。たとえ、例の手が、球形だとか、円筒形、円錐形の宇宙の中にあるとか、あるいは、限りない宇宙があって、その中に線が立体的に格子状に引かれている、そういう中に手があったとしても、問題がわれわれにとって好転することにはならない。もし、宇宙が、とてつもなく大きな人間の手の形をしているということになれば、状況は一変する。手の形をした宇宙を「右」(あるいは「プラス」でも「陰」でもよい)とよぶことも自由である。すると、そこにある人間の手がもし宇宙の手と逆であれば、われわれはその手を「左」(あるいは「マイナス」でも「陽」でもよい)とよばざるをえなくなる。また、宇宙の中の非対称な「タネ」をもとにして、手の左右を決めることも可能である。あるいは、石英とか辰砂とかの非対称な格子構造のような、測地線(可能なかぎりまっすぐな道)の超微視的な格子によって決めることもできる。後の章では、ある種の素粒子の非対称な振る舞いに関する最近の発見と結びついて、このような考察が現在の最大関心事であることを述べるつもりである。

カント自身、例の思考実験からは何も得られないことを悟った。後に、彼はもう一度、ニュートンとライプニッツの理論を吟味しなおし、独自の方法でこれらを組み合わせ、彼の先験的理想主義をこれに加えた理論を打ち出した。彼の説明はこうである。ニュートンは宇宙を物質から独立のものとみなしたという点で正しかった。また、ライプニッツは宇宙の実体性を否定したという意味において正しかった。つまり、宇宙は、まさに実体でないがゆえに物体から独立なのであり、概念的な、主観的な様式なのである。そしてわれわれはこの概念的、主観的な様式を通して、われわれの理解のまったく及びもつかない超越的実体を考えているにすぎない。

空間と時間とは、一つのめがねにはまった二枚のレンズのようなものである。めがねなしにわれわれは物を見ることができない。われわれには、心の外にある現実の世界を直接知覚することはできない。ただ、空間‐時間というめがねによって伝えられてくるものを見るだけなのである。ほんとうの対象物、カントのことばでいえば、「ものそれ自体」(Ding-an-sich) はわれわれの空間‐時間を超越したものであり、まったくはかり知ることが不可能なのである。ルードウィッヒ・ヴィトゲンシュタインは『論理哲学論考』(訳注4)

（*Tractatus Logico—Philosophicus*, 6. 4312）の中で、「空間と時間における生命の謎への解答は空間と時間の外にある」と述べている。われわれは五感で知覚できることだけしか経験することができない。つまり、われわれが見、聞き、触れ、におい、味わうことのできる範囲の経験である。これらの知覚はある意味で幻覚である。このような知覚は、われわれの主観的な空間的時間的概念によって形づくられ色づけされたものである。ちょうど、色のついためがねで物を見ると、その物の色が変わって見えたり、物の影が、その影がうつる場所の形によって変わった形にうつるようなものである。

空間とは目にうつるものの群れ
時間とは耳にひびく歌声のこと（原注2）

カントは彼の論文『プロレゴメナ』の中で、次のように自問自答している。「それではいったい何が答えだというのか。」「これらのもの（鏡にうつった像）は、ものそれ自体が存在している状態を示しているのでもなければ、純粋な形でそれらを理解したときに得られるような認識の状態でもない。これらは、ただの感覚的な直観である。つまり、ある知られざるものそれ自体とそれ以外の何か、すなわちわれわれの感覚、との関係によって決定されるところの現象なのである。」

何世代の昔の哲学者のことばの意味を理解するためには、そのことばを、あえて現代のことばで現代の知識の助けを借りて、いい直してみるのが有効である。もちろん、多分に推測によらねばならないのはやむをえないことである。とはいうものの、カントが今日生きていたとすれば、おそらくは次のようなことをいったにちがいないのである。

すでに述べたように、十八世紀の数学者は、ユークリッドの幾何学をいくらでも高い次元で展開していくことができるということに、いまだ気がついてはいなかった。長さ一メートルの直線があるとする。これは一次元の図形である。二次元の世界では、一辺が一メートルの正方形がこれに対応する図形である。三次元では、これが一辺一メートルの立方体になる。このことは、好きなだけ新しい次元を加えて一般化することができる。超立方体といえば、一メートルの長さの辺が四本、どの一辺も他の三辺と直角になるようにして四方向に伸びているような立体のことである。このような立体の幾何学的特性については数学者が導いてくれるはずである。超立方体を含む、四次元の世界がないという理由はない。同様にして五次元、六次元、七次元といった世界もあってはならないという理屈はないのである。このような次元のピラミッドはいくらでも高くすることが可能である。そして、そのどの段階でもユークリッド幾何学が生きている。つまり、高校で教わるあのおなじみのユークリッド平面幾何、立体幾何が矛盾なく通用するのである。

いろいろな数学的技術を使えば、これらの高次元におけるユークリッド幾何学図形の特性についてはベールをはぐことができる。ところが、われわれの頭はそうはいかない。矢のように一方向に一様に過ぎ去っていく時間といっしょになったユークリッドの三次元空間の概念にとらわれてしまって、身動きならないのである。われわれは三次元の空間と一次元の時間の中で、広がりをもたずに存在するものを考えることはできない。正しい思考訓練を受けるとか、将来、人間の心が考えるためのより強い道具になりえたあかつきには、四次元の空間においてものを考えることができるようになるかもしれない。けれども現在のところ、われわれはそういうことができない。われわれは空間－時間というめがねを通して世界をながめている。そのめがねのレンズの一つは一次元の時間というレンズであり、もう一つは三次元の空間というレンズである。われわれは超立方体の構造がどんなであるかとか、他の四次元空間の構造がどんなであるかを考えることができない。われわれはただ、一定の方向に一様に流れる時間とともに動いていく三次元空間しか頭に描くことができないのである。

それはともかくとして、われわれには知覚したり想像したりすることができないが、超越世界、すなわち四次元空間の世界が存在すると仮定しよう。そのような超世界に住む超人が、図53にあるように、互いが鏡像になっている一組の非対称な多面体を見たとする。はたして、彼にはこの二つの物体がどのように見えるのであろうか。数学的には、はっきりした、まちがいのない答えを出すことができる。この二つの多面体はまったく同じに見えるし、互いに重ね合わせることもできるのである。

　このことを理解するには、二次元空間のことを考えればよい。図55にあるような非対称図形を見ていると考えよう。平面の世界に住んでいる平面人は、この二つの図形を見て、ちょうどカントが自分の耳と鏡にうつった耳とを見くらべて当惑したと同様な当惑のしかたをするであろう。平面人は不思議でしかたがないだろう。これほどよく似ているのに重ねることができないとは、と。われわれ三次元空間に住んでいる者にはこれがよくわかる。二つの図形は同じなのである。平面人がこの二つの図形が重なると考えられないのは、かわいそうに彼らがものをユークリッド幾何学の二次元空間のレンズを通してしか見ることができないで、二次元空間の世界にとらわれているからにすぎない。われわれはただ片方の図形をもち上げて裏返しにして、相対する点と点を合わせさえすれば両者を重ねることができる。裏返しにした図形を、そのままもう一つの図形の隣に置けば、平面人にも、この二つが、向き方をも含めてまったく同一の図形であることがわかるのである。平面人は三次元空間が知覚できないから、奇跡がおこったと考えるであろう。ある変形しない非対称な物体が鏡像に変わってしまったのであるから。けれども、われわれは物

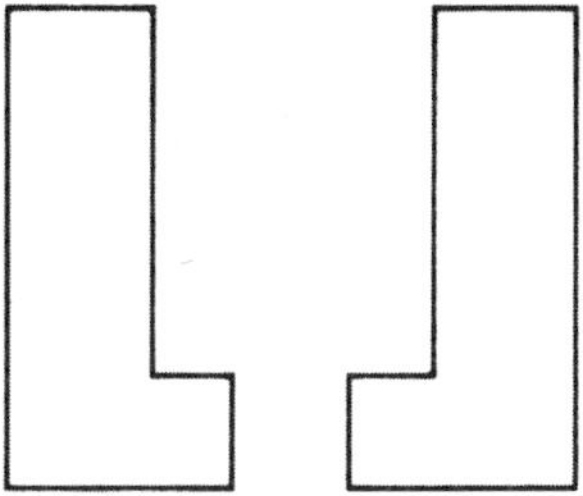

図55　左右像をなす多辺形。

体に対して何もしてはいない。伸ばしもしなければ、こわしたわけでもない。何も変えてはいないのである。われわれはただ、物体の二次元空間における位置——同じ空間における他の物体との相対的な位置——を変えただけなのである。

図53の多面体も同様にして同じであり、互いに重ねることができる。ただわれわれが超越した四次元空間のめがねを通してこれらの多面体を見ることができないので、この二つが同じだということがわからないだけなのである。もし、どちらかの多面体を超空間で回転させることができれば——いってみれば四次元の空間で裏返してみれば——われわれの目の前には向き方も同じ向きの、合同の多面体が二つあることになるはずである。

もちろん、カント自身がこのような意見を述べたわけではない。けれども、誰でも、まじめに、しかもカントの存在に関する立場を十分に理解したうえで憶測したとして、もしカントが二十世紀の数学的知識をもっていたとすれば、これまで述べたような議論を展開しただろうと考えることが、決して根拠のないことではない、と納得がいくはずである。

さらに興味のある読者は、カントの左と右に関する見解を示す本や論文について、巻末に掲げる文献案内のリストを参照されたい。

ライプニッツもまた、当時はいまだ発見されてはいなかったユークリッド幾何学の高次元空間について、直観的には気がついていたはずだと、著者は確信している。彼はかつて、もし宇宙全体が突如として裏返しになって、その中にあるものすべてが鏡像になってしまったとしたらどうなるだろう、と考えたことがあった。彼は、何もおこらないだろうと結論した。裏返しになった、などということは無意味である。なぜならば、そのような変化を認める手段が何もないからである。ライプニッツにいわせれば、なぜ神が逆向きではなく、今のような具合に世界をつくり出したのか、などという疑問は「どうにも許しがたい」疑問なのである。

この疑問をユークリッド空間のいろいろな水準《レベル》に照らして考えてみると、ライプニッツが正しいことがすぐにわかる。平面の世界全体を「裏返し」にするためには、ただ紙をひっくり返しにして図形を裏からながめればよい。紙をひっくり返す必要もないくらいである。部屋の中央に鉛直に立てた一枚のガラスを考えよう。このガラスの上にある平面の世界を、ガラスの一方から見たとき、かりにそれが左向きの世界だったとする。ガラスの反対側にまわって逆のほうから同じガラスをながめると、今度はそれが右向きの世界になっているのである。

練習問題11　スミス夫人がある銀行に入ろうとガラスの扉を押そうとした。そのとき、その扉に黒い大きな字でTUOと書かれているのを見て首をかしげてしまった。いったい、これはどういう意味になるだろうか。

どちらから見ようと、平面の世界自体は少しも変化はしない。変化するのは、三次元空間における、平面の世界とそれを見ている自分との位置関係なのである。これとまったく同様に、四次元空間の住人が、われわれの台所にあるコルク栓抜きを見たときにもいえる。一方から見ればらせんは右巻きに見えるが、もう一方から見れば左巻きのらせんに見えるのである。彼がその栓抜きをもち上げてそれを裏返しにしてから、われわれの世界にもどしたとする。われわれはそれを奇跡がおこったと思う。コルクの栓抜きが、いったん消えたかと思うと今度は裏返しになって現われるのである。

左右像は、互いに計量的な特性が同じであるだけではない。位相学上も同じ特性をもっている。縄を輪に結んだとき、右向きに結んだ結び目を左向きの結び目に変形させることはできないが、この二つの輪は、位相学上は同等である。このことは小さな子供のほうが大人よりも鋭く把握するようである。ジャン・ピアジェとビーベル・インヘルダーの二人は『子供の空間形成』（*The Child's Conception of Space*, Humanities Press, 1956）という本を著わし、その中である実験結果を報告している。それによると、子供たちは実際、ユークリッド幾何学的特性、たとえば形とか、左右の区別などを認識する以前に、位相学的特性を認識する、というのである。たとえば小さな子供に三角形を見せてそれを描いてみろというと、子供はよく円を描く。彼らにとっては、三角形の角とか辺とかは、その図形が閉じた曲線であるという特性にくらべてずっとささいなことなのである。円が二つあって、その一方は円の周囲の色が、時計方向に行くにつれて一定の順序で変化するように塗られている。もう一つの円にはちょうど、これと反対に時計と反対回りの方向に行くにつれて、先ほどと同じ順序で変化するように色が塗ってあるとする。この二つの円は子供たちには同じに見えるらしいのである。何も、どちらか一方を裏返しにすれば二つの円が同じになる、と考えるのではない。もともと、二つの円がちがうと感じないのである。このことは、強い右利きの子供たちが、よく単語の文字を逆から綴ったり、ときには単語自体を逆に書いたりすることの説明になるかもしれない。

われわれの頭はもともと、カントが想像していたよりもずっと柔軟なのかもしれない。われわれが、超立方体のような四次元空間の構造を目に浮かべて想像できないのは、ただ、われわれの記憶がすべて、三次元空間の世界での経験から引き出されてきている、という事実によるのかもしれない。では適当なおもちゃを与えて訓練すれば、子供たちは四次元空間でものを考えることができるようになるのだろうか。この問題を真剣に取り上げた数学者も何人かはいたが、もちろん、これはむしろSF小説でおなじみの話題であり、とくにルイス・パジェットの小説「ボロゴーヴはミムジイ」(訳注5)(Mimsy Were the Borogoves)は有名である。

四次元空間の超立体には鏡像があるのだろうか。つまり、どの点について見ても形が同じで、ただ向き方が反対な超立体があるか、ということである。そのとおりで、この二重性はどの次元でも存在している。一次元では、図形を鏡像に転換する鏡は点であった。二次元では線、三次元では平面、四次元では立体という具合であった。次元が高くなっても同じことである。次元がnであれば、$(n-1)$次元の「表面」がn次元の図形の「鏡」になる。次元をnとすると、このn次元にある非対称な図形を鏡像にするには$(n+1)$次元の空間を使ってその図形を回転させればよい。われわれが想像する二十世紀に生きるカントに、再び登場してもらうことにしよう。彼ならばこのことをどう表現するであろうか。「空間と時間を超越したところにいる神自身の『純粋理性』によってのみ、あらゆる空間の左右像が実はすべて合同で、かつ互いに重なり合うことができる、ということが理解できる」のである。

非対称な立体を四次元空間を使って転換させるということをSFに使ったのは、H・G・ウェルズであった。「プラタナー物語」(訳注6)(The Plattner Story)は彼の傑作であるが、その中にゴットフリード・プラタナーという若い化学の先生が出てくる。この先生が妙な緑色の粉末を爆発させて、四次元空間へ吹き飛ばされてしまう。この暗い「別世界」には巨大な緑色の太陽が輝き、地球上のものとは似ても似つかない生物がうごめいている。ここでの九日間、彼が何を経験するかは、諸君に直接本を読んでいただくこととして(ウェルズの『二十八の科学空想物語』(*28 Science Fiction Stories*, Dover, 1952)の中にある)、ここでは先を急ぐことにする。彼は四次元空間で九日間過ごしたあと、ふと丸い石につまずいてしまう。するとポケットにあった緑色の粉末の瓶が爆発して再び三次元空間に吹き飛ばされてもどってくる。けれども彼のからだが裏返しになってしまっている。彼の心臓は右についているし、ものを書くには左手で、しかも普通の書き物を鏡にうつしたときのように書いてしまう。(原注3)

ウェルズの四次元空間に出てくる、わけのわからぬ口のきけない生き物は、実はかつて地球上に生きていたものたちの魂なのである。からだから離脱した魂がより高次元の空間に住むという考え方は、ウェルズの時代の心霊術者の間で盛んであった。現に、霊媒が四次元空間と接触できるという証拠として、非対称なものをその鏡像に変えてみせるようにせがまれることもときどきあったほどである。アメリカ人でヘンリー・スレイドという頭のよい霊媒がいた。十九世紀の後半に世界的に有名になった男であるが、彼は降霊術の会で、自分は物を四次元空間と三次元空間の間で行ったり来たりさせる力をもっていると明言したのである。その彼が好んで使ったトリックがある。それは、結び目のないひもの輪に結び目を作ることであった。そしてこのトリックを手際よくこなしては、結び目ができたのは、このひもの一部が高次元空間を通ったからだ、と説明したわけである。ドイツ人でヨハン・カール・フリードリッヒ・ツェルナーという人がいた。彼は天文学者でもあり物理学者でもあったが、この人は真に間の抜けた人であった。まじないがどんなトリックで行なわれるかなどということに関して、信じられないほどに無知だったのである。彼はスレイドの子供だましの魔法にすっかり魅了されてしまった。そして『超物理学』(*Transcendental Physics*) という本を著わし、その中でスレイドがペテン師であるとのそしりに対して彼の弁護をしているのである。この本が著者の意に反して愉快な本となったゆえんである。(原注4)

スレイドがまぎれもなく四次元空間の霊魂と接触したのだという絶対的な証拠を得ようと、ツェルナーは一度、ある提案をした。それは、例の霊媒に右旋の酒石酸を転換させて、偏光が右の偏光面でなく左の偏光面をもつようにさせるということであった。ツェルナーはまた、スレイドのところに右巻きや左巻きの巻貝をもって行き、それぞれを鏡像に変えられるかどうか、試してみた。このようなことは、ひもの輪の一部を四次元空間に通して結び目を作るのと同様、造作ないことのはずであった。けれども、まじないをするほうの側からいうと、少々ややこしいことだったのである。スレイドがこれを行なうためには、まず偏光面を左にするために左旋の酒石酸を手に入れなくてはならなかった。そしてこの左旋の酒石酸は実験でもなかなか合成しにくい物質なのである。まして、ことが貝殻に至ってはさらに難解なことであった。まったく形や色が同じで、巻き方が反対の貝殻など、探すべくもないからである。すでに、お察しのとおり、この肝心な実験はどちらも失敗に終わった。けれども、ツェルナーの固い信念の殻が少しもへこまなかったことはいうまでもない。

いつの日か、高次元空間の存在が単なる数学上の抽象概念だとか、心霊術者とか神秘主義者のとっぴな推量ではなくて、実際に科学がこれを証明するようなことができるのであろうか。今日ではいまだ、じれったいほどのヒントしかつかめてはいないが、最終章に出てくる一般化されたカルーツァ－クラインの理論のように、可能なことである。相対論の四次元連続体では、三次元空間と時間とはこの連続体の中で結びついている。そしてこの連続体は数学的には四次元の非ユークリッド幾何学として扱われている。ところで、これは四つの空間座標からなる四次元空間とはまったく異なったものである。他方、理論的には実験できるような形で、実際に三次元空間が四次元空間の中で曲がっているような宇宙のモデルが数多く考案されている。たとえばアインシュタインは、宇宙飛行士がどちらの方向でもよいからできるだけまっすぐに、十分遠くまで歩いていくと、もとの位置にもどってきているような宇宙のモデルを考え出したことがある。このモデルではわれわれの三次元空間の世界が巨大な超球形の超表面として扱われている。そのまわりを歩くというのは、ちょうど、平面人が球の表面を歩くのに似ている。

他の宇宙モデルでは、超表面が四次元空間の中でねじれているというものがある。ちょうど、クラインの壺（管）とか射影平面のような二次元表面のねじれを類推すればよい。これらの表面は閉じていて、片面だけで端がない。ねじれ方は、メビウスの輪がねじれているように、自分の平面自身でねじれている。たとえば、球の表面の各点と、ちょうどそ

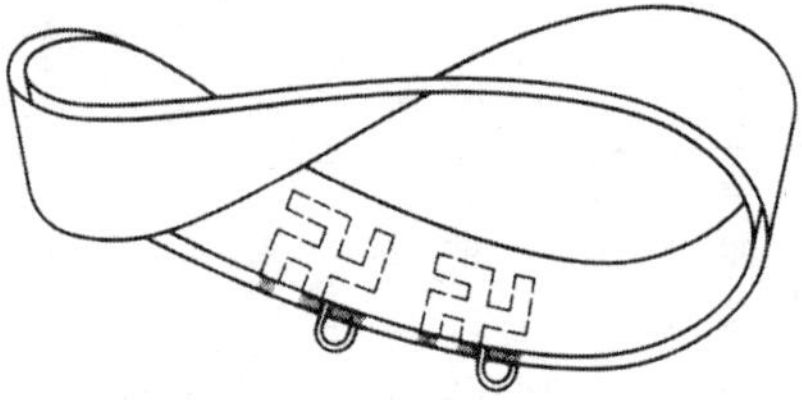

図56　二重メビウス短冊を使った実験。

の反対側の各点とを結んだと想像すると（実はこれは想像することはできないので、数学的に計算しなければならない）、位相幾何学でいう射影三次元空間のモデルが得られる。この射影三次元空間を宇宙飛行士が歩いてもとの場所へ帰ってくると、そのときにはH・G・ウェルズの小説に出てくるプラタナー先生のように反転してしまっているはずである。

　どうやって宇宙飛行士が反転してしまうのかを理解するためには、次のような実験をしてみればよい。まったく同じ細長い短冊を二枚作る。この二枚を重ねて、そのまま（一枚の短冊をひねるように）短冊を半分ひねって図56に示したような輪を作る。こうしてできたモデルはこれまでおなじみのメビウスの輪とは多少ちがっている。(原注5)二枚の輪の間の空間がメビウスの輪と同じことになる。この空間の両側にある紙は、厚みがゼロのメビウスの表面のカバーだと考えればよい。今度は色のついた紙で二枚のまんじ形（卍形）を作って切り抜く。二つの切り抜きを、二重になったメビウスの輪の間にはさんでクリップで輪にとめる。二つのまんじ形は互いに向きが同じになるようにならべて置くことにする。一つのまんじ形のクリップをはずし、メビウスの表面に沿って「二つ」の輪の間をずらしてもとの位置まで動かす。
二つのまんじ形を比べてみよう。輪を一周したほうの切り抜きの向きが変わっていることにすぐに気がつくはずである。二つのまんじ形はもはや重ね合わせることができない。もちろん、まんじ形をもう一周させればもとの向きにもどる。メビウスの表面と同じような方法で四次元空間の中でひねった宇宙を一周してきた宇宙飛行士にも、同じような反転現象が三次元空間においておこるはずである。

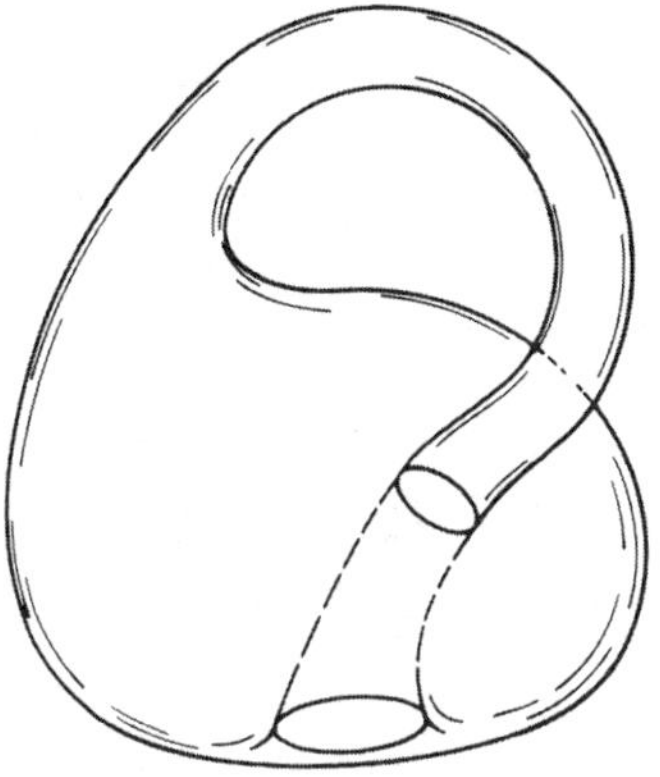
図 57　クラインの壺（管）の模型。

練習問題12　図57には、クラインの壺、つまり、唯一表面からなり、端のない立体の絵が示してある。もし、この表面上に、対称でない平面人が住んでいたとして（ただし、この平面人には厚みがまったくないものとする）、彼に、この宇宙を旅行させる。はたして、この平面人がもとにもどったとき、彼が環境に対して、ちょうど旅行に出る前と逆の関係になっているということが可能であろうか。

（原注1）　カントの宇宙に関する初期の論文の英語版については、ジョン・ハンディサイド訳、『カントの教授就任論文と初期の宇宙論』（*Kant's Inaugural Dissertation and Early Writings on Space*, Open Court, 1929）を参照のこと。思考実験については『カントの純粋理性批判に関する論評』（*A Commentary on Kant's Critique of Pure Reason*, Macmillan London, 1918, pp. 161-166）の中の「不調和な片われの矛盾」（Paradox of Incongruous Counterparts）という題名の部分でノーマン・ケンプ・スミスが論評を行なっている。同じくこの思考実験については、ハンス・ベイリンジャーも初期のドイツ語版に論評を載せている。

（原注2）　この二行はウラジーミル・ナボコフの美しい詩、「淡い火」（Pale Fire）の第二歌から引用したものであるが、この二行こそ、同じ表題のきてれつな著書の核心を表わすものである。この詩は、ナボコフがつくり出した詩人、ジョン・フランシス・シェイドによってつくられたとされている。本書の第一版で、私はジョークとして、シェイドの名前だけをこの詩の作者として紹介した。ナボコフはこのジョークを受けて、彼の『アーダ』（*Ada*）（回文になっていることに注目）という小説で、そのお返しをしている。この小説の中では、この地球の鏡像対称であるアンチ・テラ（反地球）で物語が展開するのであるが、この本の五四二ページで、ナボコフはこの二行を繰り返しており、この詩は、「『自然界における左と右』

の中で架空の哲学者（マーティン・ガーディナー）によって、引用されている近代詩人」作である、といっている。

（原注3） 四次元空間で反転した人間を描いたもので、ウェルズのパイオニア時代よりも、より現代知識に即応した作品が二つある。一つは、アーサー・C・クラークの「エラー」（Technical Error）（『明日への到達』（*Reach for Tomorrow*, Ballantine, 1956）に収録）とジョージ・ガモフの「向こう側の心」（The Heart on the Other Side）（フレデリック・ポール編、『すぐれた夢想家』（*The Expert Dreamers*, Doubleday, 1962）に収録）である。

（原注4） ツェルナーの著書は、はじめドイツで一八七九年に出版されたが、後に英訳され、かなりの版を重ねた。コナン・ドイル卿は、その著書『心霊主義の歴史』（*History of Spiritualism*, George H. Doran, 1926）の中で、スレイドを弁護するのに一章を費やしている。『アメリカ心霊研究学会論文集』（*Proceedings of the American Society for Psychical Research, Inc.*, vol. 15, 1921）の第二部に、ウォルター・F・プリンスの書いた「アメリカで酷評された霊能の調査」（A Survey of American Slate-Writing Mediumship）というのが載っており、スレイドがどのように人の目をごまかしたか知るうえで興味深い。さらにスレイドの巧みな香具師《やし》ぶりについて知りたい向きには、ジョン・マルホランドの『心霊術師にご用心』（*Beware Familiar Spirits*, Scribner, 1938）ならびにハリー・フーディニーの『霊魂の魔術師』（*A Magician among the Spirits*, Harper, 1924）を参照されたい。

（原注5） 実際には輪が二本あるのではなく、一本しかないのである。この二重になったメビ

ウスの輪の興味深い特性については、拙著『サイエンティフィック・アメリカン・ブック――数学パズルと遊び』(*Scientific American Book of Mathematical Puzzles and Diversions*, Simon & Schuster, 1959)を見よ。これは『六角形の折り紙遊びと他の数学的遊び』(*Hexaflexagons and Other Mathematical Diversions*, University of Chicago Press, 1988)として再版された。グラハム・ネルリッチがいったように、計量的なカイラリティ(手型性)と位相数学上のカイラリティとを区別するのを忘れないほうがよい。左の耳は、限りなくデフォルメして右耳にさせることができるが、同じことをいくらやっても、メビウスの輪をその鏡像対称に変形させることはできないのである。


(訳注1) 邦訳書『プロレゴメナ』篠田英雄訳、岩波文庫、一九七七年。

(訳注2) 邦訳は「活力測定考」という題で『カント全集』第一巻、七ページ以降(亀井裕訳、理想社、一九六六年)に所収。

(訳注3) ルイス・キャロル『鏡の国のアリス』に出てくる卵形人間。この名前は「ずんぐり、むっくり」の意がある。

(訳注4) 邦訳書『論理哲学論考』坂井秀寿、藤本隆志訳、法政大学出版局、一九六八年。

(訳注5) 邦訳は「ボロゴーヴはミムジイ」。同名の書(小尾芙佐、他訳、早川書房、一九七三年)に所収。

(訳注6) 邦訳は「プラトナーの話」。『ウェルズSF傑作集＝1』(阿部知二訳、創元推理文庫、

一九六五年）に所収。

18 オズマの問題

科学者の間でいろいろな意見のある問題に、実験的な資料が不足していると、科学者の意見は時計の振り子のように両極端に行ったり来たりしてしまう。ちょうど、女の人の服の流行のようで、あるときには長いスカートがはやったかと思うと、次にはミニスカートがはやり、またマキシスカートになる、といった具合である。著者が大学にいたころは、この宇宙には惑星はごく少ししか存在しない、というのが天文学者の間での定説であった。これによれば、地球は、二つの太陽が衝突したか、しそうになるほど接近したためにできたのであり、このようなことはめったにありえないことである。したがって、この宇宙広しといえども、生命が存在するのはこの太陽系に限られたことであり、おそらくは地球以外には生物は存在しないだろう、と信じられていた。今日では、いろいろな情報も手に入り、意見はほとんどこれとは反対に傾いている。現在では、多くの天文学者が、惑星は宇宙のいたるところにごくありふれて存在すると考えている。おそらく、われわれのいる銀河系宇宙だけをとってみても何十億という数の惑星があるだろうし、その中の何百万かの惑星には、かなり知能の高い生物もいることであろう。もし、そうであるとすれば、これらの惑星に、われわれ人間と同じくらい知能の発達した生物がいて他の惑星と交信したがっているということもありうることである。

一九六〇年、オズマ計画はこうした仮説のもとに開始された。ウエスト・ヴァージニア州グリーン・バンクの強力な電波望遠鏡が、銀河系のいろいろな恒星に向けられた。別世界からのメッセージを求めて、組織的な探索を行なうためである。この計画の指揮に当たったのはフランク・D・ドレイクという電波天文学者で、彼は長い間、L・フランク・ボームとその著作であるオズ・シリーズの愛好者であった。彼は、ボームの本に出てくる架空のユートピアの支配者オズマにちなんで彼の計画をこう名づけたのだが、うまい名前である。オズの国がどこにあるのかはわからない。ティン・ウッドマンとスケアクロウの証言によれば、そこの住人は「類人間《ヒューマノイド》」ではあるが、必ずしもわれわれのように「肉人間」ではない。それに、オズの国は四方を死の砂漠に囲まれていて、誰でも、その砂粒に触れただけで命がなくなってしまうのである。この物語の登場人物の一人にノム・キングというのがいる。彼には「長耳の聴き屋」という召使いがいる。その召使いの耳は、さしわたしが一メートルもあるという代物で、これを地面につければ、数キロメートル離れたところの物音でも聞くことができる。つまり、電波望遠鏡がフランク・ドレイクの「長耳の聴き屋」というわけである。この電波望遠鏡はじっとしんぼう強く、何か信号がないかと耳を澄まして聞き続けた。聞こえるとすれば、信号はおそらく簡単な一連の数字の繰り返しか何かのはずである。そのような信号があれば、送り主が、数字の普遍的な法則が理解できるほどの知能をもっている、ということになるからである。それにしても、そのような信号をとらえることができるかどうかというのは、まったく雲をつかむような話である。けれども、もしそのような信号が聞こえたとしたら、われわれのように自己中心的な、地球にこだわった考え方をする者にとって、どれほどショッキングなことであろうか。

もしこのような信号を聴取したら、われわれはどうすべきか。物理学者の楊振寧（彼については、さらに後でふれる）は一つの暗示を与えている。すなわち「返答するな！」と。しかし、このような反応はありそうにもない。すでに数学者や論理学者は、二つの遊星間が互いに話しあえる共通言語が徐々にできるような、段階的な手続きに懸命である。一九六二年、ドイツの数学者、ハンス・フロイデンタールは、『リンコス――宇宙交信のための言語』（*Lincos: Design of a Language for Cosmic Intercourse*）という本を書いているが、以下は大部なその著の第一部の粗筋である。符号が何であれ、それを使って交信を円滑にすることができる。いったん接触さえすることができれば、こみ入った絵を伝送するのでさえ簡単なことである。粗っぽいやり方ならば、長方形をグラフ用紙のように細かい正方形に分けて、それに1か0かの二進法の信号を送る。そして上から下へ、左から右へと走査しながら、どの正方形が黒いかを指示すればよいのである。走査線を使えばもっとくわしい絵も、テレビの動く画像も送ることができる。伝送に時間がかかるので（地球にもっとも近い星まで電波が届くのに四年以上かかる）、問題が多少めんどうにはなるが、それでも、言語のちがう地球上の二国間どうしで交信するのとほとんど同じように容易に、二つの惑星間で交信ができるようになるのも、ただ時間の問題である、ということに疑いをはさむ人は誰もいない。

ところが読者諸君は、どうやって長方形に描いた絵を伝送するか説明した個所で、「左から右へ」ということばが使われていたのに気がついただろうか。遠くにある惑星――かりにX星とよぼう――の住人が彼らの長方形を左から右に走査しないかぎり、その長方形には、われわれが送ろうとしている絵のちょうど鏡像にあたる絵ができてしまう。どうしたら、彼らに「左から右へ」ということをわからせることができるだろうか。

われわれがすでにリンコスのような言語と絵によって、X星と自由に意思を通じ合うことができるようになっていると仮定しよう。われわれは彼らに、長方形を「上から下へ」そして「左から右へ」走査するように頼んだ。彼らが「上から下へ」ということの意味を取りちがえる心配はない。「上」とは惑星の中心とは反対の方角であり、「下」とは惑星の中心に向かう方角であるから。「前と後ろ」も問題ではない。けれども、上、下、前、後ろの意味が定義されたとして、第三の方向を示す一組のことば、「左と右」を、われわれが理解しているのと同じように彼らにわからせるにはどうしたらよいであろうか。たとえば、われわれが右巻きらせんとよぶらせん形の絵を伝送したとしよう。彼らがこの絵を同じ巻き方（ハンデッドネス）のとおり受け取ったかどうかを確かめるにはどうしたらよいだろうか。もし、彼らが「左から右へ」というのをわれわれと同じように理解していれば、絵は同じものができるであろう。けれども、彼らがもし逆に走査したとすれば、われわれの右巻きのらせんの絵は、X星では左巻きのらせんとして記録されてしまう。要するに、われわれはいかにしたら、X星に左と右の意味を伝えることができるか、ということである。

　これはやっかいな問題である。昔から考えられてきた問題ではあるが、なぜか名前がない。(原注1) 私はこれを、「オズマの問題」とよぶことにする。もっと正確にいうと、パルス信号の形で伝送された言語によって、「左」の意味を伝える方法があるか、ということである。この問題に関して、われわれはいくらでも相手が満足するようないい方をするだろうし、彼らが実験をしたいといえば、どんな実験をしてもかまわない。ただし、ただ一つ条件があることを忘れてはならない。その条件とは、われわれと、彼らとの間で、共通に観察しうる非対称な目標とか構造物とかが何もない、ということである。

　この条件さえなければ、何も問題はないのである。たとえば、人の絵を描いて、それに、「上」、「下」、「左」、「右」と書いて、その絵をロケットでX星に送りこめばそれで問題は解決である。絵を見ればすぐに何が「左」なのかがわかる。あるいは、円偏光でらせんのひねりが加わった放射を送ってもよい。X星人がアンテナを建てて、偏光が時計方向回りだったか、反時計方向回りだったかを決めることができれば、簡単に「左」についての理解ができる。あるいは彼らに、ある一定の星が非対称な形態に集まっているところに望遠鏡を向けてもらって、この星群を左右の定義の基礎に使うこともできる。けれどもこれらはすべて、お互いの間で、共通に観察できる非対称な目標とか構造物とかがあってはならない、という条件に反する。

では、何か、幾何学図形を描くように指示を送って、それで左をわからせることができるであろうか。少し考えれば、これもだめであることがわかるであろう。どんな非対称図形もすべて、右向きのと左向きのと二つあるからである。われわれとX星人との間で共通な左右概念をもつまでは、二つのうちのどちらを考えているのか、相手に知らせる方法はない。たとえば彼らに、ナチス・ドイツのカギ十字（卍）を描くようにいったとする。そして、そのカギ十字のカギが向いている方向を右と定義してみよう。残念ながら、彼らにナチス・ドイツのカギ十字といってみても何のことかわからないのである。カギ十字のカギはどちらにでも向くことができるから、われわれが左右を定義するまで、カギ十字を正しく描くために必要な、明確な指示を与えることはできないのである。

もしかすると、化学の分野に何かよい定義が見つかるかもしれない。X星人に、偏光にある方向のひねりを与えた石英とか辰砂の結晶を見分ける方法を説明することができるだろうか。できる。ただし、そのような結晶がX星にあったとしても、それ自体何の助けにもなりはしない。11章で述べたように、光学活性の結晶は右向きのものと、左向きのものと両方あるからである。事前に左右の理解を共通にしておかないかぎり、彼らが発見したり、実験室で育成したりした結晶標本が右向きであるか、左向きであるかを知る方法はないのである。

同じあいまいさが、光学的に活性な立体異性体にもあてはまる。偏光にひねりを与えることができる化合物はすべて、つまり、分子の中で原子が非対称な配置になっている化合物はすべて、右向き、左向きの両方がある。われわれとX星人との間で、酒石酸について共通の理解をもつことは簡単にできる。けれども、X星人が見つけたり合成したりしたものが、はたして右向きなのか左向きなのかを知るすべは何もないのである。

それでは、生体内の炭素化合物はどうであろうか。前に地球上の生体内にあるアミノ酸はすべて左向きで、タンパク質と核酸のらせん形はすべて右巻きであることを述べた。X星人のからだが炭素化合物でできているとしたら、彼らもタンパク質や核酸のらせん形をもっているはずである。とすれば、アミノ酸ももちろんもっているにちがいない。それでは、そのように炭素化合物の構造を基礎に、左右を定義することはできないだろうか。これもだめである。すでに述べたように、われわれの炭素化合物が今のような向き方になっていることはまったくの偶然なのである。われわれの知るかぎりでは、もし、進化の最初の段階で何かの拍子に、ことが逆に始まったとして、この地球上の生物にある炭素化合物が逆向きにならなかったという理由がないのである。まずはじめに、右とか左とかの定義がなければ、彼らX星人のアミノ酸が右向きであるか、左向きであるかを知ることはできない。

彼らの惑星が地球と同じように、ある軸を中心に回転しているとしよう。この回転をもとにして、左右を定義する方法が何かあるだろうか。地球が自転することは、重いおもりを長い針金につるして、それを前後に振ることによって示すことができる。この装置は、この実験をパリで一八五一年にはじめて行なったフランス人の物理学者、ジャン・ベルナルド・レオン・フーコーにちなんでフーコーの振り子として知られている。揺れ動くおもりの慣性によって、その振動の方向は恒星に対して一定である一方、恒星に対して地球は自転していく。フーコーの振り子は、北半球では、時計回りに回転するが、南半球では反対向きに回転する。ところで、X星人に対して、北半球、南半球をどう説明すればよいだろうか。まさか、「赤道上に、惑星の自転の方向に向いて立ちなさい。そうすればあなたの左手のほうが北半球になります」とはいえない。これでは「左」が先にわかっていなくてはならないからである。X星人にどちらの半球が北か南かをはっきりわからせないかぎり、フーコーの振り子も役には立たない。惑星にはたらくコリオリの力の結果おこる、いろいろの非対称な現象についても、同じことがいえる。「赤道から北極に向けてミサイルを撃ってごらんなさい。ミサイルがそれていく方向がわれわれのいう『右』です」というわけにもいかない。このようないい方は、まず、どちらの極を北極とよぶかという約束がないかぎり、やはり、あいまいである。そしてそれを決めるためには、左、右をまず決めておかなければならないのである。

おそらく、X星にも、自転の軸の両極とほぼ等しいところに磁界のN極、S極があるにちがいない。このほうは手がかりにならないだろうか。これもだめである。まず第一に、われわれは惑星の磁力の正体をつかんでいない。おそらくは、惑星の自転と関係があるのだろう。けれども、どの惑星でも自転の方向に向いて左側のほうにある極が必ずわれわれのいうN極である、と確実にいえるわけではない。あるいは右にあることがあるかもしれない。太陽は常に一定の方向に自転しているが、すでに6章で述べたように、その磁極のN極とS極は、ときどきひっくり返ってしまう。つまり、N極がS極になったり、逆になったり、という具合である。地球は約五十万年ごとに磁極が逆になるのだが、その理由はまだ十分にわかっていない。今のところ、X星の磁極がその自転の方向に対してどのようになっているか、知るすべがない。また、たとえわかったとしても、それが、左右を定義するうえで、何の役にも立たないことは、次の章で述べるとおりである。

しかし、一つの可能性が残されてはいる。電気力と磁気力に伴っておこる非対称な現象である。もっとも身近な例をとることにしよう。針金に電流を流すと、その周囲に磁場（磁界）ができる。このとき、磁力線の方向は、電流の流れる方向に対面して反時計回りになる。電流は電線の中を電池の陽極から陰極へ流れると考えられるから、この非対称性のことを右手の規則とよぶ。右手の親指が、電流の方向を向くようにして電線を握ると、ちょうど、他の四本の指が磁力線の方向を向く、というのである。

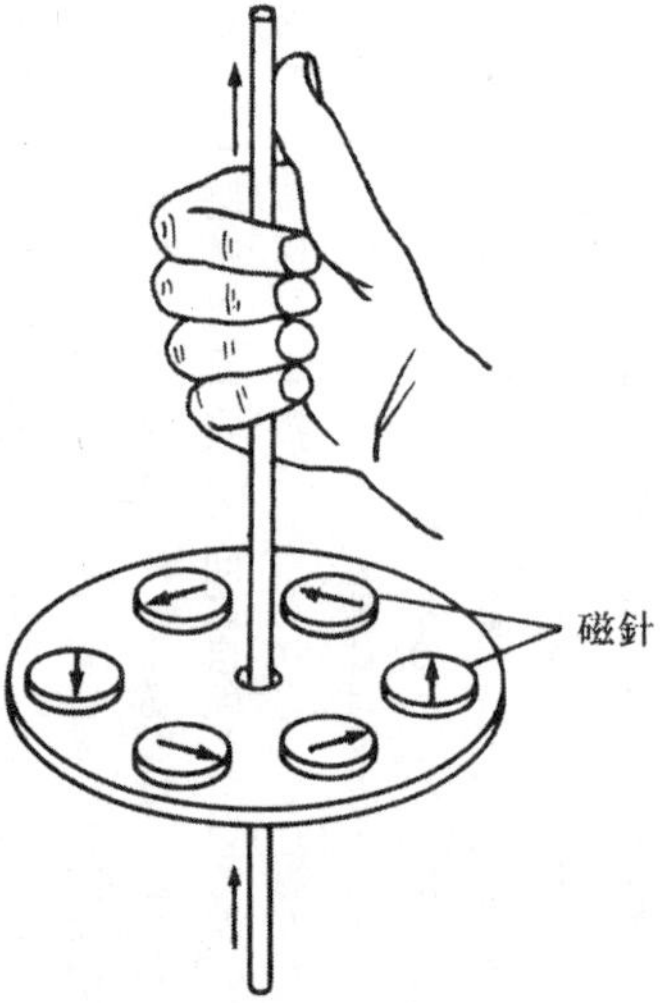

図58　電流のまわりの磁界の向きを決める右手の規則。

では、右手の親指を電流の方向に向けて電線を握ると、他の指がその電流による磁界の方向を示すというとき、物理学者はいったい何を意味しているのだろうか。それはこうである。もし、この電線に磁針を近づけると、その北極が、電流の流れる方向に対面してながめて反時計回りの方向に向く、ということである。図58は、矢印の向きに電流が流れている電線に対して磁針をいろいろな位置に置いたときに、針がどう動くかを示したものである。

ここに、われわれは、驚くべき非対称性の例を見ることができる。われわれは、X星人に対して、ある種の化学物質を混ぜ合わせ、溶液に金属を挿入して電池の作り方を教え、陽極と陰極を用意することができる。いったん、われわれとX星人との間で電流の方向について約束ができれば（このことは少しも困難なことではない）、今度は、「磁針を電線の上にもっていって、電流の方向を向きなさい。そのとき磁針の北極の向く方角が、地球で右とよぶ方角です」ということができないだろうか。

これなら、簡単に実験することができて、しかも、左と右について、あいまいさが残らないように操作上の定義を与えることができているのではないだろうか。ちがうだろうか。

やはりだめである。この実験は、X星人に、磁針のどちらがわれわれのいう北極なのかを教えることができなければ役に立たない。おやまあ。それでは、このぜひ必要な情報である左右を伝えるには、まず左と右について共通の理解がなければ何もなすすべがないということになってしまうではないか。なぜそうなってしまうのかを理解するためには、まず今日の磁気に関する理論を知らねばならない。次の章ではそのことについて述べよう。

（原注1） この問題を、はっきりとコミュニケーションの問題としてはじめて扱ったのが誰で

あるかは、著者の知るところではない。もちろん、カントが左右の問題を論じたときにすでに暗示されていたことではあり、また、後の哲学者が言及したところでもある。ウィリアム・ジェイムズはこのことについて、『心理学原論』(*Principles of Psychology*, 1890)の中の彼の論文、「空間の知覚」(The Perception of Space)で、次のように述べている。

> 立方体の一面に上と札をはり、別の一面に下と書く。三番目を前と書いて、四番目を後ろと書く。こうして残った二面のうち、どちらが右でどちらが左かを説明してやることばがない。ただ実際に指さしながら、こちらが右であちらが左だなどと、ちょうど、これが赤であれが青だ、というのと同じようにいわなければならない。

ジェイムズがこの問題について、このような提起のしかたをしたのは、おそらく彼がチャールズ・ハワード・ヒントンの『科学的空想物語』(*Scientific Romances*, G. Allen & Unwin, 1888)の最初のシリーズを読んだからであろう。ヒントン(彼については後に詳述する)は、いろいろと色分けした立方体を使って模型を組み立てれば、四次元空間の頭で考えられると信じていた。これらの立体を論ずる中で(三三七―三三八ページ)、彼は、私がオズマの問題とよんでいることの問題点をきれいに浮き彫りにしている。

19 マッハのショック

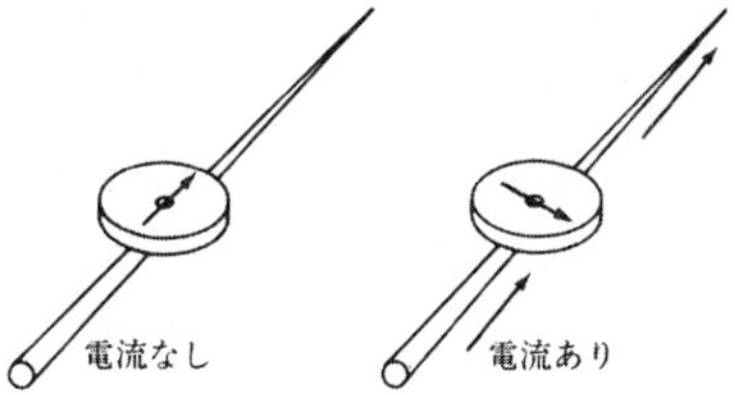

図59　マッハに「ショックを与えた」実験。

方位磁針《コンパス》の下側に、針金が南北方向にはってあるとしよう（図59左）。磁石の針は針金に平行で、やはり南北に向いている。そこで、南から北に向けて針金に電流を通す。そうすると、（真上から見て）磁針はたちまち時計回りにまわって、北を指していた極は東のほうを向く（図59右）。電流の向きを反対にすると、磁針はまわれ右をしてその極は西のほうを向くようになる。

これは、自然法則に何か神秘的な非対称があることを示すものではないか。十九世紀の物理学者はそう考えた。ところで、この実験を鏡にうつしてみれば、磁針の北極の動き方は逆になるのだから、実物の実験とそれの鏡像とを重ねあわせることはできない。エルンスト・マッハは、ドイツの大物理学者で、その著『力学史』[訳注1]（*The Science of Mechanics*）は有名である。この本の中で、彼はこの簡単な実験がもたらす「知的ショック」を強調している。[原注1]マッハによれば、この実験はわれわれに重要なことを教えてくれる。われわれは、ものごとがこうなるだろうと直感的に予測しがちであるが、しかしそのとき、これに対していつも疑いをもたなければならない。

　一人の男が「宇宙」に向かってこういった、
「私はここにおりまする。」
　宇宙は答えた、「そういったって、
　べつだんわたしの知ったことではないよ。[原注2]」

　科学者が、たとえ願望をもち、直感的な推測をもっていたとしても、自然は、それにあわせる義理はないのである。いま述べた磁針の実験にしても、われわれは直感的には、電場も磁場も、他の物理的な力が対称的な場をつくるのと同じように、右や左の区別はしないだろうと思い込んでしまう。しかし、非対称な回転が現われるということが、針金と磁針の実験の重要なところなのである。

　さてこの実験に現われる回転をもとにして、左と右とを定義することができるのではあるまいか。したがってオズマの問題を解決することができるのではあるまいか。それにはこうすればよい。惑星Xにいる相手と話しあって、この実験をやってもらうのである。そうすれば、電流を手前からあちらのほうへ流したとき、その上にある磁石の針の先がふれる向きを「右」とするという約束をすることができる。このやり方にどこか悪いところがあるだろうか。

悪いところがある。それは、磁針の二つの極のうち、どちらに「北」というしるしをつけるか、という問題である。奇妙なことだが、そのことを惑星Xにいる相棒に伝えることができないのである。磁石がすべて、北極が赤、南極が緑というふうになっているなら、問題はない。惑星Xにいる相棒に北極というのは赤いほうだといいさえすればいい。しかし、色がついていなかったら残念ながらそうはいかない。いくら調べてみても、二つの極の区別はつかない。磁極の強さは、両方とも同じである。磁石を水に浮かせても、北のほうに動いていくということもなければ、南のほうに動いていくということもない。棒磁石の表面をよく磨いて、鉄の粉の入っている液を塗ると、磁石の表面にドメイン（磁区）が現われて（ドメインのことは、すぐ説明する）、顕微鏡で見える。しかしそれは、北極と南極とでちがいはない。両極を区別するのには、何の役にも立たない。過去七十五年間にときどきあったことだが、外界からの磁場（磁界）を使わないで、一つの磁極が北極か南極のどちらかということを決める方法を発見した、と考えた物理学者がいた。この「発見」は、専門雑誌に発表されたこともある。しかし、これはいつでもまちがいであった。

磁石の北極は黒く塗ってあるのが普通で、これによって南極との区別がつく。では、それを作る磁石屋は、どちら側を黒く塗るのかがどうやってわかるのだろうか。それは他の磁石の助けを借りてためすのである。他の磁石の北極に反発されるのが、この磁石の北極である。では、その「他の磁石」の北極とは、どうしてわかるのだろうか。それは「もう一つ他の磁石」の北極に反発される極である。こう考えていくと、「北極」を定義するいちばんの基礎は、地球自身の磁場にあることになる。地球の磁北極に引かれる方の極が磁石の北極なのである。

地球の北極を向くほうが磁石の北極だという話はちょっとわかりにくいだろう。というのは、同名の極は反発しあうということになっているからである。ちゃんというならば、地球の磁北極は、磁石としては「南」極なのである。磁石としての地球の南極は地理的には地球の北極に近いところにあるので、慣習上これを磁北極というのである。大切なことは、惑星Xに対して、磁石のどちらの端を北極と名づけるかということを知らせる方法がない、ということである。地球の回転軸のどちらの端をわれわれは「北極」と名づけているかということを、知らせる方法はないからである。

鉄か鋼かを芯にして針金をグルグル巻きつけて、その針金に電流を通すと、その芯は電磁石になる。巻き方によって、どちらの端を北極にすることもできる。そこで、惑星Xに、電磁石のつくり方を教えて、それによって磁石の北極の定義をはっきり下すことはできないだろうか。

初等物理を知っている諸君は、すぐ頭をふるだろう。電磁石の芯に巻いてある針金は、右巻きか、左巻きか、どちらかである。右巻きのらせんに電流を流せば、その電流は芯の磁石の北極のほうへ向かって流れている（図60）。左巻きのらせんに流れるならば、それは、芯の南極のほうへ向かって流れている。芯がなくても、針金をらせんに巻けば、磁場をつくり、それには北極端と南極端とがある。いずれにしろ、右手の規則によって、どちらの端が、どちらの極になるかが決まる。右手をらせんにあてて電流が流れるほうに指を向けると、親指が向くほうが、らせんによって生ずる磁場の北極である。しかし、惑星Xに対して、右巻きのらせんということの意味を伝える方法がない。だから、電磁石のどちらの端が北極になるということを伝えることはできない。これは明らかである。左と右ということがあらかじめ理解されていないかぎり、これはできない相談である。

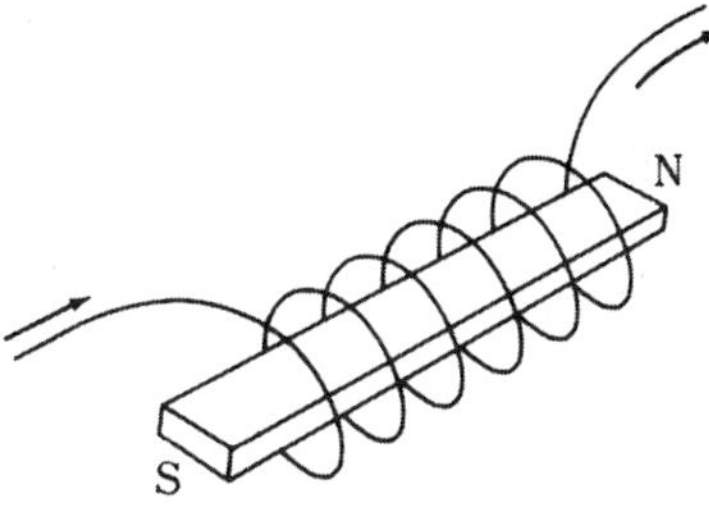

図60　電磁石。

ジョージ・O・スミスの「アマチュア、絶体絶命」(Amateur in Chancery)（ギャラクシー誌、一九六一年十月号、フレデリック・ポールのアンソロジー『すぐれた夢想家』(*The Expert Dreamers*, Doubleday, 1962)に再録)は、金星人にわれわれが使っている左右の意味を伝えることの困難さをタネにしたSFである。その話の中で、ある人物は、こういえばいいといっている。

「電磁石のコイルを次のように巻く。すなわち、芯になる鋼の棒を自分の前に水平に横におく。そして、『始め』のところから針金を繰り出し、まず棒の上をこえて、あちら側で下におろし、今度は棒の下を通って手元にもどし、こちら側で上にあげる。こうして巻きつづけて電磁石ができあがる。」

しかし、この指示に従うのに二つやり方がある。右手で巻けば、棒のまわりには、左巻きのらせんができる。左手で巻けば、右巻きのらせんができる。しかし、どちらの場合でも「始め」のほうから電流を入れてやれば、右手の規則によって、棒の左端のほうに電磁石の北極ができる。そして電流の向きは、金星人に伝えることができる。

練習問題13 この方法では、左右ということが伝えられない。そのわけを説明せよ。

電気・磁気に関するこのような非対称現象にはすべて、同様な、左右不明がつきまとう。

電荷が動いていると、磁場ができて、その中で磁石はどちらかを向く。それと同じように、磁石が動いていると場ができ、その中で電流の流れ方が一見非対称になる。これについては次のような有名な実験がある。針金を上下にはり、その下端を水銀につける。そしてそれが一つの磁石の極のまわりを時計回りか、反時計回りにまわるようにするのである。バーローの車といわれるモーターの原型のようなものがあるが、これにも同じ原理が使われている。すべてこのような現象では、回転の向きは、磁石のどちらの極を使っているかによって決まる。惑星Xに対して、この回転の向きを使って左と右ということを伝えようとしても、それは不可能である。なぜかといえば、磁石の南極と北極を、どうすれば区別できるかということを伝えるわけにいかないからである。

帯電している粒子が磁場の中で運動をするときの非対称な運動にも、同じような左右の問題がつきまとう。ある帯電粒子が磁場の中を運動して右巻きのらせんを描いているとする。そのとき、磁場の極をさかさまにすると、今度は、らせんが左巻きになる。電荷と磁場を使ってどんな実験をしても、左右を明快に定義することはできない。実験のどこかに、左右の別か、あるいは左右の別に基づいて磁石の南極と北極を決めるところが入ってくる。

物理学者はこういう。磁場の南極と北極のちがいというのは、便宜のための約束である。同種の極は反発し、異種の極は引きあうことをわれわれは知っている。だからちがった名前をつける必要がある。そこで一方の極を北極と名づける。それが地球の北極（実は磁石の南極）を指すからである。もう一方の極を南極と名づける。それは地球の南極（実は磁石としての北極）に引かれるからである。これは、便宜のためにつけた名前以上の何物でもない。棒磁石がつくる磁場は、棒の中心を通ってこれを二分する面について完全に対称である。この宇宙にある磁石が、みな突然変化して、北極が南極になり、南極が北極になったとしても、実験的にこのことを示すような変化はおこらない。このような変動がおこったといっても、それは無意味である。それは宇宙の上下がさかさまになったといっても無意味なのと同じことである。（これは二十世紀の物理学者が一九五七年までにいったであろういい方である。一九五七年には、あることがらによって、この世界像は根本的に変わった。しかし、その話はあとまわしにする。）

　しかし、話はまだまだこんがらがっている。妙なことに、磁針の行動は、電流の上と下とで非対称なのである。磁針を顕微鏡で見ても、どちらがどちらの極だかわからない。しかし、一方の極はたしかに北極であり、もう一方の極は南極なのである。両極の間に何かちがいがあるに相違ない。そうでなければ、同種の極が反発し、異種の極が引き合うという理由はない。一つの磁針の北極を赤く塗るとする。そうすれば、電流をこちらから向こうへ流して、その上方に磁針があるとすれば、右へふれるのは必ず赤いほうである。この非対称――マッハのショック――を説明するのにはどうすればよいか。そしてしかも、電磁場というものはそもそも対称なものだと考えつつ説明するにはどうすればよいか。

この問題に対する答えは、二十世紀に入ってはじめて得られた。物理学者の発見したところによると、磁石のいろいろな性質というのは、その磁石の内部で、荷電粒子が回転運動をしている結果として生ずるものだというのである。この点を明らかにするために、まず原子の構造について簡単に述べておこう。デンマークの大物理学者ニールス・ボーア（一九六二年没）の理論的研究に基づく、ボーア模型というものがある。われわれの説明もそれによることとする。ただしこの模型も今日では、粗っぽい近似にすぎないとされている。（比喩がすばらしくうまい）ジョージ・ガモフのいうように、これは、原子の肉を取り去って骸骨だけにしたようなものである。肉のついているちゃんとした話は、現代の量子力学のこみ入った数学を使わなければできない。しかし、ボーア模型はそれなりにりっぱなものであって、原子の構造について、だいたいの概念を得るのには、非常に役立つのである。それを使って説明するのに、遠慮するには及ばない。

ボーアの原子模型によると、原子核のまわりには、一つ以上の電子がまわっている。電子は、おのおのマイナスの単位電荷（電気素量）を帯びている。普通の場合には、電子の数と原子核の内部にある陽子の数とが等しいので、全体としては、電気的に中性である。陽子は、おのおのプラスの電気素量で帯電している。水素原子を除く原子核の内部には、陽子のほかに一つ以上の中性子（帯電していない）が入っている。

図61は、水素原子の図で、これはすべての原子のなかで、いちばん簡単なものである。

核は、プラスに帯電した陽子一つである。そのまわりを、マイナスに帯電した電子一つがまわっている。この原子核が陽子のほかに中性子一つをもっていると、これは、水素の同位元素（アイソトープ）である（図62）。（同位元素というのは、物性がほとんど同じで、重さがちがう原子の別形のことである。）水素のこの同位元素は、その原子核の内部に粒子が二つ（陽子と中性子）入っているので、重水素（デューテリウム、デューは二の意）という。中性子が余分に入っているので重くなる。それでこれを含んだ水のことを重水という。

次に簡単な原子はヘリウムで、その図は図63に示してある。ヘリウム原子でいちばん普

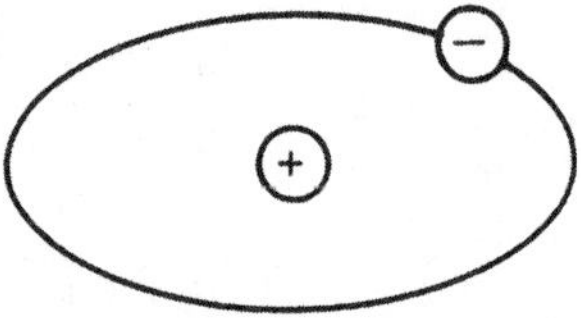

図61　水素原子。

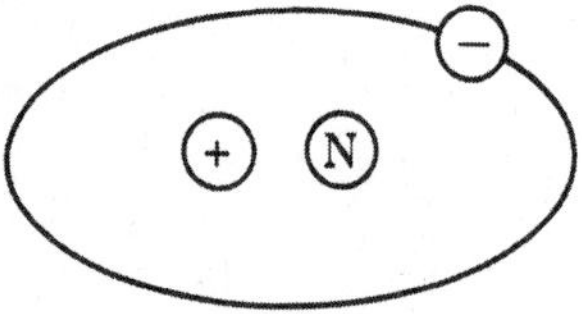

図62　重水素（デューテリウム）原子。Nは中性子。

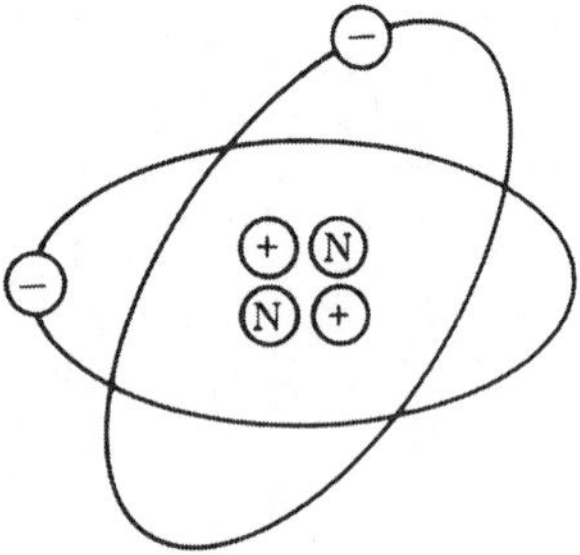

図63　ヘリウム原子。

通なのは、その原子核が陽子二個、中性子二個からできている。そしてそのまわりに、電子が二個まわっている。

原子の構造は大ざっぱにいって球状であるから、これを小さなタマにたとえて考えるのが便利であろう。「教師にとっては、原子はいつもタマである。冬はバスケットボールで春は野球、その他のときにはピンポンのタマである。しかしいまや原子はこんな考えでは説明できない。それは、雲に座しているひげの長い老人が神様を表わさないのと同じことである。」これは原子物理学者のサミュエル・ハウトシュミットがいったことばで、ダニエル・ラングの『厚い鉛服を着た人』（*The Man in the Thick Lead Suit*, 1954）に引用してある。

このような原子模型が大ざっぱなものであることは承知しておいていい。しかし、けっこう役に立つので、これなしにすませるのもむずかしい。いくつかの原子を結びつけて分子をつくっているのは、原子価という複雑なものであるが、化学者は、短い線を使ってそれを表わしている。物理学者がボーアの原子模型を使って話を進めるのも、同じようなわけである。簡単で便利な略図と考えればよい。原子がタマであるとしても、悪いことはなかろう。考えてみれば、タマとは何だろう。だいたい球形のものをタマというのが普通だが、そのことばはだんだん厳密でなくなって、フットボールもタマならば、ポップコーンもタマである。ハンカチをまるめたのもタマというならば、原子の構造が何だかタマに似ているといってもよかろう。もちろん、まわりにある電子の「雲」は、こみ入った確率関数でなければ表わせないのだが、タマで結構である。

原子核のまわりをまわっている電子は、マイナスの電気をもっている。電子が運動すると磁場ができるが、その軸は原子の中心を通り、電子の軌道面に対して直角である。この磁場のことを、電子の軌道磁気モーメント（能率）が作る場という。この軌道運動とは別に、電子はスピンをもっている。（先に引用したハウトシュミットは、このスピンを発見した研究者の一人である。）ボーアの模型では、スピンは大ざっぱにいうと、電子がその中心を通る軸のまわりに回転していることであって、地球が太陽のまわりを公転していると同時に、自転しているのに似ている。このスピンによって弱い磁場が生じて、その軸は回転軸と一致する。これを電子のスピン磁気モーメントが作る場というのである。この場が存在するということは、電子は空間の次元をもたない幾何学上の点ではなくて、空間を実際に動きまわる構造をもっているのかもしれないことを示唆している。

図64は、一つの電子の軌道運動による磁場を示している。北と書いてあるほうの端から電子を見下ろせば、電子は時計回りに核のまわりをまわっている。図65は電子のスピン磁場の軸を示している。北と書いてあるほうの端から電子を見下ろせば、電子は時計回りにまわっている。どちらの場合も、北という名前のつけ方は、普通の右手の規則とあうようにしてある。（電子は負の電荷をもつので、電子の運動方向と電流の方向は逆である。）

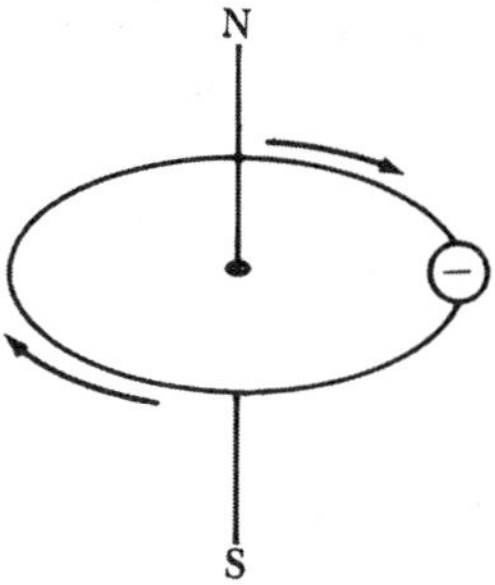

図 64　電子による軌道磁気モーメント。

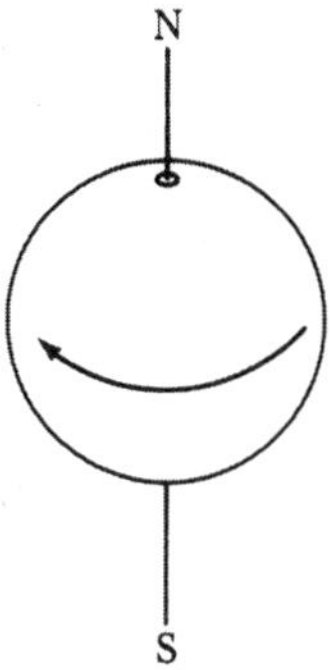

図 65　電子のスピン磁気モーメント。

電子のスピンと軌道運動とによって磁場ができるが、なおそれに加えて、陽子、中性子のスピンによっても磁場ができるし、さらにまた原子核全体のスピンによっても磁場ができる。スピンしている中性子は、正味の電荷をもたないけれども、その内部に分布している電荷が磁場を創出する。スピンというのはなかなかうまいことばである。スピンをもっている粒子は、小さなジャイロスコープのようなはたらきをするからであり、ジャイロスコープのように、軸の方向を変えようとすると抵抗する。たとえば、宇宙船の方向を保つ原子核ジャイロスコープは、軸受のようなすりへるところがないから、摩擦によって狂うことがない。これは、核子のスピンがジャイロスコープのような作用をもつことを利用している。

一つの原子の内部に二つの磁気モーメントが

あって、その軸が平行で、その北という端が同じ向きにむいているとすると、この二つの場は加えあわさって、強くなる。もし二つの場の軸が逆向きだと、互いに打ち消しあって弱くなるか、あるいは全然ゼロになる。たとえば、ヘリウム原子では二つの電子が同じ軌道をまわっているが、その向きが反対なので、軌道磁場は打ち消されてしまう。スピン磁場についても同様である。一方の電子のスピンは時計回り、もう一方の電子のスピンは反時計回りである。このとき、この原子はスピンつり合いにあるという。このようにヘリウム原子では、軌道磁場もスピン磁場も互いに帳消しになっているので、ヘリウムは磁気をもたない。全体としての、あるいは正味の磁気モーメントはないのである。ヘリウム以外の希ガス（ネオン、アルゴン、クリプトン、キセノン、ラドン）についても同じである。これらの気体の原子のいちばん外側の殻は、入りうる電子でいっぱいになっているのである。ほかの原子では、原子内部に由来する磁気モーメントが帳消しになっていないので、全体として磁場をもっている。（専門的なことばを使うならば、全体としての磁場は原子内部に由来する磁気モーメントのベクトル和である。）このような原子は、簡単にいって、全体としてのスピンをもっているので、結局、南極、北極を伴う磁場を生じている。要するに、小さな球磁石のようなものである。

　鉄の原子は電子スピンのつり合いがひどくくずれているので、正味の磁場の強さは、すべての元素の原子のなかでいちばん強い。鉄の棒にあるおのおのの原子は、小さな小さな球状磁石で、北極と南極とがあると考えることができる。鉄の結晶は立方格子で、その原子はすべてその格子点に固定されていて動くことができない。ただしその向きは自由で、磁場の軸はいろいろな方向を向く。鉄の棒を磁化して磁石にするというのは、できるだけたくさんの原子の磁場の方向を、平行にそろえるということにほかならない。たくさんの磁場が平行にそろうと互いに助け合うから、棒は全体として強い磁場をもつことになる。

しかしこの磁場の強さにはもちろん限りがある。まだ磁石になっていない鉄の棒にある原子は、ちょうど、一つ部屋の中へ大勢の人間を入れてそれが勝手なほうを向いているのに似ている。そこに磁化弁士が現われて、できるだけ多くの人に自分のほうを向かせたとする。そのとき、この部屋は「磁化された」わけである。そちらを向く人が多ければ多いほど、全体としての磁場は強くなる。部屋の中の人間がみな同じほうを向いたら、それがつまり飽和点であって、明らかにそれ以上磁場を強くすることはできない。

磁石になっていない鉄の棒の中でも、原子はそれぞれまったく勝手なほうを向いているのではない。その理由はこみ入っていて、ここで述べるわけにはいかないが、鉄の原子は、少しずつ群になって、ドメイン（磁区）という小さなかたまりをつくっている。一つのドメインの中では、鉄の原子の磁場の軸がそろっているのである。磁場の軸がいろいろなほうを向いているというのは、一つ一つの原子ではなくて、このドメインなのである。鉄の棒を強い外磁場に入れると磁石になるが、このとき、原子がまわってその磁場の軸に平行になるにつれて、ドメインの境界線はしだいに移動していくのである。

古い初等物理の教科書を見ると、ことに一九五〇年以前に発行された古いものでは、鉄の棒を磁化するときの現象について、まちがった印象を与えている。磁化していない棒のドメインの中を小さな棒磁石で表わし、それが勝手なほうを向いているように描いてある図もある。そして、それに並んで磁石になった棒の図が描いてあって、そこでは小さな棒磁石の向きがそろって軸が平行になっている。このような図を見ると、ドメインというものは棒の内部にある鉄の小部分で、その境がキチンと決まったものであって、棒が磁石になると、そのドメインが実際に向きを変えるというような印象を与える。おのおのの鉄の原子は、立方格子の格子点にしっかり固定しているのだから、こんなことはありえない。

いま広場で兵士が方陣形に並んでいるとしよう。おのおのの兵士は、場所を動くことはできないが、その場所でいろいろな方向にまわることはできるとする。一八人の兵士が一列に三人、横に六列に並んで北を向いているとする。それの後ろに別の一八人がいて、これも一列に三人ずつ、六列に並んでいるが、これは南を向いているとする。この二つの群が鉄原子のドメインを表わしている。さて、南群の兵士が北を向くように命令されたとする。南群の一八人の兵士がいっせいに向きを変えるかわりに、まず、その中でいちばん北側にいる六人がまわれ右をする。それから次の六人、次の六人という順にする。そうすれば、南群一八人は全部北を向くことになる。六人ずつまわれ右をするにつれて、ドメインの境の「壁」——つまり兵士を向きによって二群に分ける線——は、一つずつ南へ移って、最後には、二群はいっしょになって、北向きの大きな群になる。このたとえは、鉄の棒を磁化するときその中の原子がどうなるかということを、だいたい表わしている。

鉄の棒の中にあるドメインが向きを変えるのも、いっせいに行なわれるわけではない。だから、棒の磁場が強くなるのも、小きざみに飛び飛びなのである。だから棒のまわりに針金を巻いて、棒を磁化すると、小きざみの飛び飛び一つ一つによって、針金の中に電圧が生じる。この電圧変化は小さいけれども、これを増幅すれば実際に音がつづいて聞こえる——それは、紙にしわをつくるときのカサカサいう音に似ている。この現象をバルクハウゼン効果という。一九一九年にドイツの工学者ハインリッヒ・バルクハウゼンが発見したので、その名にちなんでこういうのである。シカゴの科学博物館へ行ってみたまえ。あのりっぱな博物館へ入って、その陳列の前へ行ってボタンをおせば、このバルクハウゼン効果の音を現実に聞くことができる。小さい鉄の棒が、磁場の中にしだいに入っていくにつれて、棒の中の原子が向きをそろえ、それに従ってドメインの壁が非連続的に移動していく。そのときに生ずる電圧変化が増幅された音として聞こえてくるのである。

一つの極だけしかもっていない磁石をつくることは不可能である。このことは、何百年にわたって、物理学者を悩ましてきた事実である。また一つの棒磁石を半分に切ると、それぞれがやはり棒磁石になる。それらをまた半分に切ると、棒磁石が四つできて、それぞれ、一端が北極になり、他端が南極になる。これも悩みのタネであった。

現代の磁気学では、この二つの問題は完全に解決されている。いま円柱形の棒磁石があって、その表面に図66のような矢印が書いてあるとしよう。矢の向きは、棒の内部にある大多数の電子がまわっていく方向を示しているとする。この全体としての回転方向があるということによって、これが磁石になっているわけである。棒の一方の端から見るとこの回転は時計回りに見える。そのような端を便宜のために北極というのである。もう一方の端から見ると、回転は反時計回りである。そのような端が南極である。北極といい南極というけれども、これは円柱の回転の両極が左右像になっているのをいい表わす印にほかならない。これは「もの」ではない。プラスの電気とかマイナスの電気といえば「もの」であるが、北極、南極は「もの」ではない。（われわれの知識は不十分なので、プラスの電気、マイナスの電気は、実体のように思われるが、北極、南極はそういう意味の実体ではない、というほうが正確だろうか。）

単極の磁石(原注3)というものがないのはなぜか。棒磁石を切ると、どれにも北極、南極が現われるのはなぜか。それを説明するのは、むずかしいことではない。端が一つしかない円柱をまわせといっても、それはできないのと同じことである。図67に示すような円板形の磁石で、磁軸が面に直角になっているものでも、一方の面が北極、他方の面が南極になっている。両方の面とも北極になっている円板磁石を作れといっても、それは不可能である。

車輪をまわして、どちら側から見ても時計回りにしろといっても、できないのと同じことである。棒磁石を半分に切って、その二つが同じようなものにならないようにしろといっても、それは無理な話である。回転している円柱を半分に切って、その二つは回転していないものにしろというのと、同じことである。

さて、以上いろいろ述べてきたことに従って、われわれは、磁場に関する現象も、対称性から根本的にははずれていないということがわかる。この宇宙にあるあらゆる磁場——電子のような小さいものから、銀河系の大きさのものにいたるまで——を、いろいろな大きさの円柱で代表させ、それのなかで電子がまわっている向きを矢印で示しておいたとしよう。そしてこれを鏡にうつしたとする。そうすると、実物と鏡像とは重ねあわせられる。重ねあわせるためには、鏡像を上下反対にまわせばよい。円柱の一方の端と

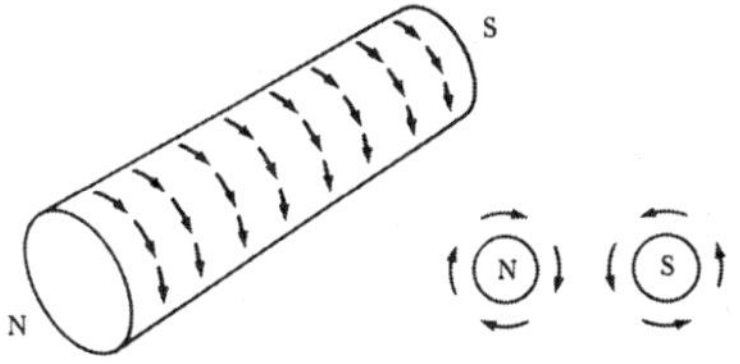

図 66　棒磁石の模式図（矢印は負の電荷をもつ電子の運動する向きで、電流の向きと反対である）。

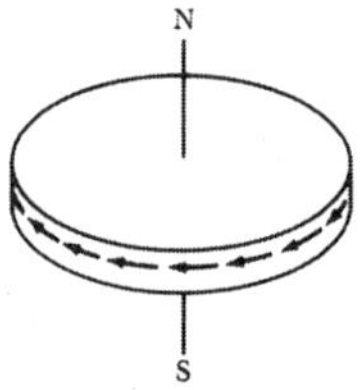

図 67　円板磁石の模式図（矢印は電子の運動する方向を表わす）。

他方の端とがまるでちがっていれば——たとえば一方がとがっていて、円錐になっていればーーこれは非対称で実物と鏡像とは重ならない。しかしわれわれの場合には両端の間にちがいはないのである。

回転している円柱は、この意味では対称である。しかし、だからといって、その両端の性質が同じでなければならないということはない。両端の回転（つまり矢印の向き）が同じであるならば、ここでは反対の極が出合う。したがって回転は互いに強めあって、その間に強い引力が生じる。両端の回転が反対であるならば、同種の極が出合う。したがって回転はぶつかりあい、強い斥力が生じる。そこで便宜上、その両端に名前をつける必要が生じる。一方の端につける名前を決めれば、宇宙にあるすべての円柱——すなわち磁場——のすべての端の名前が自然に決まってしまう。すでに述べたように、棒磁石の両極のうち、地球の磁北極と称するほうに引かれる極を北極ということに約束してある。ひとたびこの約束ができれば、宇宙にあるすべての磁場の極に、それに従った名前をつけることができる。

惑星Xに対して、われわれの左や右の意味を伝えるのに、磁針と針金の実験（あるいは、磁場の非対称性を使った実験）は役に立たないのだが、その理由がわかっただろうか。惑星Xに対して、電流の流れているところの上に、棒磁石をつるすように伝えることはできる。そしてその棒磁石の円柱に矢印が書いてあるとすると、棒磁石はまわって針金に近い側における矢印が、電流の流れる向きと同じになるようになる、と伝えることもできる（図68）。そこまではいいが、われわれはここでハタと困ってしまう。この円柱の両端はどう見ても同じで、ただ一方の端が他方の鏡像になっているだけなのだから、どちらの端に北極という名前をつけることにしたのかを惑星Xに向かって知らせる方法はない。「端から見て矢印が時計回りに見えるほうが南極だ」といったところで、「時計回り」とは何の意味か、説明する方法はないのである。磁気を使っても、オズマ問題の解決には役に立たない。世の中に回転する車輪、円柱があっても、役に立たないのと同じことである。マッハ、パスツゥールその他当時の科学者が、これこそ自然法則における非対称性だと考えたものが、現代の磁気学から考えると、これは擬似非対称であるにすぎない。

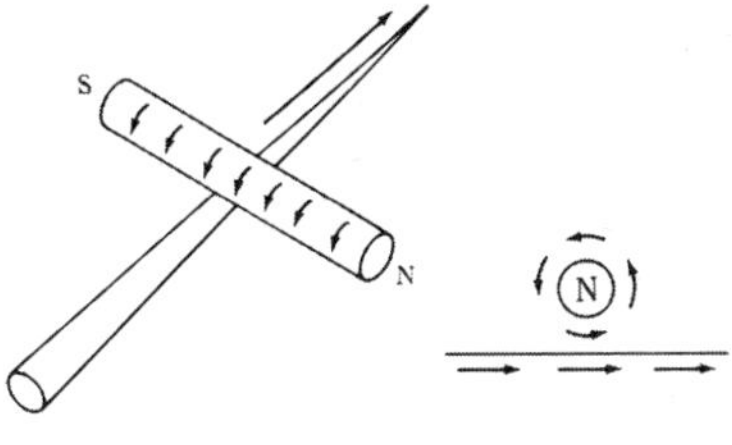

図68　針金と磁針の実験における対称性。
（矢印は電流の向きを表わす）

　マッハを驚かした実験をたとえてみれば、こんなことになる。ハツカネズミを横に並べて一列横隊にして、ベルトの上で歩かせる（図69）。モーターがまわると、ベルトは図に示す方向に動くとする。この動きは、図59のような針金中の電流の動きに対応する。一列横隊のハツカネズミは、棒磁石内の鉄原子にあたる。ハツカネズミは、後ろ向きや

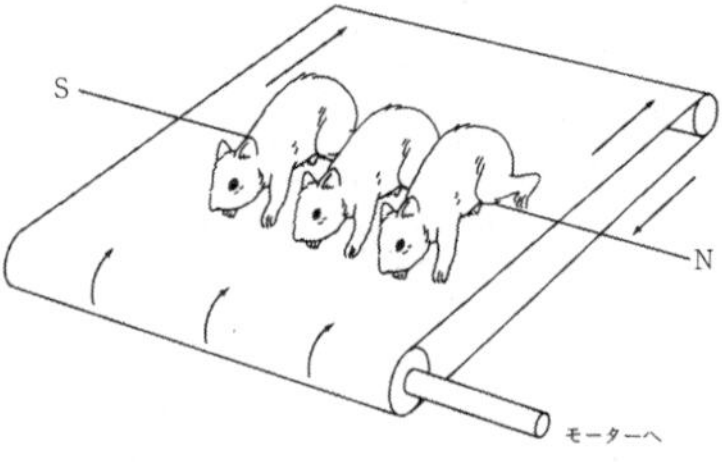

図69　図59における針金の実験の模式図。

横向きに歩くことはできないから、ハツカネズミの列をこのベルトの上でどの向きにおいても、必ず足元のベルトの動きに直角になるように動く。そのハツカネズミの横隊の左端（ネズミから見て）は棒磁石の北極にあたる。それは必ず、同じ方向を指すことになる。なぜなら、左端が南極を指すとしたならば、ハツカネズミは後ろ向きに歩かなければならないからである。

さて、マッハを悩ませた、一見非対称に見えるこの現象を使って、惑星Xに対して、われわれの左右の定義を伝えられないだろうか。それがだめなのである。それは、ハツカネズミの横隊というものが、左右対称だからである。ベルトの運動の向きに向いている人から見て横隊のどちらの端がいつも左を向くということになるか、このことを惑星Xに知らせるためには、ハツカネズミという原子のどちらが右側でどちらが左側かということをまず明らかにしなければならない。しかしもちろん、それを実行する方法はまだわれわれにはないのである。

マッハが直感的に考えたことは、彼が自分で思っているよりも、内容豊富である。磁場は要するに、対称的なのである！　ところが一九五七年に、さらに驚くべき実験結果が報告された。しかし、その実験のことを述べる前に、準備をしなければならないことがたくさんある。

（原注1）「アルキメデスが採用した対称原理の偉大な論理の力を、たとえ直感的に知っていても、われわれはやはり困ってしまうことがある。おそらく、読者諸賢は、当時の人びとが受けた知的ショックを思いおこされていることであろう。それは、磁針を南北に向けておき、その上に平行に電線をはって、それに電流を流すと、磁針が一定の方向にふれる、ということをはじめて知ったときのことである。はっきりわかっているつもりの場合もそうであるが、直感というものも、とかく誤りに陥りやすいものである。直感というものは、われわれが精通した領域においてのみ有効なのである。」エルンスト・マッハの『力学史』の第一章より。

（原注2） ステファン・クレインの『詩集　戦いは親切である。ほか』（*War Is Kind and Other Lines*, Knopf, 1899）より。

（原注3） ここでいっているのは単極の磁石のことであって、「単磁極」のことではない。（もっとも、そのようなものは存在するかもしれないし、また存在しないかもしれない。）P・A・M・ディラックは、一九三一年に、北極か南極かどちらかの磁荷の量子をもった素粒子があるかもしれない、という仮説を発表した。彼はこれをモノポール（単極子）とよんだ。もし、これがほんとうに存在するならば、電磁気学にきれいな対称性をもたらすことになる。

ちょうど、（電子がもっているような）電荷の運動が磁場をつくり出すように、磁荷の運動もまた、電場を創出する。電荷のように、モノポールも反対の極どうしの対でしかつくり出すことができない。しかも、その反対の極どうしが出合うと、互いに打ち消しあってしまうのである。

ディラックの理論では、モノポールの荷量は、一三七（例の神秘的な微細構造定数の逆数）の半分、すなわち、六八・五の整倍数でなければならない。ディラックのモデルから、重力以外のすべての力が統一される大統一理論（ＧＵＴ）がいろいろ導かれた。これらの新しいモデルについては27章で検討する。

（訳注1）　邦訳書『力学の批判的発達史』伏見譲訳、講談社、一九六九年。

問題の解答

2　章　直線の世界、平面の世界

問題1（41ページ）　対称的でない文字は、F、G、J、L、N、P、Q、R、S、Z。

3　章　立体の世界

問題2（47ページ）　立方体の対称面は九枚ある。相対する面の各組に平行な対称面が三枚と、相対する辺の各組を通る面が六枚である。

問題3（51ページ）　木ねじやボルトのねじ山が右巻きであることは、人がおおかた右利きであることの証拠になる。ねじ回しを右手にもつと、時計回りにまわしたほうが（左回りにまわすよりも）力が入る。これは、腕の二頭筋がはたらくからである。さらに、時計回りにまわすと、右手の親指のつけ根の肉が大きな抵抗になって、ねじ回しの柄をにぎったとき、すべりにくくなる。（この二点は、ニューヨーク大学医学部のハーベイ・P・コペル博士が教えて下さったものである。）

問題4（53ページ）　ボーリングの球以外はすべて、基本的に非対称である。自在スパナーには、アゴを開け閉めするために、ウォーム・ギアがついているが、これは非対称である。三つ穴のボーリングの球でも対称形のものがある。二つ穴の球はいうまでもなく対称である。

4章　手品

問題5（69ページ）　首をまわせば壁の上に「mud」と見えるし、鏡の中をのぞき込めば壁の上に「bum」と見える。

この実験は車の運転をする人の体験と同じ類である。大学の名前を書いた透明なステッカーを、車の後ろの人が見たら正しく読めるように車のリヤーウインドウにはりつけたとする。運転している人が首をまわして後ろを向いてこれを見ると、字が反転して見える。けれども、バックミラー越しに見ると、正しく読めるはずである。

10章　少数派の左利き

問題6（74ページ）　サイコロの上の目の数はそれぞれ、五、三、一である。

問題7（191ページ）　男の人も、女の人も、ボタンをかけるときは、自分のコートのボタンをかける習慣である。他人の着ているダブルのコートにボタンをかけるのに、男ならば、左手にもったほうを外に、右手にもったほうを内にしてはめることのほうが、より可能性がある。つまり、自分が自分の服にボタンをかける場合の、ちょうど鏡像ができるわけである。

11章　結　晶

問題8（203ページ）　立方体には三回対称軸が四本あり、そのおのおのは、互いに対角的に反対な側の二頂点を通る。

問題9（206ページ）　菱面体には、三枚の対称面があり、どれも互いに反対側の稜の一対を通る。

12章　いろいろな分子

問題10（223ページ）　エチルアルコール分子のモデルには、対称面が一枚あり、サクランボとマシュマロの中心を通り、全体を等分する。

17章　第四次元

問題11（319ページ）　TUOはガラスのドアの向こう側から見ればOUT（出口）である。

問題12（327ページ）　この面上ではすべて「向きが決められない」（nonorientable）。したがって、その表面上にある非対称な図形は、ある表面上をすべらせてもとの位置に帰ってくると、向きが反対になっているということがありうる。

19章　マッハのショック

問題13（350ページ）　ここでやっていることは、単に一つの棒磁石を、北極が左にあるように目の前に作っただけのことである。右とか左とかについて、共通の定義がなければ、金星人には「北」といっても何のことかわかりはしない。

（以下下巻）

本書は一九九二年五月、紀伊國屋書店より刊行された。

化学の歴史
アイザック・アシモフ
玉虫文一／竹内敬人訳
あのSF作家のアシモフが化学史を？　じつは化学が本職だった教授の、錬金術から原子核までをエピソード豊かにつづる上質の化学史入門。

ガロア理論入門
エミール・アルティン
寺田文行訳
線形代数を巧みに利用しつつ、直截簡明な叙述でガロア理論の本質に迫る。入門書ながら大数学者の卓抜なアイディアあふれる名著。（佐武一郎）

情報理論
甘利俊一
「大数の法則」を押さえれば、情報理論はよくわかる！　シャノン流の情報理論から情報幾何学の基礎まで、本質を明快に解説した入門書。

アインシュタイン論文選
アルベルト・アインシュタイン
ジョン・スタチェル編
青木薫訳
「奇跡の年」こと一九〇五年に発表された、ブラウン運動・相対性理論・光量子仮説についての記念碑的論文五篇を収録。編者による詳細な解説付き。

入門　多変量解析の実際
朝野熙彦
多変量解析の様々な分析法。それらをどう使いこなせばいい？　マーケティングの例を多く紹介し、ユーザー視点に貫かれた実務家必読の入門書。

公理と証明
彌永昌吉
赤攝也
数学の正しさ、「無矛盾性」はいかにして保証されるのか。あらゆる数学の基礎となる公理系のしくみと証明論の初歩を、具体例をもとに平易に解説。

コンピュータ・パースペクティブ
チャールズ&レイ・イームズ
和田英一監訳
山本敦子訳
バベッジの解析機関から戦後の巨大電子計算機へ――。コンピュータの黎明を約五〇〇点の豊富な資料とともに辿る。イームズ工房制作の写真集。

地震予知と噴火予知
井田喜明
巨大地震のメカニズムはそれまでの想定とどう違っていたのか。地震理論のいまと予知の最前線を明快に整理し、その問題点を鋭く指摘した提言の書。

ゆかいな理科年表
スレンドラ・ヴァーマ
安原和見訳
えっ、そうだったの！　数学や科学技術の大発見大発明大流行の瞬間をリプレイ。ときにニヤリ、ときになるほどとうならせる、愉快な読みきりコラム。

位相群上の積分とその応用
アンドレ・ヴェイユ　齋藤正彦訳
ハールによる「群上の不変測度」の発見、およびその後の諸結果を受け、より統一的にハール測度を論じた画期的著作。本邦初訳。（平井武）

シュタイナー学校の数学読本
ベングト・ウリーン　丹羽敏雄／森章吾訳
中学・高校の数学がこうだったなら！　フィボナッチ数列、球面幾何など興味深い教材で展開する授業十二例。新しい角度からの数学再入門でもある。

問題をどう解くか
ウェイン・A・ウィケルグレン　矢野健太郎訳
初等数学やパズルの具体的な問題を解きながら、解決に役立つ基礎概念を紹介。方法論を体系的に学ぶことのできる貴重な入門書。（芳沢光雄）

算法少女
遠藤寛子
父から和算を学ぶ町娘あきは、算額に誤りを見つけ声を上げた。と、若侍が……。和算への誘いとして定評の少年少女向け歴史小説。箕田源二郎・絵

原論文で学ぶ　アインシュタインの相対性理論
唐木田健一
ベクトルや微分など数学の予備知識も解説しつつ、一九〇五年発表のアインシュタインの原論文を丁寧に読み解く。初学者のための相対性理論入門。

医学概論
川喜田愛郎
医学の歴史、ヒトの体と病気のしくみを概説。現代医療で見過ごされがちな「病人の存在」を見据えつつ、「医学とは何か」を考える。（酒井忠昭）

ガウス　数論論文集
ガウス　高瀬正仁訳
成熟した果実のみを提示したと評されるガウス。しかし原典からは考察の息づかいが読み取れる。4次剰余理論など公表した5篇すべてを収録。本邦初訳。

初等数学史（上）
フロリアン・カジョリ　小倉金之助補訳　中村滋校訂
厖大かつ精緻な文献調査にもとづく記念碑的著作。古代エジプト・バビロニアからギリシャ・インド・アラビアへいたる歴史を概観する。図版多数。

初等数学史（下）
フロリアン・カジョリ　小倉金之助補訳　中村滋校訂
商業や技術の一環としても発達した数学。下巻は対数・小数の発明、記号代数学の発展、非ユークリッド幾何学など。文庫化にあたり全面的に校訂。

複素解析　笠原乾吉

複素数が織りなす、調和に満ちた美しい数の世界とは。微積分に関する基本事項から楕円関数の話題までがコンパクトに詰まった、定評ある入門書。

初等整数論入門　銀林浩

「神が作った」とも言われる整数。そこには単純に見えて、底知れぬ深い世界が広がっている。互除法、合同式からイデアルまで。（野崎昭弘）

算数の先生　国元東九郎

7164は3で割り切れる。それを見分ける簡単な方法があるという。数の話に始まる物語ふうの小学校高学年むけの世評名高い算数学習書。（板倉聖宣）

新しい自然学　蔵本由紀

科学的知のいびつさが様々な状況で露呈する現代。非線形科学の泰斗が従来の科学観を相対化し、全く新しい自然の見方を提唱する。（中村桂子）

ゲーテ地質学論集・鉱物篇　ゲーテ　木村直司編訳

地球の生成と形成を探って岩山をよじ登り洞窟を降りる詩人。鉱物・地質学的な考察や紀行から、新たなゲーテ像が浮かび上がる。文庫オリジナル。

ゲルファント　やさしい数学入門　座標法　ゲルファント／グラゴレヴァ／キリロフ　坂本實訳

座標は幾何と代数の世界をつなぐ重要な概念。数直線のおさらいから四次元の座標幾何までを、世界的数学者が丁寧に解説する。訳し下ろしの入門書。

ゲルファント　やさしい数学入門　関数とグラフ　ゲルファント／グラゴレヴァ／シノール　坂本實訳

数学でも「大づかみに理解する」ことは大事。グラフ化＝可視化は、関数の振る舞いをマクロに捉える強力なツールだ。世界的数学者による入門書。

幾何学入門（上）　H・S・M・コクセター　銀林浩訳

著者は「現代のユークリッド」とも称される20世紀最大の幾何学者。古典幾何のあらゆる話題が詰まった、辞典級の充実度を誇る入門書。

和算書「算法少女」を読む　小寺裕

娘あきが挑戦していた和算とは？　歴史小説『算法少女』のもとになった和算書の全問をていねいに読み解く。（エッセイ　遠藤寛子、解説　土倉保）

解析序説
小林龍一／廣瀬健／佐藤總夫
自然や社会を解析するための、「活きた微積分」のセンスを磨く！ 差分・微分方程式までを丁寧にカバーした入門者向け学習書。（笠原晧司）

確率論の基礎概念
A・N・コルモゴロフ 坂本實訳
確率論の現代化に決定的な影響を与えた『確率論の基礎概念』に加え、有名な論文「確率論における解析的方法について」を併録。全篇新訳。

雪の結晶はなぜ六角形なのか
小林禎作
雪が降るとき、空ではどんなことが起きているのだろう。自然が作りだす美しいミクロの世界を、科学の目でのぞいてみよう。（菊池誠）

物理現象のフーリエ解析
小出昭一郎
熱・光・音の伝播から量子論まで、振動・波動にもとづく物理現象とフーリエ変換の関わりを丁寧に解説。物理学の泰斗による名教科書。（千葉逸人）

ガロワ正伝
佐々木力
最大の謎、決闘の理由がついに明かされる！ 難解なガロワの数学思想をひもといた後世の数学者たちにも迫った、文庫版オリジナル書き下ろし。

ブラックホール
佐藤文隆 R・ルフィーニ
相対性理論から浮かび上がる宇宙の「穴」。星と時空の謎に挑んだ物理学者たちの奮闘の歴史と今日的課題に迫る。写真・図版多数。

はじめてのオペレーションズ・リサーチ
齊藤芳正
問題を最も効率よく解決するための科学的意思決定の手法。当初は軍事作戦計画として創案されたが、現在では経営科学等多くの分野で用いられている。

数学をいかに使うか
志村五郎
「何でも厳密に」などとは考えてはいけない」――。世界的数学者が教える「使える」数学とは。文庫版オリジナル書き下ろし。

数学をいかに教えるか
志村五郎
日米両国で長年教えてきた著者が日本の教育を斬る！ 掛け算の順序問題、悪い証明と間違えやすい公式のことから外国語の教え方まで。

通信の数学的理論
C・E・シャノン／W・ウィーバー
植松友彦訳
IT社会の根幹をなす情報理論はここから始まった。発展いちじるしい最先端の分野に、今なお根源的な洞察をもたらす古典的論文が新訳で復刊。

数学という学問I
志賀浩二
ひとつの学問として、広がり、深まりゆく数学。数・微積分・無限など「概念」の誕生と発展を軸にその歩みを辿る。オリジナル書き下ろし。全3巻。

数学という学問II
志賀浩二
第2巻では19世紀の数学を展望。数概念の拡張によりもたらされた複素解析のほか、フーリエ解析、非ユークリッド幾何誕生の過程を追う。

数学という学問III
志賀浩二
19世紀後半、「無限」概念の登場とともに数学は大転換を迎える。カントルとハウスドルフの集合論、そしてユダヤ人数学者の寄与について。全3巻完結。

現代数学への招待
志賀浩二
「多様体」は今や現代数学必須の概念。「位相」「微分」などの基礎概念を丁寧に解説・図説しながら、多様体のもつ深い意味を探ってゆく。

シュヴァレー　リー群論
クロード・シュヴァレー
齋藤正彦訳
現代的な視点から、リー群を初めて大局的に論じた古典的著作。著者の導いた諸定理はいまなお有用性を失わない。本邦初訳。（平井武）

現代数学の考え方
イアン・スチュアート
芹沢正三訳
現代数学は怖くない！「集合」「関数」「確率」などの基本概念をイメージ豊かに解説。直観で現代数学の全体を見渡せる入門書。図版多数。

若き数学者への手紙
イアン・スチュアート
冨永星訳
研究者になるってどういうこと？　現役で活躍する数学者が豊富な実体験を紹介。数学との付き合い方から「してはいけないこと」まで。（砂田利一）

飛行機物語
鈴木真二
なぜ金属製の重い機体が自由に空を飛べるのか？その工学と技術を、リリエンタール、ライト兄弟などのエピソードをまじえ歴史的にひもとく。

高橋秀俊の物理学講義
高橋秀俊 藤村靖
ロゲルギストを主宰した研究者の物理的センスとは。力について、示量変数と示強変数、ルジャンドル変換、変分原理などの汎論四〇講。（田崎晴明）

物理学入門
武谷三男
科学とはどんなものか。ギリシャの力学から惑星の運動解明まで、理論変革の跡をひも解いた科学論。三段階論で知られる著者の入門書。（上條隆志）

数は科学の言葉
トビアス・ダンツィク 水谷淳訳
数感覚の芽生えから実数論・無限論の誕生まで、数万年にわたる人類と数の歴史を活写。アインシュタインも絶賛した数学読み物の古典的名著。

常微分方程式
竹之内脩
初学者を対象に基礎理論を学ぶとともに、重要な具体例を取り上げ、それぞれの方程式の解法と解について解説する。練習問題を付した定評ある教科書。

数理のめがね
坪井忠二
物のかぞえかた、勝負の確率といった身近な現象の本質を解き明かす地球物理学の大家による数理エッセイ。後半に「微分方程式雑記帳」を収録する。

一般相対性理論
P・A・M・ディラック 江沢洋訳
一般相対性理論の核心に最短距離で到達すべく、卓抜した数学的記述で簡明直截に書かれた天才ディラックによる入門書。詳細な解説を付す。

幾何学
ルネ・デカルト 原亨吉訳
哲学のみならず数学においても不朽の功績を遺したデカルト。『方法序説』の本論として発表された『幾何学』、初の文庫化！（佐々木力）

不変量と対称性
今井淳／寺尾宏明／中村博昭
変えても変わらない不変量とは？ そしてその意味や用途とは？ ガロア理論や結び目の現代数学に現われる、上級の数学センスをさぐる7講義。

数とは何かそして何であるべきか
リヒャルト・デデキント 渕野昌訳・解説
「数とは何かそして何であるべきか？」「連続性と無理数」の二論文を収録。現代の視点から数学の基礎付けを試みた充実の訳者解説を付す。新訳。

数学的に考える
キース・デブリン
冨永星訳
ビジネスにも有用な数学的思考法とは？　言葉を厳密に使う、量を用いて考える、分析的に考えるといったポイントからとことん丁寧に解説する。

代数的構造
遠山啓
群・環・体など代数の基本概念の構造を、構造主義の歴史をおりまぜつつ、卓抜な比喩とていねいな計算で確かめていく抽象代数学入門。（銀林浩）

現代数学入門
遠山啓
現代数学、恐るるに足らず！　学校数学より日常の感覚の中に集合や構造、関数や群、位相の考え方を探る大人のための入門書。（エッセイ　亀井哲治郎）

代数入門
遠山啓
文字から文字式へ、そして方程式へ。巧みな例示と丁寧な叙述で「方程式とは何か」を説いた最晩年の名著。遠山数学の到達点がここに！　（小林道正）

オイラー博士の素敵な数式
ポール・J・ナーイン
小山信也訳
数学史上最も偉大で美しい式を無限級数の和やフーリエ変換、ディラック関数などの歴史的側面を説明した後、計算式を用い丁寧に解説した入門書。

不完全性定理
野﨑昭弘
事実・推論・証明……。理屈っぽいとケムたがられる話題を、なるほどと納得させながら、ユーモアたっぷりにひもといたゲーデルへの超入門書。

数学的センス
野﨑昭弘
美しい数学とは詩なのです。いまさら数学者にはなれないけれどそれを楽しめたら……。そんな期待に応えてくれる心やさしいエッセイ風数学再入門。

高等学校の確率・統計
黒田孝郎／森毅／小島順／野﨑昭弘ほか
成績の平均や偏差値はおなじみでも、実務の水準とは隔たりが！　基礎からやり直したい人のために伝説の検定教科書を指導書付きで復活。

高等学校の基礎解析
黒田孝郎／森毅／小島順／野﨑昭弘ほか
わかってしまえば日常感覚に近いものながら、数学挫折のきっかけの微分・積分。その基礎を丁寧にひもといた再入門のための検定教科書第2弾！

素粒子と物理法則
R・P・ファインマン／S・ワインバーグ
小林澈郎訳
量子論と相対論を結びつけるディラックのテーマを対照的に展開したノーベル賞学者による追悼記念講演。現代物理学の本質を堪能させる三重奏。

ゲームの理論と経済行動I（全3巻）
ノイマン／モルゲンシュテルン
銀林／橋本／宮本監訳
阿部／橋本訳
今やさまざまな分野への応用いちじるしい「ゲーム理論」の嚆矢とされる記念碑的著作。第I巻はゲームの形式的記述とゼロ和2人ゲームについて。

ゲームの理論と経済行動II
ノイマン／モルゲンシュテルン
銀林／橋本／宮本監訳
銀林／下島訳
第I巻でのゼロ和2人ゲームの考察を踏まえ、第II巻ではプレイヤーが3人以上の場合のゼロ和ゲーム、およびゲームの合成分解について論じる。

ゲームの理論と経済行動III
ノイマン／モルゲンシュテルン
銀林／橋本／宮本監訳
銀林／宮本訳
第III巻では非ゼロ和ゲームにまで理論を拡張。これまでの数学的結果をもとにいよいよ経済学的解釈を試みる。全3巻完結。（中山幹夫）

計算機と脳
J・フォン・ノイマン
柴田裕之訳
脳の振る舞いを数学で記述することは可能か？ 現代のコンピュータの生みの親でもあるフォン・ノイマン最晩年の考察。新訳。（野崎昭弘）

数理物理学の方法
J・フォン・ノイマン
伊東恵一編訳
多岐にわたるノイマンの業績を展望するための文庫オリジナル編集。本巻は量子力学・統計力学など物理学の重要論文四篇を収録。全篇新訳。

作用素環の数理
J・フォン・ノイマン
長田まりゑ編訳
終戦直後に行われた講演「数学者」と、「作用素環について」I〜IVの計五篇を収録。一分野としての作用素環論を確立した記念碑的業績を網羅する。

フンボルト 自然の諸相
アレクサンダー・フォン・フンボルト
木村直司編訳
中南米オリノコ川で見たものとは？ 植生と気候、緯度と地磁気などの関係を初めて認識した、ゲーテ自然学を継ぐ博物・地理学者の探検紀行。

新・自然科学としての言語学
福井直樹
気鋭の文法学者によるチョムスキーの生成文法解説書。文庫化にあたり旧著を大幅に増補改訂し、付録として黒田成幸の論考「数学と生成文法」を収録。

ちくま学芸文庫

新版《しんぱん》　自《し》然界《ぜんかい》における左《ひだり》と右《みぎ》　上《じょう》

二〇二一年一月　十　日　第一刷発行
二〇二一年二月二十五日　第二刷発行

著　者　マーティン・ガードナー
訳　者　坪井忠二（つぼい・ちゅうじ）
藤井昭彦（ふじい・あきひこ）
小島弘（こじま・ひろし）

発行者　喜入冬子
発行所　株式会社　筑摩書房
東京都台東区蔵前二―五―三　〒一一一―八七五五
電話番号　〇三―五六八七―二六〇一（代表）

装幀者　安野光雅
印刷所　星野精版印刷株式会社
製本所　加藤製本株式会社

ISBN978-4-480-51016-7 C0140